MODA COM PROPÓSITO

ANDRÉ CARVALHAL

MODA COM PROPÓSITO

MANIFESTO PELA GRANDE VIRADA

paralela

Estação das Letras e Cores

A Editora Paralela é uma divisão da Editora Schwarcz S.A.

Edição realizada em parceria com a Editora Estação das Letras e Cores.

Grafia atualizada segundo o Acordo Ortográfico da Língua Portuguesa de 1990, que entrou em vigor no Brasil em 2009.

CAPA Luiz Wachelke
PREPARAÇÃO Maria Fernanda Alvares
REVISÃO Renata Lopes Del Nero e Ana Maria Barbosa

Dados Internacionais de Catalogação na Publicação (CIP)
(Câmara Brasileira do Livro, SP, Brasil)

Carvalhal, André
Moda com propósito : manifesto pela grande virada. / André Carvalhal. — 1ª ed. — São Paulo : Paralela, 2016.

ISBN 978-85-8439-049-6

1. Moda 2. Moda - Estilo 3. Moda - História 4. Moda - Indústria - Marcas comerciais 5. Moda - Marketing I. Título.

16-07675 CDD-391

Índice para catálogo sistemático:
1. Moda : Usos e costumes 391

[2016]

EDITORA SCHWARCZ S.A.
Rua Bandeira Paulista, 702, cj. 32
04532-002 — São Paulo — SP
Telefone: (11) 3707-3500
Fax: (11) 3707-3501
www.editoraparalela.com.br
atendimentoaoleitor@editoraparalela.com.br

Oi. Tudo bem?

CONTEÚDO

TERCEIRA PARTE: COMO?

QUARTA PARTE: O QUÊ?

QUINTA PARTE: INÍCIO

ABERTURA

Entre todas as mudanças pelas quais passamos na vida, as mais importantes são marcadas por paradoxos. São aquelas em que o desconhecido se apresenta e nos convida a sair da zona de conforto. Mesmo que algumas sejam mais radicais do que outras, todas trazem consigo as próximas páginas da nossa história.

Para mudar para outra cidade, largar um emprego, declarar seu amor é preciso coragem. É fácil se acomodar. Mudanças assim são perigosas justamente por serem irresistíveis. E se toda escolha implica uma perda, quem optaria por seguir um paradigma empoeirado?

Paradoxos são fundamentais para a evolução do ser humano. São fenômenos que, em meio à desconfiança e ao desconforto, propõem novas perspectivas para o nebuloso e abrem as portas do autoconhecimento.

Um paradoxo é, por definição, contrário aos princípios que orientam o pensamento humano, desafiando a opinião compartilhada pela maioria. Quando deparamos com essa oposição ao senso comum, geralmente temos a sensação de falta de sentido, de uma aparente ausência de lógica.

É compreensível que seja assim. Uma das verdades mais profundas sobre a vida é também um paradoxo, talvez o maior deles: a eterna inconstância. Você já parou para pensar sobre isso? A única constante na vida é a mudança.

Nessa maré contemporânea, o futuro parece cada vez mais próximo do presente e sentimos que, a qualquer momento, vamos nos afogar em mudanças. Elas acontecem tão rápido! Mergulhar é questão de escolha, mas navegar é preciso.

"A única coisa realmente nova é a direção da correnteza que leva consigo os lugares-comuns." Quando o filósofo Raoul Vaneigem diz isso em seu livro *The Evolution of Everyday Life*, poderia muito bem estar falando sobre moda; afinal, efemeridade sempre foi a espinha dorsal desse sistema. Nas últimas décadas, acompanhar a grande fábrica de tendências que a indústria da moda se tornou é humanamente impossível. Não só para quem consome, mas também para quem produz.

E o que acontece quando o apetite pela novidade se torna insustentável? Paradoxos, contradições. No mercado em que a palavra de ordem sempre foi passageira, sinais de desgaste começaram a surgir. A moda como conhecíamos chegou ao fim, mas isso não significa que ela deixará de existir.

É sobre esse novo momento que André Carvalhal se debruça neste livro, com riqueza de exemplos, didatismo e inspiração. O autor nos mostra que as mudanças da moda estão muito além das roupas: envolvem todas as esferas da existência. A maneira como nos relacionamos, nossas sombras psicológicas, as escolhas de alimentação, os esportes que praticamos, música, espiritualidade, meio ambiente... Tudo é cultura, tudo é vida, tudo muda.

O planeta vive um processo de autodestruição que só poderá ser freado por meio de um profundo despertar de consciência. Roupas e outros bens de consumo deixarão de ser meros objetos e vão se transformar em sujeito para construir com as pessoas uma relação mais emocional.

A responsabilidade por essa nova relação é de todos: governo, indústria, mercado e consumidor. Mais importante do que apontar os culpados é se perceber agente dessa realidade. A antiga alienação do "comprar pelo comprar", "comprar para acumular", "comprar para ficar na moda" foi substituída por empatia e colaboração. Essas características são mais fortes do que qualquer *trend* e marcarão a experiência humana nos próximos anos. Para a engrenagem da moda, o impacto é radical, e isso é positivo.

Para quem produz, implica uma revisão de todos os conceitos: da escolha de matérias-primas aos modelos que apresentarão os looks; dos temas que inspiram as coleções aos símbolos que serão comunicados. Ao reformular os processos, todos têm chance de trabalhar em favor da vida. Será preciso resgatar os valores humanos das empresas: propósito será o principal conector entre marca e público.

Mais do que nunca, a moda deverá olhar para as pessoas. Com hábitos, vontades e interesses diversos e misturados, hoje elas são menos rotuláveis e previsíveis. Suas pulsões individuais falam mais alto do que qualquer *lifestyle* padronizado; é o fim da massificação e das classificações. Expressar a complexidade humana nunca foi tão possível.

Estamos em fase de transição para uma nova era. Para alguns já é uma realidade, para outros ainda vai começar. Enquanto isso, pessoas e marcas se dividirão entre velho e novo mundo. Ninguém sabe as respostas, mas todos são livres para buscá-las. Afinal, questionar e duvidar fazem parte desse momento. Mas algo posso garantir: nenhuma empresa sobrevive descolada das aspirações contemporâneas. A inovação nunca existirá se estiver desalinhada com os ideais de uma época.

RONY RODRIGUES
Fundador da Box1824

PRIMEIRA PARTE

Fim

MAIS MODA.

MENOS ROUPA.

1. O fim da moda

A moda parece ter entrado de vez na vida das pessoas. Na TV, nas revistas, na internet, só se fala dela. No começo até que foi legal. O consumo e a informação de moda se democratizaram. Aumentaram o número de cursos e faculdades. Muita gente tomou coragem para assumi-la como carreira. As marcas cresceram. As semanas de moda cresceram. As publicações cresceram...

Parece que, de uma hora para outra, a moda tomou conta de tudo. Todos viraram especialistas no assunto. Surgia uma nova tendência por dia (e todos tinham que estar por dentro dela). As marcas invadiram nossa vida com produtos bem além da roupa, na forma de carro, decoração, *gadgets*, embalagens de bebida, comida, papel higiênico... De uma coleção por semestre, passamos a ter uma ~~por mês~~ por semana. Várias liquidações fora de época. ~~Dobraram~~ Triplicaram o número de itens por coleção. Assim como o número de lojas, de shoppings... As marcas invadiram todas as redes sociais.

Ufa! Já podemos dizer que estamos cansad@s?

É impossível dar conta da quantidade de estímulos que recebemos hoje. Porque como se não bastassem as marcas e as tendências, ainda temos que dar conta da nossa vida, não é mesmo? (Bem, falemos disso depois.) Além dos consumidores, as pessoas que fazem a moda também estão fartas. É impossível ter uma ideia inovadora de coleção por semana, criar produtos inéditos e atender a todas as demandas de quem quer tudo e na mesma hora. O que vemos por aí são profissionais trabalhando demais, esgotados física e mentalmente para dar conta da velocidade com que esse carrossel que é a moda gira. E, no meio disso tudo, sinto que alguma coisa muito importante se perdeu...

Quando olhamos para o passado da moda, podemos identificar ciclos de estilos, que de alguma forma representavam o espírito de determinado tempo. Mas desde o início dos anos 2000, a moda tem se inspirado muito em décadas anteriores, revisitando e recriando estilos. Coincidência? Certamente não. Nós forçamos o tempo. E não demos conta de acompanhar. Houve uma era na qual os designers mudavam a sociedade (como quando Chanel trouxe peças do universo masculino para o feminino). Hoje a maioria vive de revisitar o passado. Ou atender a demanda do marketing. Assim, criamos coleções para estações de que a natureza não dá conta (pois não existem). Criamos milhares de *it bags* e sapatos que ninguém pode deixar de ter (totalmente fora de propósito). Copiamos e reproduzimos na cara dura. Manipulamos a natureza para acelerar a produção de recursos (e os esgotamos no processo). Abrimos mão de horário fixo de trabalho, férias, lazer. Da vida. Boa coisa não ia dar, né?

Então quer saber qual é a última tendência apontada pelos maiores laboratórios e especialistas do mundo todo, como Li Edelkoort, Future Concept Lab, WGSN e Box1824? Aí vai: o fim da moda.

Hoje é sábado. Chove, e estou sentando no chão do meu quarto pensando em tudo isso. Estava arrumando meu armário e separando algumas coisas para doar quando parei e comecei a escrever no iPhone. Me lembrei de uma conversa em sala de aula, com uma aluna, Leticia, que me contou do projeto armário-cápsula, da americana Caroline Joy Rector, autora do blog Unfancy, que decidiu simplificar a vida:

> Recentemente eu olhei em volta e vi que todas as coisas que tinha acumulado precisavam do meu tempo e da minha atenção. Me perguntei se não poderia trocar todas elas por mais tempo e alegria. [...] E, ao ter menos, senti que tinha mais.

Depois descobri o blog Minimal Millennial, da Emily Torres, que também reduziu seu guarda-roupa em dois terços. E o best-seller *A mágica da arrumação*, da consultora japonesa Marie Kondo, que incentiva as pessoas a se desfazer de tudo o que não "desperta a alegria". Então tive acesso a alguns dados bem ~~interessantes~~ intrigantes. Elizabeth Cline, autora de *Overdressed*, diz que na década de 1930 as mulheres tinham em média nove roupas. Hoje estamos comprando em média 64 peças por ano, e uma pesquisa feita pela Threadflip descobriu que usamos em média apenas metade do que está no armário. Não resisti a testar.

Intuitivamente, comecei a fazer pilhas de roupas que combinavam. Elas representavam momentos importantes da minha vida. Quando quis ser fashionista, surfista, skatista... (Nossa, como eu mudei!) Fui me lembrando das marcas e das pessoas que me apoiaram naqueles momentos. E cada roupa era capaz de contar a história (assim como na vida de uma marca, nossas escolhas nos significam) de um momento da minha vida. Elas me transportavam para as festas que fui. Os desfiles com que sonhei. As músicas que conheci. As viagens que fiz. Os vendedores das marcas pelas quais me apaixonei. E representavam a projeção do que eu queria ser em cada um daqueles momentos. Quanto mais eu "limpava", mais claro tudo ia ficando, e assim comecei a entrar em contato com minha verdade atual.

Minimalista. Esse é o estilo do que sobrou no meu armário. Nada de cores, frases, logomarcas ou estampas para me representar. Respiro. Era o que as roupas pediam. Calma. Era do que eu precisava. Essa minha vontade tampouco era coincidência. Mais do que uma forma casual e confortável de me vestir, minhas últimas escolhas representavam (mais uma vez) uma fase de transformação, que agora pedia uma atitude mais autêntica de viver a moda, de viver a vida, sem me preocupar tanto com modismos ou marcas. Uma simplicidade voluntária, para me libertar de padrões de consumo excessivos e de tudo que não refletia minhas reais necessidades.

E, como nada vem somente de dentro, comecei a analisar que essa minha transformação também era reflexo do meio em que eu estava vivendo. As marcas (e os produtos) não me despertavam mais desejo (com raríssimas exceções).

No meio de tanta correria, uma coisa muito importante se perdeu: a moda. Pelo menos da maneira que a conhecíamos. Aquela capaz de acentuar nossa individualidade (em vez de uniformizar), de ajudar a expressar quem somos e como vemos a vida. Capaz de nos conduzir a um desenvolvimento pessoal, através das nossas escolhas (pelas histórias e mundos criados por ela). A moda contestadora. A que conta histórias. A moda como arte, veículo de difusão de sonhos, ideias e criatividade. Hoje, no lugar disso tudo, vemos muitas marcas interessadas somente em produto e preço.

Moda para mim sempre teve mais a ver com comportamento do que com as roupas em si. E se, no passado, sempre encontrei marcas que representassem e satisfizessem meu desejo (de ser), hoje sinto que mudei e me transformei tanto, assim como o mundo e a moda, que não consigo encontrar uma que represente meus atuais valores, crenças, estilo de vida... É como se tivéssemos tomado direções diferentes.

Infelizmente, sinto que ainda são poucas as marcas interessadas no que nós (que também nos transformamos cada vez mais rápido) realmente estamos sentindo e vivendo no momento. Novas marcas surgem com novas ideias, mas muitas das que já existem parecem ainda estar à parte da sociedade, como se não estivessem acompanhando o que está acontecendo. Teimando em vender mais e mais e em ser maior do que as pessoas.

Há uma ~~nova~~ grande geração no mercado que entende bem como as marcas se constroem. (Repare que é como se todo mundo hoje fosse uma marca. Nas redes sociais, as pessoas também criam imagens de si, disputando *likes* e espaço. Hoje elas se expressam por Instagram, Snapchat, Periscope, e não somente pela forma como estão vestidas.) Essa geração — que cresce cada vez mais — já entendeu o que é marketing e está bem mais ligada nas estratégias criadas pelas marcas. Busca relacionamentos mais profundos e verdadeiros. Quer viver experiências em vez de comprar coisas.

Lembro que, há mais ou menos dez anos, quando comecei a trabalhar com moda, ligávamos para @s clientes convidando para tomar um champanhe na loja, ver a nova coleção e pá!, faziam fila na porta. Hoje é quase preciso soltar fogos na loja para tirar as pessoas de casa (não só porque elas podem fazer compras de pijama na cama, ou em qualquer outro lugar, pelo celular, mas porque têm coisas muito mais legais para fazer do que ver o que as marcas estão oferecendo). Desfilar, contratar um supermodelo, anunciar, não é mais garantia de nada.

Quando comecei a colaborar em blogs e sites de moda, eu conquistava fácil a atenção de todos dizendo o que usar e como. Desde então, cada vez mais são as pessoas que nos dizem o que e como querem. O conteúdo que elas produzem é mais interessante e ressoa mais do que o que as marcas e as editorias de moda produzem. Hoje o mais legal dos desfiles é ver as pessoas que vão assistir a eles. Em viagens de pesquisa, é mais legal ficar na rua acompanhando as pessoas passarem do que entrar de loja em loja. "Engraçado, né? Antes a moda 'emprestava' identidade para as pessoas. Será que agora as pessoas estão emprestando identidade pras marcas?", me disse numa conversa Andreia Schmidt, coordenadora do Istituto Europeo di Design (IED) de São Paulo, pesquisadora, consultora e sócia da marca Vish!, que colaborou com a pesquisa para este livro.

Não foi só a postura do consumidor que mudou. Idade, gênero e classe social não determinam mais o tipo de público nem o comportamento. Esses conceitos estão ultrapassados. O consumidor contemporâneo está mais fluido. Tem mais informação, possibilidades, poder de compra, senso crítico, e por isso não se identifica mais com apenas um estilo ou marca. Isso tudo contribui para o crescimento de um processo de "individuação", como diria Jung, que tem a ver com o exercício de se individualizar, evoluindo de um estágio infantil de identificação para um estado de maior consciência e diferenciação.

Cada vez mais pessoas se questionam: "Eu realmente quero comprar?", "Eu realmente preciso disso?", "De onde vêm essas roupas?", "Quem fez?". Tais perguntas (e respostas sinceras) alteram totalmente as relações entre as marcas, os produtores e os consumidores.

Olhando para aquelas pilhas de roupas, fiquei pensando que precisamos analisar os padrões de consumo e estilo de vida que demandam essa produção. O consumo absolutamente excessivo e a lógica de moda rápida têm sido um dos maiores vilões dos últimos tempos. Simplesmente porque manipulam o que temos de mais precioso: o tempo.

A moda sempre incentivou o descarte. Os produtos são compreendidos como "úteis" somente quando estão na moda. A primeira marca de moda, criada por Worth, em meados de 1857, tinha como slogan "altas novidades" e já sugeria a troca e o desejo pelo novo a todo momento. Só que o "entrar e sair da moda" tem sido cada vez mais rápido. Alguém realmente acredita que isso continua fazendo sentido?

Comecei a pensar por que tinha comprado todas aquelas roupas que agora eu estava mandando embora (elas não tinham mais o menor sentido para mim). A gente compra (e continua comprando) porque muda muito ao longo da vida — por dentro e por fora. Logo as marcas sempre terão a chance de vender. Só que para isso elas precisam criar moda que tenha sentido (e que faça sentir), não somente roupas (quase sempre as mesmas do concorrente) sem apelo ou significado.

A banalização da moda (entre vários outros fatores externos, claro) contribuiu para uma mudança no comportamento de consumo que estamos começando a ver hoje. Muito produto, muita promoção, muito estímulo e muita facilidade. Desejo, liberdade, criatividade, qualidade e cuidado insuficientes. É o que vemos. Em 2015, grandes marcas no mundo inteiro registraram o pior resultado comercial de toda a sua existência. De um jeito (pela ampliação da consciência) ou de outro (pela falta de dinheiro), o consumo está mudando. Isso é fato. Como será no futuro? Ninguém sabe ainda. Acredite, não é só você que está confus@ com este momento. Somente uma coisa parece certa: é preciso ressignificar a moda.

Agora, que tal abrir as portas do seu armário também? Olhe para tudo o que está ali dentro. Escolha dez peças que tenham marcado diferentes épocas da sua vida. Olhe uma a uma, pense em quando as comprou e se pergunte: essa peça ainda representa você? Sim? De verdade? Ou é um apego a quem você era? Se ela não representa mais você, então por que ainda a mantém? Doe, repagine, empreste! Faça esse exercício com todas as dez peças. E, se tiver vontade, com todo o seu armário.

O MUNDO MUDOU

E VOCÊ NÃO VIU.

2. O fim do mundo

Ao longo da história passamos por grandes marcos e (r)evoluções que culminaram no momento atual. Pense no Iluminismo, que promoveu intercâmbio intelectual e foi contra a intolerância da Igreja e do Estado; ou na Revolução Francesa, que questionou a hierarquia dos "poderes superiores". Ambos colocavam o ser humano no centro de tudo, como protagonista da sua própria história.

No Renascimento, o homem passou a ser a medida de todas as coisas. Evoluiu (ou quase). Foi racionalista, hedonista, individualista, egocêntrico e antropocêntrico (muito). Dando pouquíssimo valor a todas as outras coisas (além do seu umbigo). A partir daí, o homem, soberano, se sentiu no direito de descobrir, explorar e dominar tudo.

A sede pelo poder e a ambição de crescimento levaram à Revolução Industrial, colocando o foco da sociedade nas empresas, nas fábricas, nos produtos, na publicidade, no lucro. Depois disso, nunca mais fomos os mesmos. O capitalismo e a busca pelo dinheiro tomaram conta de tudo. Perdemos a conexão com o que é sutil e imaterial. O "fazer" prevaleceu.

Em dois séculos, as empresas e o sistema capitalista transformaram o mundo e nossa vida. Foram muitas inovações, tecnologias e conquistas. Será que alguma outra criação humana mudou tanto a sociedade como o capitalismo? Direta ou indiretamente ele impactou de forma positiva a vida de muitos. Proporcionou a bilhões de pessoas a oportunidade de participar da grande experiência de ganhar o próprio sustento.

Mas parece que muitos se atrapalharam, sem saber lidar com essa fonte de energia que é o dinheiro. Começamos a destruir tudo. "O dinheiro tornou-se o Deus da economia. Entretanto esse Deus é diferente do antigo Deus das religiões, que privilegiava valores espirituais — ética, amor, significado e criatividade. O novo Deus favorece apenas valores materiais e o ego", diz Amit Goswami, ativista quântico em seu livro *Economia da consciência*. O "Deus do mercado" passou a organizar a vida em torno do produzir e do consumir. Perdemos a noção de que recursos são finitos. Passamos a querer cada vez mais.

O capitalismo moderno instaurou a cultura do "ter". Ela arruinou a vida de muitas pessoas, que passaram a tomar suas decisões (de compra e carreira a relacionamentos) baseadas em quanto poderiam "ganhar" e "parecer". Programas mentais de medo, escassez, concorrência e sofrimento tomaram conta da sociosfera. Apesar de tantas maravilhas, a ganância, o egoísmo, a competição, a exploração dos consumidores, dos funcionários e até mesmo do planeta tornaram-se banais, na busca desenfreada por poder, lucro e riqueza. A máxima do economista Milton Friedman e da Escola de Chicago de que a responsabilidade social da empresa é maximizar o lucro despertou a busca pela vantagem máxima no corpo a corpo com clientes, fornecedores, trabalhadores, indo contra o meio ambiente e a sociedade. Assim, muitas empresas viraram vilãs.

Tudo passou a ser objeto (enquanto o homem continuava como o principal sujeito). A industrialização precisou manufaturar demanda (para possibilitar o crescimento da produção, das empresas). O consumo foi vendido como uma porta de acesso para a felicidade. As pessoas foram estimuladas a comprar mais que o necessário. Então elas compraram, compraram e compraram, mas continuaram infelizes ☹. O consumo virou consumismo e levou as pessoas a um nível de ansiedade extremo. Quanto mais ricos, mais esgotados, dependentes e deprimidos. Muitos que conseguiram ter abundância material perceberam que suas carências imateriais (afetivas, estéticas, sociais, filosóficas...) não haviam sido atendidas. A busca pelo "parecer" gerou uma angústia enorme. Um desequilíbrio na energia vital. Pense a respeito:

Você está em dia com a sua saúde? (energia física)
Está feliz? (energia emocional)
Tem conseguido criar e se concentrar? (energia mental)
Sabe por que está aqui? (energia espiritual)

Muitos enriqueceram, enquanto outros mergulharam em profunda pobreza (em 2015, 1% da população detinha 40% da riqueza do planeta). Chegamos a 7 bilhões de pessoas no mundo, e não há recursos para todos. Estima-se que hoje 20% da população consuma cerca de 80% dos recursos, enquanto o restante vive com uma série de restrições. Por exemplo, 5 mil pessoas morrem por dia pela falta de água, uma escassez que atinge mais de 1 bilhão de pessoas. Cinco mil também é o número de pessoas que estão morrendo de fome.

A biosfera não foi poupada: só nas últimas três décadas, consumimos um terço dos recursos naturais disponíveis. Entramos num processo de autodestruição. Cerca de 40% de área florestal do planeta sofreu algum tipo de degradação. Com isso, um mamífero a cada quatro, uma ave em oito e um anfíbio em três estão prestes a entrar em extinção. Espécies da fauna e da flora planetária estão morrendo num ritmo mil vezes mais acelerado. Esses dados são do documentário *Home*, produzido pelo jornalista, fotógrafo e ambientalista francês Yann Arthus-Bertrand e lançado em junho de 2009 pelo grupo internacional de moda Kering (antigo PPR, das marcas Stella McCartney, Balenciaga e Alexander McQueen, entre outras). Certamente hoje esses números são bem piores (o documentário está disponível no YouTube e vale demais assistir).

Na década de 1980, ambientalistas falavam do alto risco que corríamos. Dos perigos do excesso com que estávamos vivendo. Do nosso estilo de vida dependente do petróleo, dos gases liberados pelas nossas atividades e das florestas que estavam sendo mutiladas para consumo. Mas parece que poucos ouviram. Muitas pessoas e organizações continuaram como se nada estivesse acontecendo (de olho no próprio umbigo). Quando a Eco-92, realizada no Brasil, voltou a falar alto sobre o assunto, as previsões eram concretas e com data marcada. E o futuro chegou/está chegando, sabia? Os perigos hoje são tão grandes e estão tão próximos que podem gerar uma destruição total. De acordo com um artigo da revista *Exame*, estima-se que em 2030 precisaremos de dois planetas para dar conta de todos os recursos naturais "necessários":

> Até o final desta quinta-feira (13/8/2015), a humanidade terá superado o "orçamento" do meio ambiente para o ano, passando a operar no cheque especial. Em oito meses, esgotamos todos os recursos que a Terra é capaz de oferecer de forma sustentável no período de um ano, desde a filtragem de gás carbônico (CO_2) da atmosfera até a produção de matérias-primas para a alimentação. A conta é do Global Footprint Network (GFN), uma organização de pesquisa que mede a pegada ecológica do homem no planeta. Até o fim de 2015, teremos consumido 1,6 planeta Terra. A diferença entre a capacidade de regeneração do planeta e o consumo humano gera um saldo ecológico negativo que vem se acumulando desde a década de 80, também estimulado pelo crescimento populacional [...]. À medida que aumenta nosso consumo, cresce nossa dívida ecológica. Em termos planetários, os resultados dos juros que pagamos se tornam mais claros a cada dia.

Uma das dimensões deste tempo de ruptura que estamos vivendo é, e será ainda mais amanhã, a crise. Nossos ancestrais temiam por dragões que soltavam fogo pelas ventas. Hoje nosso maior monstro parece ser "a crise". Falamos dela como se fosse coisa do outro mundo: "Ninguém vai resistir à crise", "O mercado entrou em pânico", "Ela chegou de vez". Mas a crise não é uma força espiritual ou da natureza. A crise somos nós e o que fazemos com ela (estou parafraseando aqui o cientista David Suzuki, autor de *The Sacred Balance*, ao falar sobre a economia).

A crise econômica de hoje (à qual nos referimos na maioria das vezes) é resultado da crise interna, de valores, de consciência, ambiental, mercadológica, de confiança, política, afetiva e espiritual (e aposto que você pode citar outras) que estamos ~~vivendo~~ promovendo. Isso mesmo, ela é um reflexo da nossa educação e do nosso estilo de vida. Da apatia. Da falta de consciência. E só há um jeito de matar esse dragão. É preciso compreender que nós fazemos o mundo. Somos responsáveis por tudo.

A base do nosso sistema socioeconômico funciona de forma negativa para o desenvolvimento humano e social. Na teoria, ele se constrói para que as atividades de produção e consumo caminhem bem. Mas elas vão muito mal. Financeiramente, já não tem dado certo também. A "conta" do mundo raramente fecha. A nossa conta raramente fecha. Assim como a conta da moda. Muitos economistas já defenderam que é preciso encontrar um novo modo de pensar a economia. Mesmo assim, continuamos sem querer olhar para a causa de tudo. Fazemos e refazemos, como se nada estivesse acontecendo. Com raras exceções. Seguimos sem nos dar conta de que o mundo em que nascemos não existe mais. Ele acabou. É completamente diferente hoje.

Virou clichê dizer que o mundo mudou, pois hoje tudo muda exponencialmente rápido (para extremos) acima de qualquer margem de comparação. Ray Kurzweil, um dos maiores futuristas da atualidade, diz que os próximos cem anos trarão o impacto de inovação equivalente aos últimos 20 mil anos. Mesmo assim, ainda vivemos como se estivéssemos no velho mundo. Há luta (interna e externa) e choque de realidade por todos os lados, numa nova economia engasgada.

Os modelos de educação (que foram criados no fim do século XVIII e continuam até hoje) não fazem mais sentido. É flagrante que estamos preparando pessoas da forma errada, no tempo errado, para empregos errados — que em breve deixarão de existir. Thomas Frey, do DaVinci Institute, diz que 60% das profissões que dominarão os próximos dez anos ainda não existem. O CBRE Institute publicou uma pesquisa apontando que 50% das profissões de hoje ficarão obsoletas até 2025. Já John Chambers, CEO da Cisco, aposta que 40% das empresas existentes não estarão mais no mercado ao final dos próximos dez anos.

Os formatos de trabalho não fazem mais sentido. Assim como trabalhar sem propósito. O modelo "oito horas por dia" não é necessário em muitas carreiras, se considerarmos o tempo que levamos para nos deslocar, a facilidade de produzir remotamente e a vontade de fazer mais de uma coisa por vez.

Já os programas de cultura e de saúde pública, que sempre tiveram problemas, não deram conta de salvar modelos antigos, que estão parados no tempo. Muita coisa mudou para melhor? Sim. Muitas transformações são positivas e necessárias? Sim. Foram construídos museus, escolas, creches e hospitais. Mas nem todo mundo acompanhou as mudanças. Por isso o mundo está indo à falência. E não é exagero ou metáfora. Todos os países hoje apresentam níveis altíssimos de endividamento (que nem todo o dinheiro disponível hoje no mundo daria conta de pagar) e, desde 2010, economistas dizem que em pouquíssimo tempo 60% deles vão quebrar (para tentar "se salvar", os Estados Unidos, por exemplo, devem aumentar em 65% o valor do imposto de renda nos próximos anos. Bacana, né? #SQN).

O mundo antropocêntrico baseado no eu e na competição está em choque com outro no qual a colaboração e a empatia pedem passagem. Recentemente participamos de uma grande revolução digital. Ela tirou a hegemonia do poder das organizações e da mídia e a colocou novamente ~~nas mãos~~ nos dedos de todos. Graças a nossa estimada rede mundial de computadores, as pessoas voltaram a ter o controle e a ser. Ela espalhou conhecimento, disseminou informações e deu a chance de as pessoas se expressarem (publicarem) e se conectarem umas com as outras. Mudou o funcionamento tanto doméstico quanto profissional de todas as coisas. Mudou nosso modelo mental de pensamento.

A internet clareou o conceito da teoria da complexidade. Hoje começamos a entender (e permitir) novas formas de organização, cada vez mais sofisticadas, cada vez mais ricas em autonomia e informações. A rede encerra o modelo de centralização, em que todas as coisas (o poder, a informação, a produção, o dinheiro...) partiam de um único ponto. E cria infinitas possibilidades.

Tal empoderamento provoca profundas transformações. Faz com que muitas verdades, que por muito tempo reinaram, hoje não tenham mais o menor sentido. Enquanto outras, que por muito tempo permaneceram inconscientes, começam a florescer. Com o mundo que se foi, vários programas mentais que sempre fizeram parte da nossa vida estão caindo (e outras microrrevoluções surgem).

As pessoas estão se transformando, e o mercado muda junto. Há uma "seleção natural" acontecendo neste exato momento. Acredite, não é à toa que tantas marcas estão passando por dificuldades e até mesmo fechando (além de outras empresas em outros setores). Em meu primeiro livro, *A moda imita a vida*, eu disse que a seleção natural das marcas aconteceria por nível de relevância. Que a vida exigiria delas verdade, autenticidade e propósito. Hoje acrescento a essa lista mais uma *tag*: consciência.

É preciso saber hoje que quem vai pagar a conta disso tudo não é mais (somente) o homem ou a humanidade. É a vida, como um todo. A biosfera. A Terra. E nós precisamos dela. Destruir a vida é destruir o futuro. Muitos de nossos ancestrais desapareceram porque seus ecossistemas deixaram de ser sustentáveis. Diante de tantas ameaças e transformações, é preciso acordar e compreender que, se não mudarmos radicalmente, seremos a própria causa do fim do mundo. Da nossa extinção.

Agora é hora de olhar para fora. Olhar para o mundo e ver o que se transformou, acabou, perdeu sentido. E o que surgiu de novo. Pense em como tudo isso impacta seu trabalho, sua vida. O que precisa ser jogado fora?

CONSCIÊNCIA É

UM CAMINHO
SEM VOLTA.

3. Mudança de era

Apesar das notícias tristes, vejo com otimismo este momento. Você já parou para pensar que pode não se tratar de uma crise, e sim de uma grande chance de renovação? A história da humanidade é marcada por ciclos. Olhando para a vida lá trás, é possível identificar claramente as eras pelas quais passamos, cada uma com suas características, seus modelos de funcionamento (de sociedade, cultura, poder), hábitos e valores. A que entra rompe e ressignifica a anterior (assim como na moda).

O último ciclo do velho mundo ficou conhecido como era moderna. Por mais de meio milênio, ela se desenvolveu com base em valores como humanismo, hedonismo, materialismo, capitalismo, racionalismo, cientificismo, individualismo e outros "ismos". Ela ~~deu à luz~~ pariu a economia industrial e capitalista, a política estatista e colonial, alimentando-se do pensamento cartesiano — racional e analítico, mecanicista e determinista.

Mas, ao que tudo indica, o momento que estamos vivendo vai além da evolução. É de quebra. De ruptura. Chegamos ao limite. O que estamos vendo (da primeira fila), muito mais do que apenas uma era de mudanças, é uma mudança de era. Significa que estamos iniciando um novo ciclo, e que as transformações que viveremos daqui para a frente dificilmente levarão a um ponto já conhecido.

A "nova era" (que está por vir e dará à luz um novo mundo) vem sendo estudada e comentada já há algum tempo. Vamos começar agora a ver o que alguns autores estão dizendo sobre ela, e depois vamos refletir sobre o impacto dessas transformações no mundo da moda, que também vive um momento de ruptura — afinal, a moda imita a vida. De modo geral, há uma concordância de que esta será uma era de resgate e celebração da vida. O que está por vir precisará nos salvar da situação-limite a que chegamos.

> Estamos num ponto do tempo em que uma era de quatrocentos anos está morrendo e outra está lutando para nascer — uma mudança de cultura, ciência, sociedade e instituições muito maior do que qualquer outra que o mundo já tenha experimentado. Temos à frente a possibilidade de regeneração da individualidade, da liberdade, da comunidade e da ética como o mundo nunca conheceu, e de uma harmonia com a natureza, com os outros e com a inteligência divina como o mundo jamais sonhou.

Por incrível que pareça, essas não são palavras de um profeta ou teórico sonhador. São de Dee Hock, pragmático fundador e diretor executivo do maior empreendimento comercial do planeta: a Visa Internacional (dos cartões de crédito), no livro *Nascimento da era caórdica*, de 2000. Hock entremeia com habilidade a trajetória da Visa, a notável história de sua vida e uma filosofia visionária que descreve uma nova forma de organização, denominada por ele de "caórdica", pela mistura de caos e ordem.

Cinco anos após o lançamento de *Nascimento da era caórdica*, Marc Haléy lançou o livro *A era do conhecimento*, no qual chama esse novo ciclo de "era noética". O nome tem origem no grego: "*noos*" significa conhecimento, inteligência, espírito. Na era noética, os modelos matemáticos (e racionais) se misturam com metamodelos qualitativos, intuitivos e visionários para criar uma nova ética, uma mudança radical de valores da sociedade, na qual os deveres se sobrepõem aos direitos — pois diante de todas as informações e de todo o conhecimento que alcançaremos vamos nos tornar mais conscientes.

Com essa consciência, a vida humana ganhará um novo sentido. De individuação e integração. O indivíduo assumirá sua autenticidade, sua autonomia e sua responsabilidade em relação a si mesmo, ao outro, à natureza e ao mundo, e vai se libertar das instituições que criou (Estado, leis, política...). Mas tudo isso de forma oposta ao humanismo narcisista que já existiu. Ele vai se ver como parte do todo (integrado) e a serviço dele. Um elo cósmico no processo de evolução.

Será uma era de valorização do feminino sagrado e de tudo o que ele representa: criação, interioridade, espiritualidade, frugalidade, simplicidade, ecologia, fraternidade, qualidade de vida e sensibilidade — características compartilhadas por artistas, poetas, líderes, mitos e ícones de todos os tempos. Por milênios operamos em cima de valores "masculinos", como agressividade, ambição, competição e dominação. Agora daremos outro passo.

Tanto Hock quanto Haléy concordam que esta deve ser uma era "além da matéria". Mais espiritual e energética. Integradora. Dessa forma, não só as pessoas tenderão a se conectar mais com sua própria ~~força~~ espiritualidade como as religiões voltarão a contribuir para isso. "Convoque seu Buda, o clima tá tenso", canta o músico paulistano Criolo. Muitos experimentam juntar o material com o espiritual, buscando novas formas de conexão, sentido e significado. "Nin-jitsu, oxalá, capoeira, Jiu-Jitsu/ Shiva, Ganesh, Zé Pilin dai equilíbrio/ Ao trabalhador que corre atrás do pão", #lalalalala, segue o refrão. Para cada um, um caminho. Uma crença. Surgem novas possibilidades. Novos heróis, ícones e líderes, dentro dessa nova mentalidade. É o caso do papa Francisco (<3) e agora de Sri Prem Baba.

O argentino Jorge Mario Bergoglio vem contribuindo para ressignificar o papel da Igreja e da religião católica — "Francisco" escolheu ser chamado pelo nome mais humilde, não quis capas vermelhas, joias nem sapatos de marca. Tem constantemente abordado temas que sempre foram tabus ou pouco comuns na Igreja. Dedicou sua primeira encíclica ao meio ambiente e à sustentabilidade — temas abordados pela primeira vez no manual de conduta dedicado a bispos e fiéis em geral. Sua "Oração pela nossa terra" tem, em síntese, as principais ideias da nova era:

> Ajudai-nos a resgatar os abandonados e esquecidos desta terra que valem tanto aos vossos olhos. Curai a nossa vida, para que protejamos o mundo, e não o depredemos, para que semeemos beleza e não poluição nem destruição. Tocai o coração daqueles que buscam apenas benefícios à custa dos pobres e da terra. Ensinai-nos a descobrir o valor de cada coisa, a contemplar com encanto, a reconhecer que estamos profundamente unidos com todas as criaturas...

Prem Baba é um mestre da linhagem espiritual sachcha, do Norte da Índia. Nascido e criado no Brasil, trabalhou como psicólogo, humanista e professor de ioga. Hoje dedica a vida a ajudar pessoas de todas as origens e diferentes tradições religiosas a realizar seu propósito na vida. Em seu último livro, *Amar e ser livre: As bases de uma nova sociedade*, de 2015, chama esse momento que estamos passando de "parivartan", que significa "transformação" em sânscrito.

Para ele, as diversas crises pelas quais estamos passando estão a serviço do despertar da consciência coletiva. Estamos sendo levad@s a reconhecer nossos erros em relação às escolhas que fizemos até agora. Estamos no auge de uma transformação planetária, onde teremos a chance de transmutar: medo em confiança, sofrimento em alegria, egoísmo em altruísmo, evoluir do paradigma materialista para o espiritual — compreendendo que este último nada tem a ver com atitudes e conceitos dogmáticos, verdades emprestadas ou qualquer tipo de separação e exclusão por crença.

Assim, a sociedade atual de consumo, acúmulo e desperdício deve desaparecer pela aplicação sistemática do princípio da frugalidade, que tem a ver com consumir o mínimo e o melhor possível.

Ou seja, a economia do consumo deverá dar lugar à economia da... economia ☺. Mas isso sem privação, mesquinharia ou coisa parecida, pela simples consciência de dispensar o que não tem utilidade, entendendo que será preciso gerar mais do que destruímos para viver. Isso valerá para a alimentação, o lazer, as roupas... E até para o funcionamento das organizações.

A pessoa (que ainda existe hoje) que acumulava objetos deixará de existir (em breve teremos vergonha da forma como agimos). Ela cederá lugar a quem cria conhecimento. "Não coisificar nada, por favor", será o lema (até porque as melhores coisas da vida não são coisas, como dizem por aí). A nova riqueza será cognitiva e cultural, imaginativa e artística. O capital essencial de amanhã não será o dinheiro. Será o talento, a inteligência, a intuição e a imaginação. E isso muda tudo. Na educação. Na empresa. Na cidade. No mundo.

A sociedade do conhecimento e da consciência tomará o lugar da velha sociedade industrial e capitalista. Michael Porter, papa do marketing e da administração de empresas, diz que o velho modelo do capitalismo e da estratégia corporativa está morrendo: "Estamos vivendo uma mudança de paradigma do prejudicar para o ajudar". Isso muda totalmente o conceito de sucesso de uma organização. O lucro deixa de ser a razão de existir e passa a ser consequência natural da realização de um propósito.

John Mackey, um dos CEOs do Whole Foods Market, e Raj Sisodia falam que esse novo momento dará origem a um capitalismo mais consciente em *Capitalismo consciente: Como libertar o espírito heroico dos negócios*, de 2014. O livro é fruto do projeto que leva o mesmo nome (mais em consciouscapitalism.org), uma organização sem fins lucrativos criada em 2009, com o objetivo de mudar o pensamento predominante nas organizações. De despertar a consciência delas sobre seu papel e sua importância. De falar sobre propósito. Com uma visão mais holística que a dos livros de economia.

Eles reconhecem que o capitalismo e os negócios carregam a fama de vilões, sendo acusados de ludibriar clientes, explorar trabalhadores, fragmentar comunidades e destruir o meio ambiente. Esse novo programa deve ajudar a reverter essa imagem construindo uma sociedade na qual todos vivem com liberdade, transparência, propósito, amor e criatividade, para criar um novo mundo de compaixão e prosperidade. Para eles, o novo capitalismo é bom porque cria riqueza, é ético porque se baseia na troca voluntária e na cooperação, é nobre porque eleva toda a nossa existência, e é heroico porque tira as pessoas da pobreza e cria prosperidade.

Isso pode parecer um pouco ~~bobo~~ otimista demais, só que não é. Apesar de todo o discurso, eles defendem que as empresas precisam de lucro. Não são ingênuos. Muito pelo contrário: entendem que é irresponsável empreender sem lucro. Mas ele deve ser visto como consequência, uma forma de a organização continuar realizando seu propósito. O lucro deve ser completado pela motivação do bem-estar social, ambiental e sutil. Eles acreditam que o propósito de toda organização é melhorar a vida das pessoas gerando valor para as partes (através dos seus produtos, ações, iniciativas, projetos...). Isso deve ser o mais importante.

Na era do capitalismo consciente, quanto mais as organizações realizarem seus propósitos, mais elas vão faturar. No entanto, se uma organização busca maximizar seus resultados apenas para encher o cofre, sem se preocupar com a saúde de todo o sistema, essa negligência pode voltar de forma negativa no longo prazo. Com a insatisfação dos clientes, falta de comprometimento e infelicidade da equipe, os lucros são insustentáveis. O negócio também. É o que estamos vendo acontecer com algumas organizações. Enquanto outras — as que continuam tendo sucesso — começam a manifestar uma preocupação em cuidar dos outros e do planeta, através da promoção de causas que estão acima dos interesses individuais.

Organizações e pessoas realmente preocupadas com valores podem contribuir com a humanidade de forma mais tangível do que qualquer outra instituição. Assim, elas poderão ajudar a refazer o mundo, e o capitalismo resgatará seu fundamento de ser uma rede de cooperação a favor das pessoas e do planeta. Por isso, todos terão grande importância nessa nova economia. Pouco vai adiantar ter um alto Q.I. sem uma forte inteligência emocional (empatia), intrapessoal (trocas profundas), moral (ética), espiritual (revelação de metas mais elevadas) e de sistemas (pensamento sistemático). Tudo o que conquistamos através do autoconhecimento.

Fico feliz à beça e me encho de esperança ao ver que esse "despertar" já começou (para alguns). Ele faz com que cada vez mais pessoas busquem respostas além das ciências, das tecnologias e da matéria. É o que vem ocorrendo com a ideia de equilíbrio na alimentação, com a valorização da produção local e a desvalorização de produtos de origem animal. Não é à toa que o autoconhecimento esteja tão na moda (com escolas da vida, livros, cursos...), assim como a ioga, diversas práticas meditativas, a astrologia... Lugares como Piracanga e Alto Paraíso são destinos cada vez mais desejados. A meditação também se popularizou, chegando a muitas organizações para auxiliar no desenvolvimento humano.

Olhe para a *timeline* de qualquer rede social e você verá frases de autoajuda, fotos de ioga e meditação, trilhas e outros modos de contato com a natureza. Mesmo que as pessoas não se deem conta ou muitas vezes estejam somente acompanhando uma modinha (é bem verdade), a transformação do ser tem valor. Há algo de grandioso acontecendo, sim. E muitos movimentos têm surgido, como os de desescolarização, consumo consciente, apoio ao empreendedorismo, à colaboração, à busca e à realização de sonhos.

Vou explicar: os maias acreditavam que em 2012 o mundo ia acabar. Alguns interpretaram isso como a extinção do mundo que conhecíamos, abrindo caminho para um novo. Assim, o "fim do mundo" pode também ser visto como uma alegoria astrológica da transição para uma nova era. A astrologia aponta que a cada 2160 anos o Sol nasce na frente da constelação de um signo. Durante esse período, o planeta passa a ser regido pelas características dele (o que caracteriza a era).

Estamos saindo da era de peixes e "entrando" nessa nova era de aquário. As datas de início exato de cada uma variam muito, de acordo com as linhas de pensamento, pois, assim como a passagem do dia para a noite não acontece de uma hora para outra, existe uma transição, com sobreposição de luzes e sombras, entre as eras. É exatamente esse momento que estamos vivendo. Para alguns, a nova era já começou; para outros, ela ainda vai começar. Isso faz com que a gente viva com sentimentos diversos. Faz com que algumas pessoas estejam lá na frente e outras bem lá atrás. Faz com que muitos de nós já tenhamos consciência de uma nova era, mas ainda estejamos praticando valores do velho mundo. A ciência nos diz que isso é normal.

Cada era astrológica nos traz um tipo de experiência. Na era de peixes, a experiência era a do *fazer*. O homem descobriu seu poder através dele, da produtividade, daquilo que produziu com as mãos, que materializou. Por isso se tratou de uma era na qual muita coisa foi construída, na qual tivemos muitas revoluções, a viagem à Lua, a criação do automóvel... Era o homem fazendo, fazendo e fazendo, mostrando que era capaz. É o que diz Amelia Clark, uma das fundadoras do Centro Holístico de Realização do Ser, em Piracanga.

Na era de aquário o homem transforma (e se realiza) através do *ser*. Através da sua verdade e da sua essência. Essa era vai fazer com que todos olhem para dentro e descubram quem realmente são. Tudo vai estar direcionado para essa descoberta, pois as transformações precisam ser de dentro para fora (se existe um novo sentido a ser buscado, ele está dentro de nós). Nem as ciências nem o estado ou as religiões darão conta de resolver sozinhos o impasse a que chegamos. Serão os sentimentos que vêm de dentro que farão com que repensemos “por que”, “como” e “o que” estamos fazendo, enquanto marcas ou indivíduos. Se não transformarmos dentro, não conseguiremos transformar fora.

Prediz-se que a era aquariana será um período de mais consciência, de fraternidade universal, de colaboração, na qual será possível solucionar os problemas sociais de maneira igualitária, com grandiosas oportunidades de desenvolvimento intelectual e espiritual. Será uma era mais afetiva, feminina, orientada pelo sentimento e pela intuição. Na qual precisaremos organizar e transmitir conhecimento para que juntos possamos nos colocar de acordo com a nova era que nosso ser, o planeta e o universo começam a viver.

O taoismo diz que essa transformação que estamos vivendo privilegia a reconexão com a natureza — Mãe boa. Se olharmos profundamente para descobrir quem somos, veremos que somos natureza. Mas até hoje fomos planta de plástico e pássaro na gaiola. Para os taoistas, a evolução do mundo é um processo criativo contínuo no qual devemos sempre estar a serviço da natureza, para preservar e favorecer a vida em todas as suas formas.

É preciso olhar para nós e para o planeta com um olhar diferente. De ecologia profunda. A natureza percorre nosso corpo durante toda a vida. O ar que respiramos, a água que bebemos, os alimentos que ingerimos e até o que vestimos vêm dela. Esse deve ser um momento de readaptação, quando voltaremos a tomar conhecimento de que fazemos parte dela. Isso não significa somente cuidar do meio ambiente. Estamos recuperando consciência do que está além do nosso umbigo. Começamos a repensar o que comemos, o que vestimos, o que fazemos... como estamos respirando. Assim conseguiremos sorrir mais e ser felizes. Através da alegria interna, que é natural de todos.

Bem, pode ser que você esteja amando esse papo, ou achando muito louco, ou bom, romântico ou fofo demais para ser verdade. Talvez discorde completamente. Mas até o duvidar faz parte deste momento, pois ainda é uma fase de transição, na qual algumas pessoas (e organizações) já se conectaram com a nova realidade, enquanto outras ainda estão vivendo no modelo anterior. Prepare-se (e tenha calma), pois pode levar anos, décadas, talvez séculos, até que se estabeleça definitivamente essa nova energia.

Mas, independentemente da sua crença, repare que tudo converge. Arrisco dizer que o que os astrólogos chamam de era de aquário é o mesmo que os economistas chamam de “capitalismo consciente” (e de que os taoistas já falam há muito tempo). É a era do conhecimento para os filósofos, ou era caórdica ou digital para os *nerds* intelectuais. Enquanto os humanistas chamam de “revolução humana” (um novo humanismo). E os varejistas de “crise”. Quando olhamos de perto e sem preconceito, temos a certeza de que estamos vivendo modelos ultrapassados. De que precisamos de uma transformação (por dentro e por fora) urgente.

É PRECISO VOLTAR A FAZER MODA

COM "M" MAIÚSCULO.

4. Amanhe.ser

As pessoas nascidas a partir de 1980 (os *millennials*) têm mais consciência e preocupação em relação a meio ambiente, questões sociais e, principalmente, o que estão ingerindo. Nasceram num mundo mais acelerado e valorizam desacelerar.

Nessa mesma década, o slow-food, para se opor ao fast-food, comida rápida e prejudicial à saúde e ao meio ambiente, surgiu na Itália. Essa iniciativa passou a atrair pessoas que compartilham um interesse na alimentação de qualidade e na busca de relações mais justas de consumo e produção de alimentos. Assim como o fast-food, o *fast-fashion* (que também faz mal à saúde e ao meio ambiente) passa a ser visto de forma diferente por essa nova geração. A grande prova foi o aumento de iniciativas "*slow*" crescendo na moda.

Essa abordagem lenta intervém como um processo revolucionário no mundo contemporâneo, que incentiva levar mais tempo para garantir mais qualidade, criatividade, ética, e para dar valor ao produto e contemplar a conexão com o meio ambiente. Esse "lento" não é necessariamente pensado como falta de velocidade, mas como uma visão de mundo diferente. Uma vez que esse conceito começa a fazer parte da vida das pessoas, é natural extrapolar para outras áreas (repare como alguém com alimentação vegana ou orgânica costuma se preocupar com a origem do que veste).

A indústria automobilística também deverá se transformar muito daqui para a frente. Numa entrevista com 3 mil *millennials*, a Scratch, braço de pesquisa da MTV americana, perguntou quais eram suas 31 marcas preferidas. Nenhuma marca de carro ficou entre as dez primeiras. Além disso, 46% dos jovens declararam que preferem ter acesso à internet do que um carro. Na pesquisa "O sonho brasileiro", da Box1824, eles disseram que preferem transporte público de qualidade. Há quem acredite que o carro é o novo cigarro. Algum dia já foi legal desejar ter um, vê-lo em propagandas, filmes... Mas cada vez mais seus efeitos maléficos são reconhecidos. Da mesma forma que há bem pouco tempo muitos babavam com as roupas de Carrie, em *Sex and The City*, e as sacolas de compras do filme *Legalmente loira*.

Bruna Miranda, idealizadora do Review, projeto que combina moda com *lifestyle slow* e estilo consciente, colaborou comigo para a pesquisa deste livro e me disse:

> A gente sabe que a indústria *mainstream* da moda depende da produção em massa, que oferece preços muito baixos e inúmeros lançamentos e coleções. Tudo em um tempo curtíssimo. E o objetivo é facilmente nos seduzir a comprar bem mais do que precisamos. Só que esse consumo excessivo traz um preço oculto para o meio ambiente e para os trabalhadores da cadeia de produção.

Silvia Feola escreveu em 23 de outubro de 2015 em seu blog Cotidiano Transitivo, do *Estadão*, que se as marcas não mudam a forma de fazer, precisamos entender que:

> Quando incentivamos o *fast-fashion* enriquecemos apenas uma meia dúzia de grandes empresários, donos de grandes marcas. Isso não é democratização do dinheiro. Quando compramos *fast-fashion* vamos a favor de todo o processo de "colonização da moda", que marcou a en-

trada de grandes marcas mundiais em países estrangeiros, acabando com a produção local. Quando compramos *fast-fashion* incentivamos o trabalho em condições sub-humanas em países que não têm (ou têm muito poucas) leis trabalhistas. Isso não é democratização de nada.

Hoje vejo as pessoas começando a absorver isso, como disse Nuta Vasconcellos em 18 de novembro de 2014, em seu blog Girls with Style:

> Claro, é muito legal poder comprar peças que grandes estilistas fizeram em parceria com redes de *fast-fashion*, ou ver um desfile em Milão hoje e achar uma peça *inspired* na semana seguinte no shopping do lado da sua casa, ou ter aquela saia linda por apenas dez dólares. Mas será que não estamos consumindo moda rápido demais? E será que não tem nada mesmo de negativo em relação a isso?
>
> Eu parei para pensar e vi muita coisa. Das mais fúteis às mais sérias, muita coisa está errada na forma que consumimos moda nos dias de hoje. Já reparou como de um dia para o outro ficamos uniformizados? Consumimos peças dos mesmos lugares, das mesmas referências. As pessoas que fabricam moda assistem às mesmas palestras do líder mundial de previsão de tendências. Já vem tudo mastigado. Não tem que criar nem se inspirar. Só produzir e vender, vender e vender.
>
> Nós, consumidores, também não temos mais que criar nada nosso. O "seu estilo" já está lá, pronto para ser consumido na vitrine da sua loja favorita.

Esse post é um reflexo deste momento de transição. A prova do "ser" maior que o "ter". Que alegria! Na contramão, a moda atual ainda depende do consumo acelerado de recursos, por isso é insustentável. Em 1955, Victor Lebow escreveu um artigo onde dizia que

> nossa enorme economia produtiva exige que façamos do consumo a nossa forma de vida, que tornemos a compra e o uso de bens em rituais, que procuremos nossa satisfação espiritual e a satisfação do nosso ego no consumo. [...] Precisamos que as coisas sejam consumidas, destruídas, substituídas e descartadas num ritmo cada vez maior.

Com isso buscamos um crescimento infinito, sem considerar que tudo no mundo é finito.

Mas isso não vai durar. O sistema de moda vai precisar mudar por um simples fato: ele está se destruindo. E desta vez não estou falando do meio ambiente, mas do quanto a moda tem matado o desejo pela moda, acelerando demais, banalizando suas coleções e seus produtos, com campanhas e ações sem relevância a todo momento. O volume e a rapidez talvez sejam as piores drogas para o sistema da moda, que parece estar descontrolado, viciado, incapaz de responder às suas próprias vontades.

Vale dizer que consumir não é ruim. A gente consome tudo o tempo todo: o ar, as relações, comidas, roupas... Mas todo consumo tem um impacto. E esta era traz consigo a ideia de responsabilidade. O que escolhemos comprar pode mudar o rumo do planeta. O consumo sem consciência gera impactos negativos. São ações e perguntas diárias e constantes que fazem a diferença. Na Black Friday de 2015 vimos marcas e pessoas tomando novas atitudes. Surgiu um chamado na internet para não comprar nada por um dia (nem um cafezinho, o.k.?). A Green Friday incentivava a troca e o compartilhamento, em vez da compra. A Love Friday, da Euzaria, deu 20% de desconto a quem fosse doador de órgãos, voluntário da escola de respiração/meditação Arte de Viver, da Organização TETO ou de qualquer outra ação social.

Todas as ações tinham como propósito questionar: preciso deste produto ou serviço? Mesmo? Por quê? Ele é socialmente justo? O preço é adequado? O que está contemplado nele? É econômico? Poluente? A extração da matéria-prima respeita a natureza? Onde foi produzido? Com que mão de obra? Quanto tempo vai durar?

O ex-presidente do Uruguai, José Mujica, disse: "O que estamos gastando é tempo de vida. Porque, quando compramos algo, não pagamos com dinheiro, compramos com o tempo de vida que tivemos que gastar para ter esse dinheiro. Mas tem um detalhe: tudo se compra, menos a vida. A vida se gasta". É nisso que sempre penso antes de comprar alguma coisa.

De um jeito (pela ampliação da consciência) ou de outro (pela falta de dinheiro), o consumo está mudando. Isso é fato. Como será no futuro? Ninguém sabe. Acredite, não é só você que está confuso. Há pesquisas que já revelam essas mudanças: a Nielsen comprovou que houve queda de 4,7% no número de visitas ao ponto de venda em 2014 (em 2015 esse número foi muito maior, pelo menos nas marcas que trabalho), mas o ticket médio aumentou 5,6 vezes. Independente dos números relativos, a diferença de percentual mostra que as pessoas foram menos às lojas, mas gastaram mais.

Isso pode ser uma boa notícia aos muitos que acreditam que uma das grandes barreiras para a mudança da lógica "*fast*" para a "*slow*" ainda é o preço, com base numa crença de que tudo precisa ser ofertado pelo menor valor possível (ou de que o lucro precisa ser o maior possível). É por isso que muitas empresas acabam não investindo nessas alternativas. Quanto menos investem, mais raro e mais caro o trabalho permanece.

Acredito realmente que são as pessoas que movem o mundo. Se formos capazes de educá-las, instruí-las, transformá-las ou ao menos ampliar sua consciência (aqui está meu propósito), a solução um dia chegará. Na alimentação, esse movimento vem ganhando cada vez mais força. Acredito que a moda ~~pode~~ deve colaborar com a difusão e a conscientização sobre a sustentabilidade e as demandas do planeta. Ela pode desacelerar.

A moda também gira em ciclos. Como um carrossel, sempre revisita o passado. Mas desta vez parece que não vamos completar uma volta. O carrossel deve parar num lugar desconhecido, que nos guiará para uma nova era. Talvez por isso, pela primeira vez ela não está conseguindo realizar o que sempre se propôs: prever o futuro. Ninguém foi capaz de dizer para onde vamos (ou qual será o novo preto).

Será uma era de florescimento, assim como no Renascimento lá atrás, quando o continente europeu teve acesso a coisas que não conhecia e sofreu transformações bem evidentes na cultura, na economia, na sociedade, na política e na religião. Só que naquela época evoluímos de uma realidade feudalista para uma capitalista. Hoje, com mais consciência, vamos evoluir para um novo capitalismo. E, em vez de nos tornar humanistas antropocêntricos, deveremos voltar a olhar com carinho para nossa espécie.

Porque neste momento a humanidade ganha um novo sentido (na verdade, ganha um sentido). As transformações serão muitas e trarão diversas oportunidades e necessidades de adaptação. Para ter sucesso precisaremos de novos modelos mentais (mais empáticos, conscientes e profundos, eu diria). Precisaremos de uma nova compreensão da realidade. Não poderemos continuar construindo marcas, criando, comunicando ou vendendo como fazíamos há até bem pouco tempo.

Na moda essa revolução não será nem política nem econômica. Não será um movimento externo. Será essencialmente conceitual. Vamos precisar rever os conceitos de todos os processos, desde a criação das marcas e das coleções, passando pelas escolhas de matéria-prima até a seleção dos milhões de trabalhadores que sustentam essa indústria — de agricultores a modelos. Será uma revolução de mudança de prioridades.

O planejamento ou o modelo cartesiano não darão conta de explicar ou prever “a nova era da moda”. Mas é só olhar ao redor e ver que a revolução já começou. A vida real é que vai nos mostrar o caminho. Para entender como será a moda daqui para a frente, é preciso olhar primeiro para as pessoas. Para quem as marcas são feitas. O consumidor de hoje é bem diferente do de bem pouco tempo atrás, quando a internet não existia, quando a tecnologia ou a moda se restringiam a pequenos grupos.

As ferramentas de autopublicação, de DIY, de construção de autoimagem (e a internet, sempre sem limites) deram poder às pessoas. Fomos transformados por esse poder que ganhamos, e levamos esse valor para todos os segmentos da nossa vida. Não estou falando apenas da força que temos hoje para construir e destruir marcas, governos, pessoas... (o que é bem verdade). Todo esse empoderamento social, tecnológico e conceitual ampliou muito nosso nível de consciência e colocou as pessoas acima das marcas (e cada vez mais as pessoas serão maiores do que as marcas).

O consumidor hoje tem a vida nas próprias mãos, não está mais topando se encaixar em padrões comportamentais e de segmentação conhecidos. Não é somente público-alvo (ou comprador), ele é produtor de inovação, cocriador, colaborador, financiador, produtor, disseminador... Isso muda tudo. Na vida. Na moda.

O laboratório internacional de pesquisa Future Concept Lab (FCL) fala sobre uma nova era de consumo autoral, sobre as novas gerações como "empresas" criativas, onde as pessoas são atores e autores de suas próprias escolhas (menos influenciadas pelo canto da sereia das marcas). Nessa nova jornada, os consumidores tendem a ver a moda de forma diferente, não mais como a única saída para construir e comunicar quem são. "Trata-se de uma extraordinária oportunidade de aprender a escolher livre e criativamente", diz Francesco Morace, presidente do FCL, em seu livro *Consumo autoral*.

Isso tem a ver com a cultura do ser (que está sempre em transformação). Seremos encorajados não só a ser mais autênticos como a nos transformar e experimentar cada vez mais tudo o que está disponível no mundo. Só que com um modelo mental mais consciente, em que não precisamos somente comprar, comprar e comprar para ter (e ser). Isso favorece a economia compartilhada. Uma nova mentalidade de consumo em que não é preciso mais comprar para usufruir. Pode-se pegar emprestado, alugar, trocar... e viver.

Hoje as pessoas se orientam cada vez mais por seus valores (individuais, emocionais e psicológicos) e sua consciência (clique em #somostodosmacacos, #maisque20centavos, #quemfezminharoupa ou #lovewins para ver exemplos desse movimento rolando). Taí a consciência. Talvez essa (r)evolução seja a maior mudança vivida pelos seres humanos nas últimas décadas. Estamos cada vez mais (d)espertos e lúcidos para ver a realidade com clareza, compreendendo as reações às nossas ações a curto ou longo prazo. Mais atentos ao que se passa dentro e fora de nós. Valores como cuidado, cultivo de experiências e compaixão parecem estar em alta.

A moda é a segunda indústria que mais polui, mas é também a segunda que mais emprega. A que mais empodera as mulheres. Nem sempre veiculamos imagens que privilegiam minorias (de raça, credo ou opção sexual), mas temos um papel importante na construção da identidade das pessoas. Nem sempre somos tão corretos, mas temos a força de criar e disseminar tendências de comportamento. Basta querer.

Por isso é que eu ~~não desisto~~ acredito não só em uma nova era e uma nova vida para a moda, mas também na sua força como vetor da mudança. Como agente transformador e disseminador de novas ideias de uma nova era (que pode ser a da noosfera, a do capitalismo consciente, a do nexo e até a de aquário). A solução para a moda pode estar na moda. Como um antídoto para seu próprio veneno.

Para isso é preciso voltar a fazer moda com propósito. Moda além da roupa. Moda a favor das pessoas e do planeta. O ~~futuro~~ presente (que vem se desenhando) não vai ter espaço para marcas sem essa consciência. Se você acreditar nisso, pode ser impulsionado pelos mesmos ideais duradouros que regem a arte, a ciência e até a tecnologia.

Com o cuidado de não generalizar, mas com a coragem de chegar a conclusões, a partir do cruzamento entre as necessidades da moda e os caminhos apontados para a nova era do mundo, podemos dizer que a nova era da moda será um período de resgate da liberdade de ser e de criar. Mais autoral e individual, porém integrada com o todo, para que possam surgir marcas fortes e profissionais autênticos. Conectadas em rede, em novas formas de organização, cada vez mais sofisticadas (e complexas), cada vez mais ricas em autonomia (sem intermediários) e cheias de informações. Com menos competição e mais cooperação e colaboração. Mais próximas da natureza, inspiradas nela, reverenciando-a. Como um ecossistema onde tudo se complementa em cadeia, em ciclo, de forma mútua e simbiótica. Com mais harmonia e mais tempo. Com mais qualidade e menos quantidade. Menos produto e mais serviço. A nova era será orientada pelos talentos únicos de cada um que faz parte dela, pela capacidade de (res)significar a partir do princípio do serviço (vício em ser). Servindo aos sonhos e à individualidade do outro. Com maior consciência e ética sobre o fazer e as oportunidades de transformação social e cultural que pode promover. Enfim, uma era mais sensível, afetiva e criativa.

A boa notícia é que já existem modelos de negócio inovadores, que se relacionam com uma ou mais *tags* dessa nova era. Eles estão em lojas incubadoras (que abrigam e vendem produtos de estilistas independentes), nas novas marcas de *slow-fashion* (que incentivam a tomada de tempo para garantir uma produção de qualidade e maior conexão com o meio ambiente) e em ateliês que produzem com materiais reciclados. Em brechós on-line, lojas de aluguel e empréstimo de roupa, eventos de doação ou troca de peças. Em *makerspaces* (onde pessoas se associam para aprender a produzir em comunidade), como clubes e oficinas de tricô local e espaços de *cosewing* (espécie de *coworking* da moda).

Já existem também pessoas e marcas trabalhando para atualizar o conceito de roupa (que não mudou em todo esse tempo). Nasce assim a *digital couture*, com suas roupas inteligentes (feitas digitalmente para ler e se comunicar com nosso corpo) e os *wearables tech* (dispositivos eletrônicos para vestir). Roupas e acessórios feitos em impressoras 3-D, 4-D e por robôs. E também existem pessoas trabalhando para combater o esgotamento e estimular a renovação dos recursos naturais a partir das novas possibilidades que a tecnologia e a ciência oferecem. São cientistas e biólogos que estão criando em laboratório a *bio couture*, manufaturando ~~sonhos~~ tecidos a partir de organismos vivos, de bactérias, que resultam em peças sustentáveis e autodegradáveis. Todos por uma moda a favor da vida. Como veremos a partir de agora.

SEGUNDA PARTE

Por quê?

CONSUMA.
OBEDEÇA.

FIQUE QUIETO.
MORRA.

5. Comece com o porquê

No meu primeiro livro, *A moda imita a vida*, reforcei bastante a importância de construir um significado para as marcas e para tudo o que é feito. Defendi que nada pode ser criado em vão e que tudo precisa ter um porquê, para construir marcas inspiradoras, capazes de gerar identificação e desejo. Falei muito disso porque sei que não é fácil (as organizações parecem não se preocupar ou compreender muito bem isso).

Infelizmente, durante um tempo a humanidade não usou sua capacidade de questionar, aquela vontade investigativa e a curiosidade da criança. Com isso, as organizações, os poderes e o capitalismo "ganharam" muito. Essa alienação (que de alguma forma nos foi induzida) foi responsável pelo crescimento desenfreado de muita coisa. Mas parece que algo está mudando.

A idade média da população tem se elevado (enquanto as taxas de natalidade têm diminuído), deslocando para a faixa da meia-idade o "centro de gravidade" da sociedade. Com isso, os valores que sempre giraram em torno dessa parte da população acabaram se fortalecendo, e agora parecem estar se disseminando. São eles: o cuidado, a compaixão, a resiliência, a aspiração por significado, a preocupação com a comunidade e o legado. Não à toa, esses mesmos valores estão nascendo com a geração dos *millennials*.

Isto tem mudado bastante a vida das pessoas e das organizações, que precisam absorver esses valores para continuar existindo. Como defendem os pensadores das eras noética e caórdica, temos cada vez mais acesso à informação (qualquer um hoje é mais bem informado que a pessoa mais rica de vinte anos atrás), estamos mais equipados intelectualmente (uma pessoa de Q.I. mediano hoje seria um gênio há algumas décadas) e temos maior capacidade de nos conectar rapidamente com pessoas que pensem como a gente (viva a internet!), por isso nossas expectativas em relação às marcas e ao mundo estão se transformando também.

Grande parte desses valores parece hoje estar resumida num único: o propósito. Embora esse conceito não seja novo, a sensação é que foi descoberto recentemente pelas marcas, que estão falando dele e dos seus benefícios em todo lugar (que bom!). De fato, sinto que o propósito vem transformando a vida de muitas organizações, que estão indo além do lucro para potencializar seu impacto na sociedade.

Propósito tem a ver com intenção, com objetivo. É a declaração da diferença que você pretende fazer no mundo. É a resposta clara de *por que* você faz o que faz (como organização ou pessoa). Em muitas organizações acabou substituindo a "missão", que é sempre *como* cumprir o propósito da organização. Tem a ver com *o que* a organização fará. E é dessa forma que este livro está organizado. A inspiração foi o *golden circle* do consultor de liderança e gerenciamento Simon Sinek, que acredita que as pessoas não compram o que você faz, e sim o motivo de você fazer o que faz.

Acredito que daqui para a frente as marcas que quiserem garantir seu lugar no mundo terão que trilhar o caminho da iluminação, realizando ações com propósito. Assim como nós, cada uma deverá encontrar sua vocação e compreender como pode deixar um legado para o planeta. Esse é o novo passo na ~~personificação~~ construção do lado humano das marcas. No velho mundo, o estilo de vida era o maior ponto de tração entre pessoas e marcas. Daqui para a frente será substituído cada vez mais pela afinidade entre causas, valores e crenças. No Brasil, 71% das pessoas só consomem produtos e serviços que se relacionem com seus valores, ideais e crenças, de acordo com a Global GFK.

Organizações com propósito claro e verdadeiro têm atraído pessoas com paixão, comprometimento, criatividade e energia para ~~trabalhar~~ atuar com entrega e disposição, pois ali o colaborador se sente fazendo parte de algo maior, relevante para o mundo. E até mesmo a relação com os clientes muda. As pessoas que se engajam com o propósito da marca são mais do que apenas "compradores". Elas passam a disseminá-la. Compram não só porque o produto está na moda, é legal ou tem um preço bom, mas porque acreditam na sua causa.

Isso porque cada vez mais o propósito tem sido levado para a vida pessoal. De maneira intuitiva ou mais consciente, nunca as pessoas buscaram e pensaram tanto sobre seu propósito na vida (eu diria que a culpa é das estrelas). Outro dia, o apresentador e dono da marca que leva seu nome, Caio Braz, questionou em seu Facebook:

> Às vezes eu me pergunto por que tenho tanta vontade. Pra que tanta andança, tanto ônibus, táxi, avião, faz/desfaz mala... aonde eu quero chegar com esse estilo de vida pseudoaspiracional, ter um, dois, três empregos, uma, duas empresas, cultivar e "precisar" de fama, *likes*, me expor, ir a eventinhos chatíssimos, babar ovo, trabalhar até me esgotar, porque acho massa. Será que essa rotina vai me levar a algum lugar que não seja só andar?

Muitas pessoas estão percebendo que suas vocações podem ter uma importância maior do que fazer dinheiro (o qual pode ir e vir através da realização do propósito), tendo em mente o futuro da humanidade, e não apenas o seu. Elas querem se engajar em todos os níveis com causas maiores, seja investindo seu tempo (trabalhando ou se relacionando) ou dinheiro (comprando). É o que diz Thiago Mattos, "que largou tudo" para cofundar a escola de empreendedorismo criativo Perestroika:

> Há quem decida trabalhar oito horas por dia com foco no salário. A atividade nem sempre é nobre, mas o motivo compensa: seus filhos. Afinal, só com muito dinheiro é possível comprar um carro blindado e proteger sua família da violência. Há quem decida trabalhar oito horas por dia com atividades de impacto positivo, para ajudar a sociedade a ser mais humana, consciente e igualitária. Este é outro jeito de proteger seus filhos da violência.

Hoje temos a chance de descobrir como nosso trabalho vai apoiar a roda da vida, fazer a diferença para o outro, o que para muitos autores e pensadores é a maior forma de criar uma carreira com significado e alcançar uma satisfação profunda no que fazemos. O que tem muito a ver com a nova era em que estamos entrando. Caso contrário, eles acreditam que por mais que nos esforcemos vamos continuar a satisfazer nossos anseios com realizações passageiras.

Ou seja, sem uma energia de propósito associada ~~ao trabalho~~ à vida, nada do que produzimos jamais será suficiente para obter sucesso e para ser feliz.

Então precisamos acordar, retomar o instinto investigativo que já existiu dentro de nós. Pensar no porquê. De tudo. Do que fazemos, do que sentimos, do que queremos... Mais importante do que ter as respostas é sentir vontade de buscá-las, pois vamos abrindo portas e entrando em lugares em nós (e nos outros) aonde não iríamos se não fôssemos provocados.

É importante lembrar que precisamos parar de olhar apenas para nosso próprio umbigo. Se suas respostas forem "Porque eu quero ficar rico", "Porque eu quero ser famoso", "Porque eu...", "Porque eu...", "Porque eu...", há grandes chances de você não se encaixar nessa nova era. Trabalhar com um propósito que visa ao coletivo cria maiores oportunidades para o reconhecimento e a colaboração do outro. O trabalho transmuta boas energias por si só (sem a necessidade de manipular, dar truque, armar...). Começamos a receber apoio dos outros, porque somos capazes de compartilhar valor (e as pessoas percebem isso), como diz o escritor Rick Jarow em seu livro *Criando o trabalho que você ama*:

> Quando temos clareza sobre nossa intenção, aparecerão outros cujas intenções conscientes ou inconscientes repercutem a nossa. Não é preciso sequer pedir, basta estar aberto. [...] Por uma lei da natureza, propósitos claros e bondade de coração obterão apoio.

Apesar de tantas transformações, algumas organizações e pessoas ainda vivem com baixo nível de consciência sobre seu propósito e o impacto que exercem no mundo (sobre outras criaturas que habitam o planeta e sobre a saúde física e psíquica de seus colaboradores e clientes). Isso resulta em algumas consequências nocivas, que apesar de gerarem riqueza e lucro são caríssimas para o planeta e a sociedade. Acredite, essas ações serão cada vez menos aceitáveis e sustentáveis.

O mito de que o sucesso tem a ver com riqueza (de pessoas e organizações) também atrapalha bastante. Conforme vamos evoluindo, vemos que sucesso, riqueza e realização são coisas bem diferentes. O mais comum é ver pessoas de sucesso que não são realizadas. Ou pessoas com muito dinheiro que não sentem que têm sucesso.

Conheci Gabriel Oliveira na FARM, quando era gerente de marketing e ele, gerente do núcleo de desenvolvimento de estampas. À primeira vista, éramos pessoas completamente diferentes, com hábitos, práticas e atitudes quase opostas. Mas com o tempo fomos descobrindo afinidades de propósito — apesar das diferenças. Viramos amigos e depois sócios em vários projetos. Hoje ele é uma das pessoas mais importantes na minha vida e vice-versa (essa é uma das forças do propósito).

Em um dos cursos que facilitamos juntos, que tinha como propósito despertar o talento, os "superpoderes" e a autenticidade nas pessoas, Gabriel revelou uma história surpreendente. Ele começava a aula com uma foto dele estampada na capa do caderno Ela do jornal *O Globo*, que trazia uma matéria sobre os novos talentos da moda. Então dizia:

> Aquele foi um dos dias mais tristes da minha vida. Não teve telefonema, elogio, mensagem que aliviasse o sentimento de vazio que eu sentia e a tristeza que tomava vários pontos da minha vida. Foi um dos dias que mais chorei. Eu sentia que faltava algo... Sentia que não estava usando meus talentos de acordo com meu potencial criativo para o mundo, apesar de ter um trabalho bom e admirado por todos, nada me realizava.

Nas entrevistas que realizei para este livro, ouvi muito isso d@s entrevistad@s. Ficou muito claro que as pessoas que hoje se sentem mais felizes e bem-sucedidas são as mais conscientes do seu papel no mundo e do poder que seu trabalho lhes confere. Algumas encontraram uma razão para sua carreira e se sentem muito mais energizadas, poderosas e satisfeitas com suas conquistas (e a cada encontro eu me fortalecia mais, com uma motivação contagiante que vinha delas).

Mas o propósito é algo que nunca se deve dar como conquistado, pois assim ele será esquecido. É preciso sempre nutri-lo, preservá-lo e verificar se ele se transformou ou se continua o mesmo. Apesar de alguns autores o tratarem como algo definitivo, não consigo acreditar em nada na vida que seja estático, uma vez que estamos sempre em evolução, em transformação.

Felipe Bazilio, da biz.u, plataforma que conecta o propósito de pessoas e marcas, me falou sobre isso também. Para ele o propósito deve estar atrelado ao sentimento de felicidade, de realização. Em coisas bem palpáveis. "Não curto criar regras. Coisas que te fazem feliz hoje podem não te fazer feliz amanhã. Porque você vai ser uma pessoa diferente amanhã", ele me disse. Mais uma vez percebemos a importância do autoconhecimento e da autoinvestigação constante para guiar nossa vida. O que te deixaria feliz hoje? Acordar e se perguntar isso pode ser o início dessa descoberta.

No livro *Conscious Capitalism*, John Mackey e Raj Sisodia dizem existir quatro grandes categorias de propósitos:

1 O bom: é o mais comum entre as organizações e as pessoas. Tem a ver com servir aos outros — aprimorar a saúde, a educação, a comunicação e a qualidade de vida. É motivador e gratificante para quem o abraça, pois o resultado é sentido de forma instantânea. É bastante apropriado para o varejo e quem atua nele.
2 O verdadeiro: descobre e aprofunda o conhecimento humano. Para muitos tem um grande valor descobrir e aprender algo que ninguém jamais conheceu, para o avanço coletivo da humanidade. E compartilhar, através de livros, cursos, mapas...
3 O belo: persegue a excelência e a perfeição. Tem valor porque é algo intensamente satisfatório para a alma e enriquece a vida de diversas maneiras. Está relacionado com trabalhos de criativos das artes em geral: música, pintura, fotografia, artesanato...
4 O heroico: envolve coragem para fazer o que é certo para mudar ou melhorar o mundo. Vai um pouco adiante dos três anteriores, pois se propõe a fazer o que nunca foi feito, persegue o desejo de transfor-

mar o estado das coisas de forma profunda, para resolver problemas insolúveis, fazer o que é certo mesmo diante de grandes riscos e de os outros dizerem que é impossível. Empreendedores de várias áreas se enquadrariam aqui.

Sei que alguns se questionam se "essa moda pega". Thomas Eckschmidt, representante do capitalismo consciente no Brasil, me disse que "já pegou". Para ele não é à toa que tantas empresas estão quebrando. No fundo tudo tem a ver com "por que", "como" e "o que" elas estão fazendo. As maiores e mais antigas organizações do mundo não têm essas respostas, e quando as têm elas estão totalmente desalinhadas com nossa realidade e as leis do novo mundo.

Daqui para a frente vamos ver cada vez mais pessoas saindo de empresas para fundar seus próprios negócios, buscando parceiros com quem tenham afinidade de valores e propósitos. Isso é totalmente factível. Tenho percebido essa transformação muito forte nas pessoas. Cada vez mais elas estão criando coragem (e sendo encorajadas) a seguir seu chamado, e não se encaixar em padrões estabelecidos.

Por exemplo, quando entrei no mundo da moda era MUITO LEGAL trabalhar em loja. Eu me lembro da primeira geração de vendedor@s de FARM, Daslu, Yes Brasil, Forum... tod@s queriam trabalhar lá, pois ganhavam status e dinheiro. Era um caminho quase natural, começar uma faculdade e trabalhar numa loja. Hoje a galera universitária quer investir nos seus sonhos desde cedo, fazendo brigadeiros e sanduíches para vender, produzindo festas ou vivendo com menos para apostar em *startups* que podem se tornar os grandes negócios do futuro.

É essa galera nova que vai criar as ~~grandes~~ novas organizações do futuro. E isso vai acontecer muito rápido, pois ela tem muito mais ferramentas disponíveis e um modelo mental diferente, mais alinhado com a nova era. Os donos das organizações do velho mundo precisarão acordar para essa nova realidade. Enquanto isso, cada um de nós é livre para se encontrar em um (ou alguns) desses propósitos e construir marcas ou carreiras que façam história, que nos levem a uma nova era. Se não houver propósito, não conseguiremos chegar lá.

SUBSTITUA
CONSUMO

POR AUTOESTIMA.

6. O propósito da moda

"Toda grande profissão tem um propósito maior que sua razão de ser. Isso é verdade para a medicina, que trata a cura do outro. Também é verdade para a engenharia, a educação e o direito. Cada uma dessas carreiras é animada por um propósito maior, alinhado com as necessidades da sociedade", dizem Raj Sisodia e John Mackey em *Conscious Capitalism*.

Se compararmos a moda com essas outras carreiras, poderíamos chegar à conclusão de que o que fazemos — roupas — seria "menor" do que o fruto de todas essas profissões. Afinal, as pessoas precisam de saúde, moradia, educação, e por aí vai. Mas basta olhar ao redor para ver que já temos roupas demais no mundo, dando conta de muitas gerações futuras (isso contando com doações a quem não tem), não é mesmo? Olhe só para seu armário.

Mas esse pensamento só ocorre em quem tem uma compreensão rasteira do que é a moda. Ou em quem se propõe a fazer "apenas" roupas. Não há nada de inútil na moda. A segunda maior atividade econômica do mundo tem como produto final as roupas, mas seu papel vai bem além disso. Trabalhar com moda não pode ter só a ver com criar, combinar, comercializar ou comunicar roupas (de que as pessoas talvez nem precisem mais).

Desde as primeiras criações, roupa e moda cumpriram uma série de propósitos. Adorno, proteção, diferenciação e legitimação, por exemplo. Papéis tão importantes que muitas vezes transcendiam a utilidade da peça e que tinham em comum o propósito de servir à vida das pessoas. Servir aos seus sonhos. Servir à construção da sua identidade. Servir à busca, ao autoconhecimento e ao estabelecimento de diálogos e laços sociais.

Mas essa capacidade de servir parece ter se perdido (e algumas marcas nunca a tiveram). A negligência com esse propósito resultou no aumento de deslizes éticos no setor, na queda do faturamento e da reputação de muitas marcas e até mesmo da indústria, que passou de "muito admirada" para "banal e fútil". Acabou/ está acabando com a moda que aprendemos a amar.

Isso acontece quando nos preocupamos apenas em vender (vender e vender), ganhar mais, acumular. Quando nos preocupamos somente com a tendência e esquecemos a essência. Assim, criamos coisas (demais) que não têm sentido para as pessoas, reduzimos o preço (perdendo qualidade, apertando fornecedores, destruindo a cadeia da moda) gerando impactos sociais e ambientais, que prejudicam a vida das pessoas. Fazemos isso muitas vezes sem saber se é o que as pessoas querem, e às vezes ainda aumentamos o preço com inovações sem propósito. Banalizamos nossos produtos com liquidações, nos questionamos por que não estamos vendendo sem olhar verdadeiramente para o mundo (e até para a gente), sem considerar por que o outro não está comprando e o que falta para ele.

Este é o momento em que a moda precisará resgatar sua essência, o que deve começar nas pessoas que fazem a moda (ei, você aí!). Precisamos compreender e aprimorar a importância do servir. O serviço autêntico se baseia na genuína empatia com as necessidades do outro. Leva ao desenvolvimento e ao crescimento e expressa amor, cuidado e compaixão, artigos em falta em tudo o que fazemos — enquanto estamos ocupados demais pensando em planilhas, faturamento, lucro, esquecemos muitas vezes "por que", "o que" e "para quem" estamos trabalhando.

Encontrei Ricardinho Dullius, da marca Vandal, na praia outro dia e ele me disse:

> Eu surfo, fico com vontade de ter dez bermudas de surfe coloridas, só que as marcas estão entregando bermudas caríssimas, com corte e costura a laser, com impressão 3-D, que seca logo que se sai do mar, cheias de aviamentos pra guardar e pendurar mil coisas. Só quero ter uma bermuda bonita e confortável. Simples! Por que ninguém cria isso para mim? A moda tem que fazer as pessoas mais felizes. Criar coisas que vão fazer as pessoas mais felizes pode ser simples. E mais do que isso: tem que criar coisas eficientes e prazerosas para as pessoas. A bermuda de seiscentos reais não é para todo mundo.

O momento é oportuno para mudar. Existem grandes forças atuando na alteração do comportamento de consumo, e para mim é o comprometimento com o outro que vai fazer as marcas prosperarem (e se segurarem). Olhe ao redor e veja "a crise", as campanhas cada vez mais fortes sobre consumo consciente (o vídeo da Box1824 "The Rise of Lowsumerism", disponível no YouTube, é incrível, não perca), as blogueiras se manifestando a esse favor (um beijo Joanna, do Um Ano Sem Zara, que puxou essa fila), os livros, eventos e palestras cada vez mais comuns sobre o tema. Tudo isso faz parte do movimento de tomada de consciência que estou defendendo aqui.

E ainda tem toda essa onda do capitalismo consciente, que visa recontar sua história, restaurando sua verdadeira essência, a de que o propósito de qualquer empresa deve ter a ver com melhorar a vida das pessoas, gerando valor para todas as partes interessadas (clientes, fornecedores, funcionários e até o planeta). Assim vemos o estímulo a alugar, pegar emprestado, reutilizar... Às vezes vender não é necessário.

Só quem estiver disposto a servir de fato vai ser capaz de entender a real necessidade do seu público para então satisfazê-la. Muitos negócios vão precisar mudar totalmente — amo as lojas que viraram cafés, livrarias, brechós, multimarcas, multiprodutos, lavanderias, espaços de criação e de conserto de peças e outros *business* compartilhados, que de alguma forma podem compensar a diminuição da venda "da roupa" enquanto oferecem algo que as pessoas realmente querem ou de que precisam.

"A economia baseada nos serviços está substituindo a economia industrial", como diz Rick Jarow em seu livro. Isso significa que as marcas de moda não serão mais (apenas) sobre seus produtos. Elas precisam entender que não devem ser apenas sobre roupas. Para Jarow, devemos ampliar nossa ideia sobre "serviço". É o serviço para a Terra, para a totalidade da ecoexistência, que vai criar postos de trabalho e materialização no futuro.

A serviço do sonho

Muitas vezes falar de sonhos (ou de amor) parece bobagem. Mas não é. O sonho é o primeiro passo num relacionamento, pois com uma marca (ou uma pessoa) primeiro vem a projeção e depois a identificação. Quanto mais servirmos aos outros, maiores as chances de recebermos. Quanto mais ajudamos a realizar os sonhos dos outros, maiores as chances de realizarmos nossos sonhos.

Quando digo servir aos sonhos, quero dizer fazer sonhar, alimentar fantasias, projeções, realizar ~~desenhos~~ desejos, que independentemente do consumo possam trazer tanta inspiração quanto um filme, uma música ou um quadro. Inspiração para ser, através da emoção. Da moda que preserva experiências ("Nunca vou me esquecer de como você estava vestid@ naquela noite"). Da moda que pode (e deve) transferir emoção.

De uns tempos para cá, parece que fomos perdendo nossa capacidade de sonhar... Com isso, é impossível querer fazer sonhar. Na conversa na praia, Ricardinho, da Vandal, me deu esperanças:

> Meu sonho não é ter uma empresa onde a importância está no que a gente faz. Meu sonho é ter uma empresa em que a coisa mais impor-

tante é a qualidade da relação das pessoas e o quanto elas se importam umas com as outras, com seus sonhos e sua felicidade. Acho que isso vai gerar uma magia das pessoas se preocupando com os produtos, a experiência e o atendimento que elas vão prestar, num ciclo maravilhoso.

Na contramão, desfiles (que já chegaram a tocar e comover) foram perdendo a graça, a emoção, o prazer. Sara Lee, que durante anos trabalhou no site FFW como jornalista, me disse que antes, perto das semanas de moda, choviam telefonemas e pedidos de pessoas que "sonhavam" em assistir ao desfile. Eu mesmo já tive essa fase (e ainda tenho, por marcas que admiro e não tive a chance de ver). Mas hoje, pelo menos no Brasil, as semanas de moda estão minguando, com os desfiles se tornando uma ferramenta comercial e não conceitual (emocional). Para mim isso é um reflexo do que vem acontecendo com toda a indústria, de modo que só conseguiremos ressignificar os desfiles se ressignificarmos a moda.

Poucas marcas se preocupam com o lado lúdico da moda. Muitas estão deixando de fazer campanha. E, quando fazem, não comovem, não engajam... Isso porque muitas vezes não existe um objetivo por trás. Além de vender, não existe significado mais profundo ou intenção (e as pessoas percebem isso). Aquilo de que nos recordamos é o que achamos que tem algum sentido, alguma representatividade, como acontece com os sonhos.

Na verdade, hoje as marcas têm feito muito pouco pelos seus sonhos e o dos outros. Ricardinho, da Vandal, me disse:

> Olho para outras marcas e penso: como elas não têm vergonha de não estar fazendo nada?! Por que não estão fazendo nada?! Muitas só fazem roupa. E fazem mal, que horror! Não fazem nada para as pessoas. Por que acham então que as pessoas vão comprar delas? Está explicada a crise.

E parece que muitas marcas ainda não abandonaram esse caminho, como se não tivessem entendido. Mas é só olhar para marcas como GoPro e Apple, onde não existe crise, para ver como se faz. As pessoas as querem cada vez mais, porque estão realmente fazendo as pessoas felizes. Realizando sonhos. Não tentando iludir para vender mais, fazer o negócio tecnológico para vender caro. Elas usam a tecnologia para baratear. "Essa moda de vender caro, acho terrível isso. Só quero criar coisas mais baratas", me disse Ricardinho.

A moda que faz sonhar pode ser a que se aproxima da arte. Quando olhamos para a moda do passado, vemos que ela ganhou espaço em museus (presenciamos recentemente o sucesso de grandes montagens ao redor do mundo). Mas e a moda que tem sido feita hoje? Qual percentual mereceria ir para o museu? Qual percentual ainda desperta seus sonhos? Te dá asas?

Produtos ganharam data de validade fora de série, e nossa relação com as marcas passou a ser cada vez mais superficial. Estas viraram grandes fábricas de roupa e dinheiro, e as pessoas (com suas vidas, necessidades, desejos e seus sonhos) para quem as marcas são feitas foram esquecidas ☹.

Será que realmente precisamos de mais roupas? De mais marcas de roupas? Ou precisamos de profundidade, de marcas que tenham propósito e que entendam que seu papel vai bem além de apenas vender?

A serviço do autoconhecimento

Não podemos tratar a moda de forma superficial (ou trivial). É preciso muita responsabilidade e consciência no processo criativo. Vestir-se é um encontro com nós mesmos. A moda pode cumprir um propósito muito maior do que cobrir o corpo. Como uma arte, ela pode nos ajudar nos dilemas mais íntimos do nosso cotidiano. O trecho abaixo, do livro *Arte como terapia*, de Alain de Botton e John Armstrong, me emociona profundamente. Ele mostra o quanto a moda pode imitar a arte. O quanto podemos aprender com ela.

> A ideia de que a arte ajuda a nos reequilibrar emocionalmente talvez responda ao velho debate das diferenças de gosto estético. Por que alguns

gostam de arquitetura minimalista e outros de arquitetura barroca? Nossos gostos dependerão do leque de nossa constituição emocional que fica à sombra e por isso precisa de estímulo e reforço. Toda obra de arte vem com uma certa atmosfera moral e psicológica: um quadro pode ser tranquilo ou agitado. Cauteloso ou arrojado. E as preferências por um ou outro refletem lacunas psicológicas variadas. Queremos obras que compensem nossas fragilidades internas e nos ajudem a voltar a um meio-termo viável. Dizemos que uma obra é bela quando percebemos virtudes que nos faltam e dizemos que é feia quando nos impõe temas ou estados de espírito que nos ameaçam ou já nos dominaram. A arte promete completude interior.

(Convido você a ler novamente o trecho, trocando as palavras "arte" por "moda" e "obra e quadro" por "roupa".)

Da mesma forma, a moda pode ser um poderoso instrumento a favor de quem usa — e nós precisamos compreender bem que espécie de instrumento é esse (para criar, comunicar e vender). E o que ele pode fazer de bom. Se você acredita, ela proporciona o poder de ampliar a capacidade cognitiva, intuitiva, simbólica, e levar além dos limites impostos pela natureza (da peça).

Você sabia que usar um avental branco de médico (sabendo que é de médico, mesmo que você não seja médico) ativa sua atenção e sua presença? O mesmo não acontece se você vestir um avental de pintor, que mexe com outras partes do cérebro. Esse fenômeno é chamado pelos cientistas de cognição indumentária, e prova o quanto vestimos também os aspectos simbólicos das roupas. O quanto o corpo sente e pensa. O quanto as roupas podem interferir psicologicamente.

Por isso acredito na moda como um meio terapêutico, de autoconhecimento, que pode ajudar a guiar, incentivar e consolar, facilitando nossa evolução. Mas, por favor, não confunda autoconhecimento com autoestima. Muitas pessoas se afogam num monte de roupas achando que ao comprar vão se sentir melhor, mais felizes ou bonitas. É perigoso pensar e estimular isso. Não estou falando sobre consumo, pois acredito que você não precisa comprar (pode pegar emprestado, trocar, reciclar...) para usar a moda a seu favor. Estou falando do ato de se vestir.

Lembro direitinho a primeira vez que entrei no blog Hoje Vou Assim, da publicitária Cris Guerra. De cara percebi uma intenção genuína de dotar o uso da moda de um valor criativo forte, como um veículo estético de expressão. Com o tempo fui percebendo que a mensagem ia além.

Comecei a entender que a moda pode ser bem mais que veículo de expressão social, valores ou ideias. A cada post fui vendo que se vestir é uma oportunidade e tanto para nos conhecermos. Investigar como estamos nos sentindo. Como se todos os dias abríssemos o armário e nos perguntássemos: "Oi, tudo bem? Como está se sentindo hoje?". Esperando uma resposta realmente sincera (isso faz bastante diferença na forma como atuamos no mundo).

Acho lindo pensar nisso. Mas usar a moda com essa intenção não é fácil. Isso porque não somos transparentes com nós mesmos. Somos desequilibrados. Temos estados de espírito que ainda não conhecemos bem. Temos intuições, suspeitas, desejos e palpites sobre "quem somos", mas na real estamos sempre evoluindo nessa resposta. A moda pode nos ajudar (com ela), pois o que nos atrai sinceramente numa peça é o reflexo do nosso interior.

Não somos uma pessoa só. Somos feitos de múltiplos eus e reconhecemos que alguns são melhores que os outros (sentimos os que devemos mostrar mais). Muitas vezes conhecemos partes importantes nossas tarde demais, pois temos medo de tentar, experimentar. Fazemos julgamentos superficiais e preconceituosos. Consideramos coisas estranhas numa postura defensiva e com isso vamos nos fechando. Mas a moda pode ser uma aliada e tanto para a melhoria desse processo. É só permitir. Experimentar (com trocadilho).

Com isso, peças bordadas ou feitas à mão e com carinho podem despertar nossa atenção aos detalhes, ao amor ou à paciência. Estampas da fauna e da flora podem acordar nossa preocupação com o meio ambiente, despertar uma relação afetiva com a natureza. Peças fortes feitas de materiais pesados podem denunciar nossas armaduras. Peças básicas podem representar nossa falta de coragem ou insegurança e até um comprometimento com a razão. Enquanto outras, desejo de refinamento, atenção ou dignidade. (Pense em todas as transformações do seu armário em seus momentos da vida para compreender o que digo aqui.) Até mesmo o jeito como você se organiza (ou não organiza), como apresenta e guarda suas roupas, fala sobre você.

Já me senti atraído muitas vezes por peças que jamais considerei (ou que já havia até criticado), então concluí que parte de mim estava confusa ou reprimida. "Agora que vejo essa parte de mim refletida no espelho da arte, posso atendê-la melhor", dizem os autores de *Arte como terapia*. Pode ser um pouco estranho pensar dessa forma, considerar que um objeto possa ter tanta força. Mas acredite: quando nos atraímos ou sentimos afinidade por alguma coisa é porque os valores que sentimos presentes ali são mais claros neles do que na nossa mente.

A moda que parece estranha, que nos repele, também é importante (por isso ela não precisa ser sempre "linda" ou "fofinha"), pois nos traz ideias e atitudes que não fazem parte da nossa rotina, mas podem ser necessárias para nosso desenvolvimento. Na cultura do "tudo igual" escapam ideias valiosas, e sem contato com diferentes ideias perdemos a chance de acordar algumas de nossas facetas. Quem cria deve se preocupar com o que está fazendo. Deve ser capaz de compreender e chamar a atenção para todos os detalhes mais ternos, inspiradores e enigmáticos da moda, independentemente da peça.

Compreendi que acreditar nessa capacidade terapêutica faz diferença para a moda. Se todos soubessem disso, examinariam cada elemento proposto por ela com mais cuidado. Assim fariam do guarda-roupa uma janela — para dentro e para fora. Uma poderosa forma de se conhecer e transmitir o resultado a outras pessoas. Com o tempo vemos que uma coisa depende da outra. Afinal, a maneira como nos vemos influencia a maneira como nos veem. E a moda pode ser esse meio de autoconhecimento e transmissão. Em seu livro *Moda intuitiva*, Cris Guerra aponta:

> Já parou para pensar no quanto as roupas falam? [...] Logo ali, atravessando a rua, tem uma roupa dizendo: "Olha como eu emagreci!". Mais adiante, uma mulher de cabelos longos caindo nos olhos usa uma blusa fechada em tom escuro e uma saia abaixo dos joelhos que dizem "Me esqueça, não quero ser notada". Por ela passa um homem de casaco de couro fechado até o pescoço, barba por fazer, calça jeans e óculos escuros. "Desvende os meus segredos", diz a roupa dele. A corrente no peito do homem musculoso com a camisa entreaberta grita para a mulher ao lado: "Reparou em como eu sou forte?". O decote insinuante da gordinha está dizendo em alto e bom som: "Eu me garanto". [...] Pode ser que você nem pense nos textos que está escrevendo para o mundo enquanto se veste.

Mas é importante ressaltar que nem sempre a gente se veste para o outro. Carol, uma amiga, me lembrou disso quando leu esse trecho do livro. Ela me disse:

> A gente se veste pra curar coisas também. Hoje, quando saí de casa com uma saia florida e uma blusa listrada, senti que queria me colorir desse jeito pra ser mais leve comigo mesma, pra viver uma vida brincante. Não é tanto pro outro, sabe? É pra mim.

Sim.

Usar a moda para olhar para dentro (e reagir ao que vemos) pode nos ajudar a retomar partes faltantes da nossa personalidade ou reforçar outras já existentes. E Cris Guerra e Ricardinho nos lembram (em suas falas) que não são as mesmas coisas que faltam ou fazem parte em todos nós (o que dá a chance de todas as marcas existirem, cada uma com sua proposta). Essa busca é o que nos conduz ao estilo individual, uma conquista pessoal aos que se dispõem ao maravilhoso exercício do autoconhecimento e da aceitação.

Experimente ir à rua e ler o que as roupas estão dizendo sobre as pessoas — em vez de buscar tendências. Se sentir vontade, anote as falas que mais representam você.

A serviço da identidade

A moda é uma extensão do corpo. Pode ser uma forma de ver (e mostrar) a vida. Ajuda a descobrir "quem somos", como falamos há pouco. E também a revelar e construir nossa individualidade, como veremos agora — se você a encara como uma forma de expressão de identidade, um modo de flutuar pelo mundo, de ser novo a cada dia e ao mesmo tempo único. Ainda pode servir como passaporte para integração e socialização.

O ato de se vestir é um processo de construção. Cris Guerra diz que as pessoas podem não escolher ter pernas grossas ou finas, mas podem escolher o que querem mostrar e como querem se mostrar. A moda então seria boa ou ruim de acordo com o grau que atende às nossas necessidades internas. Para mim, boa moda é a que transmite significado, intenção. E a ruim, ainda que nos recorde algo, deixa escapar a essência.

Uma t-shirt é o melhor exemplo. Vejo como ao longo da minha vida fui mudando de estampas (hoje minha vontade é usar camisas de ações sociais por aí, para espalhar essas ideias). Por isso amo a Vandal, que permite que você crie sua própria camiseta. Ricardinho, o fundador da marca, brinca que a camiseta é a rede social analógica.

> É uma coisa maravilhosa, mas nem todo mundo que usa se dá conta do potencial que ela tem. Tu pode pedir uma pessoa em casamento através de uma camiseta, tu faz todo mundo rir numa festa, tu conta sobre uma banda nova, tu mostra teu partido político ou time — e arruma confusão na rua...

A roupa é um acúmulo de dados. A moda é o resultado das experiências por que passamos, bem montadas e organizadas, contadas não necessariamente através de frases, até porque tem coisas que são difíceis de expressar em palavras (ou não cabem numa camiseta). Podemos segurar uma peça lisa e dizer: "Isso sou eu". E uma pessoa pode dizer: "Isso é a sua cara".

Alguns podem achar que a moda trata apenas de fazer coisas bonitas. Mas criar produtos autênticos e diferentes, com bastante significado (intenção) e que possam ajudar na construção de uma identidade própria deve fazer parte do propósito da moda. Conduzir a um estilo pessoal, e não uniformizar. Orientar escolhas particulares, que fogem da regra e aproximam da essência.

A moda da nova era deve permitir que as pessoas usem suas roupas para fazer sua própria moda também. Seu próprio estilo. Deve estimular o prazer em experimentar, criar e expressar. Construir. Deve ser a moda que valoriza o ser, que liberta, que dá asas à imaginação. A moda que se veste da gente (e de gente), não a moda que manda na gente.

Ninguém nos diz que ser diferente é bom. Pelo contrário, crescemos achando que é uma coisa ruim. A moda pode ter o papel de nos mostrar isso. Porque ser individual é bom. Mas ela é o que mais nos tira desse papel, com suas tendências e modismos. "O ruim da moda é quando ela vira moda", brinca Cris Guerra.

Esse exercício começa nas marcas, na busca e na aceitação das diferenças. Mas elas teimam em vender o que é igual. Quando fazem isso, não estão pensando nas pessoas. Estão pensando em lucrar. É preciso se preocupar com a essência, e não só com a tendência. É muito comum ver ondas de produtos semelhantes, se não iguais, lançados no mercado ao mesmo tempo. Mas nem sempre dá certo. Quer dizer, pode dar dinheiro. Mas nem sempre dá em "marca". Nem sempre é a favor da vida. O post "Por que minha lojinha de brownies não vai dar certo?", de Alan Bruno, no Update or Die, é excelente para explicar isso:

> Hoje as marcas são como as pessoas com quem escolhemos conviver/estar. Elas fazem parte do nosso cotidiano, conversam com a gente, muitas vezes nos dão "conselhos motivacionais" e têm personalidade própria [...]. Escolhemos nossos amigos, namorados ou qualquer outro relacionamento afetivo por questões de empatia, de identificação, de reconhecimento de ideais.
>
> Então, por que minha lojinha de brownies não vai dar certo? A res-

posta já foi dada, mas posso repetir: está faltando personalidade (propósito) no seu bolinho para ele não ser só mais um bolinho no mercado. Sejamos sinceros: o sabor desses bolinhos varia muito pouco. Até porque quando escolhemos comer um brownie automaticamente o cérebro vai lá no nosso HD interno e nos faz lembrar o que é e o sabor que tem um brownie, e então fazemos a comparação com aquele padrão que conhecemos. Se o bolinho não tiver um sabor extraordinário ou um propósito muito forte, ele entrará para nossa base de dados como "mais um bolinho como todos os outros" e ninguém voltará a procurar.

[...]

Você, empreendedor, tem uma grande chance nas mãos de fazer sua marca dar certo ajudando a quem mais precisa e construindo uma linda história.

Amo uma campanha da H&M que fala mais ou menos assim:

Use sapato marrom após as seis da tarde. Use chapéu dentro de casa. Use minissaia depois dos quarenta. Use saia se for homem. Tente. Não tente se não quiser. Se vista como uma menina. Se vista como um menino. Mostre suas curvas. Misture estampas, misture rosa com vermelho. Use rosa ou azul. Use amarelo se for loira. Use vermelho se for ruivo. Use sandália com chinelo...

Que bom seria se não houvesse regras na moda. O resultado comercial das marcas seria impactado? Talvez sim. Talvez não. Se os produtos fossem fortes e interessantes o suficiente, tivessem significado, conexão com a marca. Se as marcas fossem fortes, as pessoas não deixariam de comprar "porque não está na moda". Isso já acontece com um monte de marca autoral. E as que determinam as tendências também.

E as pessoas... Ah, as pessoas! Elas seriam mais livres para escolher por afinidade, e não por regra. Para sentir as roupas e suas sensações. Tirariam do armário somente suas verdades. Usariam as roupas para se comunicar conscientemente, para mandar seus recados e reforçar sua identidade. Ou seja, a necessidade da criação de uma moda autoral não é só para as marcas, é para o bem das pessoas também — se a marca entende que deve servir a elas.

Cris Guerra me contou que, vivenciando a moda diariamente há mais de trinta anos, aprendeu que existem duas formas de se relacionar com ela: uma fanática, que vai além da devoção a um ídolo, seguindo tudo o que ela dita; ou como uma boa amizade, com trocas equilibradas — a moda que provoca desejo, à qual respondemos com inteligência, adaptando, criando e acrescentando. Assim ela pode nos libertar, em vez de nos tornar seus escravos.

Podemos fazer da moda biografia, como a Cris Guerra faz. Um diário que conhece nossas verdades mais íntimas. Que expressa nossas múltiplas existências. Fazendo do corpo papel em branco. Da nossa essência ora caneta, ora pincel. Dando vida à moda. Aos nossos sentimentos, pensamentos e a quem somos.

Agora repare como você está vestido e pense se é isso que você gostaria de dizer hoje.

A serviço do serviço

Na onda de servir, adorei este post no Facebook da Carol Bergier, fundadora da Casa Sou.l, que colaborou com a pesquisa para este livro:

> O que você vai fazer para celebrar o Dia do Trabalho?
>
> Eu vou servir.
>
> No Dia das Crianças, celebramos as crianças. No Dia das Mães, passamos tempo com elas. No Dia da Independência, hasteamos a bandeira, com orgulho. E, no Dia do Trabalho, agradecemos por não termos que trabalhar. Quanta incoerência!
>
> Há cerca de cinco anos venho investigando minha relação com o trabalho, que pra mim mudou de nome. Quanto mais me alinho a minha potência, a meu propósito, a meu darma, a minha missão de vida, seja lá como você quiser chamar, menos eu trabalho. E mais eu sirvo.

> Servir, pra mim, é colocar meus dons e talentos a serviço da humanidade. Por isso, no Dia do Trabalho vou servir. Sim, vou servir ao outro, mas como consequência de servir a mim mesma, à minha própria evolução. [...] Na minha experiência pessoal, o que acontece é pura magia.
>
> [...]
>
> Não, não é fácil. Demanda atenção e presença. Mas vale cada suor, sorriso e lágrima. [...] em algum momento, mais cedo ou mais tarde, [você] passa a ser remunerado por algo que faria até de graça. E é aí que vida e trabalho passam a ser uma coisa só: servir à sua própria felicidade. [...] Bom dia do serviço.

E você, como sente que pode servir para o surgimento de novos mundos? Quais dos propósitos da moda têm mais a ver com você? (Invente outros.)

NOSSO NEGÓCIO
É MELHORAR

A VIDA
DAS PESSOAS.

7. O propósito do marketing

O marketing começou com um papel importante na sociedade. As marcas estavam surgindo, todos queriam e precisavam saber das novidades. Até que elas, com seus produtos e serviços, tomaram conta do mundo. E nossa relação com o marketing e as marcas mudou muito, também em várias eras de transformações.

Depois da Revolução Industrial, lá pelos anos 1900, era muito importante explicar a oferta que se tinha na mão. Era o momento de conhecer as coisas que estavam surgindo. Por volta de 1925, a concorrência entre as marcas de vários segmentos começou a correr solta, e foi a vez de elas tentarem nos convencer quem fazia melhor o quê — surgia assim o conceito de "benefícios" na diferenciação dos produtos. Em meio à guerra pela busca de atenção, nos anos 1950, a ideia de "experiência" entrou na moda. Uma marca começou a ser vista como um organismo vivo, que poderia transmitir sentimentos e emoções.

De lá pra cá, enriquecer a experiência da marca passou a ser a meta do marketing — que deveria aprimorar o atendimento, o serviço, a qualidade e até mesmo a capacidade de as marcas criarem eventos, ações e conteúdos que materializassem seus mundos, para transmitir "quem a marca é" de forma diferente. Só que não. Apesar de se falar muito sobre isso tudo, poucas marcas conseguiram realmente compreender e pôr em prática sua melhor experiência. E assim como aconteceu com a moda, o marketing se perdeu no seu propósito ☹.

Para muitos, marketing acabou virando sinônimo de venda. Deixou de ser um braço importante do negócio, para se aliar à área comercial. Bem, e nós sabemos que a "venda" tem uma conotação ruim para muita gente — porque muita gente "vende mal" e queima o filme. Mas assim como existe o vendedor ~~ruim~~ antropocêntrico, que só está interessado em vender mais e mais para encher o bolso, existe também o vendedor que realmente "atende" o cliente, que compreende a venda como um serviço valioso (de que ambos saem ganhando), existe o marketing bom e o ruim. Agora pense: qual você tem visto mais por aí?

Hoje sinto muitas marcas encarando o marketing exclusivamente como uma ferramenta de impulso à venda, muito aquém do que ele poderia ~~fazer~~ agregar aos negócios — com raríssimas exceções. Apesar das maravilhas de que é capaz, ele ainda é muito desvalorizado, principalmente nas empresas de moda, onde não há profissionais qualificados e muitos investimentos. Onde ainda há pouca inovação. E, em tempos de crise, é a primeira verba a ser cortada.

Em algum momento da história, seu propósito foi, de acordo com Michael Porter em seu livro *Estratégia competitiva*: "entender as necessidades e desejos das pessoas para satisfazê-los. Contribuir com sua vida e o desempenho financeiro do negócio". Olhando para o mercado, vemos que poucos conseguiram cumprir isso. Falar de um novo propósito para o marketing de moda hoje é quase um paradoxo. Mas é preciso.

Como tudo está sempre em transformação, sinto que o propósito do marketing evoluiu também. Se o nível de consciência das pessoas e das marcas está aumentando e o sucesso das organizações depende do sucesso da comunidade e do planeta, o novo marketing é o que tem um propósito (um porquê) além da venda e vive para:

"Construir estratégias que materializam o propósito das marcas em produtos, práticas, rituais e experiências que promovam transformações sociais e gerem valor pra todos os envolvidos com a marca", como propõe Porter.

É claro que a venda não deve ser esquecida. Ela também faz parte do pacote. E é fato que às vezes serão necessárias ações exclusivamente comerciais. Mas elas precisam estar alinhadas com o propósito da marca e com o propósito do marketing. O resultado comercial virá a partir do comprimento desses propósitos. Por exemplo, se o propósito da sua marca é deixar as mulheres mais bonitas, quanto mais ações forem feitas nesse sentido, para promover seus produtos, maiores as chances de vendê-los. Se o propósito da sua marca é democratizar a moda, quanto mais ações você fizer nesse sentido, mais acesso as pessoas terão à marca e maior será seu resultado financeiro.

O que não dá mais é para fazer apenas armadilhas comerciais, pois as pessoas estão entendendo cada vez mais como elas funcionam, e não caem mais (tanto) nelas. Um desfile, um catálogo, uma campanha sem propósito e até mesmo algumas promoções não fazem ninguém correr para a loja para comprar. Não dá também para não criar ações, experiências, relacionamento, não atender bem e achar que vai vender. Sinto que muito da crise que vivemos hoje tem a ver com esse comportamento sem propósito das marcas.

Há quem acredite que o marketing foi um dos responsáveis pelo "fim da moda". No livro *The End of Fashion: How Marketing Changed the Clothing Business Forever*, Teri Agins fala o quanto as estratégicas comerciais de licenciamento em massa, as coleções-cápsula exageradas e as promoções, assim como a pirataria e a concorrência desleal (entre tantas coisas) contribuíram para o enfraquecimento do desejo pela moda. É fácil compreender isso, não é?

Para reverter esse quadro, sinto que as marcas precisam estabelecer um compromisso definitivo com a criação de valor para as pessoas. Em vez de seguir os concorrentes, para garantir vantagem competitiva sustentável no longo prazo, elas terão que superá-los no que diz respeito à entrega de valor. Isso tem a ver com pensar no porquê de tudo o que é feito. Fazer com intenção.

Uma das grandes forças das organizações que têm propósito é que elas não precisam usar o marketing para criar "historinhas" ou iscas para estimular interesse onde não existe. Elas compartilham verdades sobre seus produtos e serviços e atraem naturalmente clientes, parceiros e fornecedores que tenham valores em comum. E melhor: estes ainda podem se tornar embaixadores e disseminadores das histórias da marca (como falamos em *A moda imita a vida*, histórias contadas por pessoas reais têm muito mais valor hoje do que as contadas pelas marcas).

Durante muito tempo, enquanto éramos regidos por programas mentais destrutivos como o da concorrência, da escassez ou do ter (para ser), o marketing de moda manipulava estratégias relacionadas a status, poder, exclusividade e outras que inflavam nosso ego. As campanhas, as associações com celebridades, "o carão" — tinha um pouco disso em tudo o que era feito. E a personificação das marcas era um exercício bastante comum, para influenciar (confundir) nosso alter ego.

A atual era do marketing tem a ver com identificação. Não é só "o que" os produtos "têm", "o que fazem" ou "o que nos fazem sentir" que nos atrai. Quer dizer, hoje é isso tudo junto, resumido na noção de "quem é" a marca. Essa ~~mudança~~ evolução de perspectiva faz muito sentido para a era planetária que estamos vivendo — a do *ser*. Mas, como tudo mudou, os ativos de identificação com uma marca devem evoluir também.

Quando seguíamos o padrão de nossos ancestrais que sentiam necessidade de camuflar suas fraquezas em grupos, o "estilo de vida" funcionou como um grande gatilho de construção e comunicação de marcas, em que nossas roupas representavam as tribos e as pessoas que nos "chancelavam". Muitas marcas tentaram construir um estilo para chamar de seu. E sem dúvida as que conseguiram chegar lá ocuparam seu lugar ao sol.

Estilo de vida está totalmente ligado a comportamento. E cada vez mais tem sido difícil identificar linearidade ou até mesmo nexo no comportamento das pessoas. Carlos Mach, gerente de branding da FARM, diz que hoje as pessoas não são mais uma coisa *ou* outra.

Elas são uma coisa *e* outra. Com hábitos, interesses e vontades bem misturados, ficaram menos rotuláveis e previsíveis.

Isso aumenta o desafio de construir uma marca de estilo de vida (ou comportamento, como dizem). Há até bem pouco tempo existiam poucas categorias de marcas. Se você fosse uma marca masculina, deveria escolher entre ser *surfwear* ou *skatewear*, por exemplo. Uma marca feminina seria "do dia" ou "da noite". E assim iam formando-se os nichos. Hoje isso não tem o menor sentido.

Sinto que daqui para a frente o propósito de uma marca é o que vai conectá-la com seu público. Ele será o ativo mais importante na personificação de uma marca. A comunicação, que antes era em cima do *lifestyle*, passará a representar o que a marca acredita, e não somente a maneira como se comporta (que é um reflexo do que ela acredita). Então uma marca *surfwear* poderá passar a ser uma marca que cuida do mar, por exemplo.

Nessa onda, a marca masculina Foxton, que sempre teve o surfe como parte do seu *lifestyle*, passou a entender que, para reforçar laços com a comunidade e contribuir para que ela continue existindo, precisa ajudar a (conscientizar sobre e) preservar o mar e as praias — dos quais o esporte (e essa moda) são totalmente dependentes.

Em uma de suas ações, uniu-se ao Instituto Mar Adentro em prol da conservação e da limpeza das ilhas Cagarras. Garrafas PET retiradas do mar foram usadas para a produção de três camisetas para conscientizar tod@s contra o lixo deixado nas praias do Rio de Janeiro. As camisas traziam mensagens bem diretas, como "Menos poluição. Mais ondas", "Tudo o que vai volta" e "Surfar, sim. Sujar, não". Parte da receita gerada pela venda foi doada ao projeto Ilhas do Rio.

Para dar mais relevância e vida à ação, a marca escolheu quinze embaixadores, que se relacionam de alguma forma com a causa e ajudaram a divulgar a ideia. Eu estava entre eles e participei, no inverno de 2015, de uma ação de limpeza das ilhas. Junto com o instituto e outros voluntários, passamos um dia nas Cagarras, recolhendo o lixo que vai parar lá depois de ser jogado no mar ou deixado na praia. Nesse único dia, recolhemos cerca de oitenta quilos de lixo — entre garrafas, latas, brinquedos e até oferendas.

Da mesma forma, uma marca *skatewear* poderá preservar a cultura da rua e a apropriação legal de espaços públicos. Uma marca de esporte outdoor poderá encontrar ações que se relacionem ao uso de seus produtos para apoiar. Uma marca carioca poderá fazer mais pelo Rio de Janeiro. Uma marca rock 'n'roll poderá apoiar a música ou despertar esse talento nas pessoas.

Por falar em música, é muito nítido que esse movimento acontece nela também. O mercado de cantoras pop, por exemplo, tem se segmentado a partir dos propósitos e valores de suas estrelas, e não mais pelo estilo (de vida). E as pessoas podem se identificar com um *e* outro propósito.

Na luta contra o *bullying*, Lady Gaga assume suas imperfeições e defende que todos nasceram do jeito que deveriam ser — e que nada deve nos impedir de brilhar. Diz que sofreu a vida toda (e ainda sofre) de ansiedade e depressão por não se encaixar nos padrões. Então fez de "Born This Way" um manifesto a favor da autoconfiança, para que todos exaltem e amem a si mesmos, independentemente de *ser* bonito ou feio. Rico ou pobre. Negro, branco, pardo ou albino. Abandonado, assediado ou importunado. Gay, hétero, bi ou transexual.

Minha mãe me disse, quando eu era jovem,
Que todos nascemos estrelas
Ela penteava meus cabelos e passava batom em mim
Diante do espelho da penteadeira
"Não há nada de errado em amar quem você é",
Ela dizia, "pois Ele te fez perfeita, querida"
"Então levante a cabeça, garota, e você vai longe,
Escute o que eu digo"
Sou linda do meu jeito,
Pois Deus não comete erros
Estou no caminho certo, menina,
Eu nasci assim

Depois de passar por uma mudança radical, Miley Cyrus vem empreendendo sua nova missão de justiça social: ensinar ao mundo que ninguém decide o gênero de uma pessoa ao dizer se é uma menina ou um menino na sala de parto. Ela apoia as pessoas que precisam de ajuda em questões de gênero para *ser*. Na revista *Time* de junho de 2015, ela disse que se inclui entre as pessoas que não sentem que se encaixam nos padrões tradicionais e que não gosta dos rótulos "masculino", "feminino" ou mesmo "gênero fluido" (pessoa que se identifica com ambos os gêneros), embora se encaixe no último, por ora.

Beyoncé, com sua banda formada apenas por mulheres, canta pelo empoderamento feminino. Seus álbuns, vídeos e ações estão sempre falando sobre *ser* mulher hoje. As expectativas, frustrações e necessidades de conquista. Suas atitudes acabaram influenciando o feminismo instintivo e macrotendências de moda baseadas no poder da mulher. Ao receber o Prêmio Vanguarda Michael Jackson no MTV Video Music Awards de 2014, ela citou o discurso de Chimamanda Adichie que está remixado em "Flawless" sobre a igualdade política, econômica e social dos sexos:

> Ensinamos mulheres a se encolherem, a ficarem menores. Dizemos: "Você pode ser ambiciosa, mas não muito". "Pode querer o sucesso, mas não muito", senão vai ameaçar os homens. Criamos meninas para se verem como concorrentes. Não pro trabalho, mas pela atenção dos homens [...]. O casamento pode, sim, ser uma fonte de diversão, amor e parceria. Mas por que ensinamos as mulheres a desejar o casamento e os homens não?

É legal perceber como o propósito das três é alinhado a questões do *ser*. O que só reforça o pensamento de que esta será uma era a favor da nossa essência e individualidade, dos nossos valores e da ampliação da consciência sobre quem somos. A música, assim como a moda, está totalmente ligada ao poder de moldar o comportamento das pessoas e influenciar gostos e preferências com um poder absurdo (para o bem ou para o mal). E isso vai bem além da letra (como na moda pode ir bem além do produto).

Em novembro de 2015, o cantor Morrissey (ex-vocalista dos

Smiths) veio ao Brasil realizar quatro shows. Ele, que não come carne há mais de trinta anos, exigiu (como costuma fazer) que fosse proibida a venda de produtos com carne e laticínios no local dos shows (e nenhum fã ou funcionário da casa de espetáculos poderia entrar com isso). O contrato firmado dava a ele o direito de cancelar a apresentação sem ter que pagar multa (como fez em 2009 ao abandonar o palco no meio de uma apresentação em um festival porque sentiu cheiro de carne vindo das barraquinhas de comida).

Por mais que possa parecer uma atitude extremista (absurda ou até "engraçada" para alguns), reforça a intenção do cantor de usar sua audiência e posição para disseminar uma nova consciência. Iniciativas como essas mostram o quanto não só os formadores de opinião, mas pessoas públicas e com muita audiência (como a moda) podem ser veículo a favor da grande virada. Toda produção cultural tem a chance de produzir energia vital. E é o marketing a principal ferramenta responsável por isso.

A moda também pode ser uma propaganda de ideias de vida. Mas infelizmente isso ainda é muito desperdiçado ou usado de forma torta. Em 9 de setembro de 2015, o Instagram da Vogue Brasil comunicou mais uma "parceria incrível" entre Alexander Wang e a Evian: o estilista criou estampas para garrafas da marca. Fiquei meio sem entender por que ele, que sempre me pareceu bastante consciente (com outras ações de apoio à comunidade), estava fazendo uma coisa tão boba (a garrafa nem ficou nada demais), tão sem propósito. Depois comecei a pensar como parte da nossa mídia é realmente boba e ainda dá espaço para esse tipo de assunto — enquanto outros bem mais relevantes não aparecem.

Aí comecei a ler os comentários, e meu coração quase parou. A quantidade de pessoas dizendo "preciso", "quero agora" era inacreditável. Confesso que tenho um misto de sentimentos quando vejo ações como essa... Primeiro porque ainda me choco com a força da moda, que faz as pessoas "precisarem" de uma garrafa. Mas me choco ainda mais ao ver como algumas marcas não acordaram para a possibilidade de usar essa força a favor de um mundo melhor e continuam fazendo coisas que não precisamos, para comprar com dinheiro que não temos. Que lindo seria ver marcas se manifestando criticamente quanto à questão hídrica.

Entre tantos comentários, um fez meu coração voltar a bater. Jackson Araújo cutucou: "Água e comida. Isso sim são duas tendências que merecem reflexão. A moda antiga, o luxo velho, tão sem sentido e significado. Ressignificar é preciso". Respirei fundo e lembrei que nossa era ainda é de transição; por um tempo teremos pessoas e marcas divididas entre o velho e o novo ~~mundo~~ pensamento. O importante é não desistir. Pois será preciso bastante resiliência para furar essa onda. Comece pensando em quais ideias você gostaria de promover.

PENSE NOS

PORQUÊS.

8. O propósito da vida

Tudo muda o tempo todo (este é apenas mais um ciclo). Mas está claro que agora as transformações precisarão ser diferentes, mais profundas. Nem as ciências, o Estado ou as religiões, ninguém dará conta de resolver sozinho o impasse a que chegamos. As transformações agora precisam ser de dentro para fora. Marcas com propósito só poderão ser construídas por pessoas com propósito de vida. Então se existe um novo sentido a ser ~~buscado~~ resgatado, ele está dentro de nós.

Na contramão disso, sabemos o quanto evitamos movimentos de interioridade. Acho que às vezes não nos olhamos porque nos sentimos frustrados ou insatisfeitos com quem somos ou com o que estamos fazendo. Aí entramos no modo automático. Esquecemos nossos sonhos (achando que a realidade é dura demais para eles) e a vida passa. Nietzsche tem muita empatia por esse tipo de angústia. Ele nos convida a pensar o que acontece quando ficamos insatisfeitos com nós mesmos. Para o filósofo, essa é uma grande oportunidade para nos tornarmos nossas melhores versões. De fazer coisas melhores por nós mesmos.

O guru Sri Prem Baba diz que nosso destino (pessoal e coletivo) é construído através de cada pensamento, cada palavra e cada atitude que temos. São nossas ações que determinam nosso futuro. E a cada instante temos a chance de escolher entre ações que nos afastam e ações que nos aproximam da nossa própria liberdade. É o que determina nossa jornada aqui na Terra. De acordo com o nível de aceitação da nossa liberdade, da nossa capacidade de criar, confiar, da vontade de sonhar e realizar, pode ser uma jornada de herói ou vítima (da revolução, no caso).

A jornada da vítima é a de quem se culpa demais, se arrepende demais, se boicota demais, não acredita que existe espaço no mercado, que se ~~sente~~ coloca em posição inferior ao outro e que, por isso, é sempre a bola da vez das demissões em massa, dos cortes de custos ou das crises da sociedade. Provavelmente essa pessoa desenvolveu uma crença a partir de determinada situação (negativa ou de dificuldade), e então passou a acreditar que as coisas sempre ocorrerão da mesma maneira. Firma-se a generalização de um padrão de pensamento, e as coisas a partir daí começam a se repetir.

Alguns ouviram tanto que “o mundo é difícil, injusto ou fechado”, que estabeleceram isso como verdade. Alguns (provavelmente os da minha idade) tiveram a infância marcada por graves crises econômicas, momentos de grande incerteza no país (e em casa), e acabaram ficando marcados por isso pelo resto da vida. É preciso identificar as crenças que dão sustentação às imagens que nos fazem repetir situações negativas. Desconstruir o pensamento negativo, com a certeza de que as dificuldades de fato são inerentes a qualquer vida e que elas servem para nos preparar para futuros passos, e não para nos bloquear.

A jornada do herói é a de quem ~~tem consciência disso~~ se coloca como protagonista importante da criação da sua vida, do seu espaço, das suas forças, da sua imagem, acreditando nos seus “superpoderes”. O mundo evolui em torno dessa crença, as coisas se encaixam, se atraem, se conectam, e a vida flui e acontece. Mesmo diante das dificuldades. O herói é o representante do novo. Como disse a pedagoga americana Candace Allen, nos lembrando de que neste momento precisamos de heróis:

> O fundador de uma era [...]; o pioneiro de um modo de vida ou uma maneira de proteger a comunidade contra o mal; o inventor de revolucionários processos ou produtos que trazem melhorias para as pessoas em suas comunidades e para o mundo.

Criar é romper barreiras. Requer coragem para ganhar a vida com autenticidade, comprometido com a própria rota. Desconectado do olhar do outro, do desejo pelo lugar do outro, das mazelas da vida. A energia aqui se volta para dentro de si, e o mundo interior revela a riqueza da sua orientação.

O herói trilha o caminho das perguntas, do indagar. A vítima da revolução não pergunta muito, pois tem medo das respostas e se acomoda numa falsa sensação de comodidade. Para ela é mais fácil ~~afirmar~~ permanecer nas suas certezas do que se abrir a outros caminhos e ser feliz. Indagar é manter um estado de energia alerta, com o objetivo de nos desenvolver por meio de nossas incoerências. "Pergunte sempre", "Pense nos porquês", eu disse em *A moda imita a vida*. Isso vale para nós também. Assim, liberamos energias bloqueadas. Pergunte, e a energia entrará em movimento.

Só que mais uma vez é importante ter calma. Perguntas são como sementes. Você as planta e aguarda até que um dia floresçam. "Muita calma nessa hora", dizem por aí. E é assim mesmo. Tudo tem um tempo. E o tempo das respostas deve ser respeitado (não fique triste se você não descobrir logo, é que não fomos treinad@s para isso). A resposta vem quando estamos preparad@s para compreendê-la. Mas suas emoções dão a dica do que mais importa para você.

E, sinceramente, pode ser que você nunca consiga formatar uma frase pronta, com seu propósito, daquelas lindas, para colocar na parede. Mas isso não quer dizer que não esteja em linha com sua existência. Querer descobrir o que nos motiva é o que gera o impulso na direção certa, nos conecta com o caminho da paixão, da abundância e da produção criativa. Nós sentimos quando isso acontece.

Comigo não foi fácil. Para piorar, quando alguém me perguntava "O que você faz?", eu gelava, pois, além de ter mil coisas para explicar, sentia falta de uma resposta que realmente me orgulhasse e me fizesse sentir mais vivo, como se estivesse fazendo algo realmente edificante para a vida (a minha e a dos outros). Isso gerava uma ansiedade absurda, que me afastava da resposta. Foi quando entendi que ansiedade não traz respostas.

O mais importante nesse processo — e a chave de tudo — é estar aberto, pois a resposta pode vir de qualquer lado. Isso tem a ver com confiar e buscar o significado por trás das coisas. Tem a ver com consciência, escuta ativa, conexão com nossas ações no presente. Assim, descobrir seu papel no mundo deve se tornar mais uma consequência orgânica do que um objetivo em si. A resposta vem de acordo com o quanto você se dedicou, de forma integral, às atividades que considera relevantes para sua vida e seu desenvolvimento pessoal.

Aprendi que quando estamos (realmente) abertos a revelar nosso propósito (ou qualquer outra coisa), quando dizemos ao universo que estamos dispostos a receber, um dia a resposta vem. Talvez seu coração já saiba a resposta (talvez ele a esteja dando para você agora). Talvez ele não a forneça exatamente em palavras, mas sentimos quando estamos fazendo algo que é bom para nós. Talvez ainda não seja a hora de você saber essa resposta, porque ainda precisa experimentar mais. Então aproveite a chance.

Aproveite também (todas) as outras formas de indagar. Alguns buscam respostas em práticas contemplativas, na meditação, no esporte, na terapia... Cada um deve encontrar sua forma de ouvir o coração. Ouvir acompanha o indagar. Significa reconhecer a possibilidade de um novo caminho. Quando estamos na posição de vítima, não ouvimos, pois achamos que já sabemos as respostas e nos recusamos a quebrar os moldes de nossas expectativas (para manter a sensação de que estamos certos, abrimos mão de ser felizes).

Indagar é a polaridade ativa que abre energias; escutar é a polaridade receptiva que permite que essas novas energias encontrem seu espaço. É um modo de sensibilidade para todas as mensagens que recebemos, da terra, do nosso corpo, dos nossos sonhos, dos outros... Descobrir o que realmente é importante para você tem a ver com duas coisas: liberdade e autoconhecimento. Seguir de forma livre o coração (e não somente o ego), aproveitar as verdadeiras paixões do viver. Investigar o *ser* para fazer escolhas conscientes e alinhadas. Esse é o único jeito de se sentir realmente vivo no fluxo da vida. E se manter energizado. (Vamos falar mais sobre isso na quinta parte deste livro.)

Travis Bradberry e Jean Greaves, autores de *Inteligência emocional 2.0*, mapearam algumas das principais motivações da humanidade. São elas: autonomia, desafio, criatividade, desenvolvimento do outro, empatia, excelência, excitação, família, amizade, diversão, impacto, aprendizado, dinheiro, propriedade, pressão, prestígio, resolução de problemas, propósito, reconhecimento, serviço, responsabilidade social, trabalho em equipe. Para cada pessoa, funcionam de um jeito — algumas são mais relevantes e se organizam de forma diferente em termos de prioridades. Entender realmente quais são nossas prioridades pode nos ajudar a desenvolver uma visão pessoal do que é uma vida significativa e nos auxiliar a fazer escolhas certas. A compreender nosso propósito.

Durante muito tempo se acreditou que a motivação vinha de fatores externos, como salário, bônus, premiações... Mas grande parte dos autores contemporâneos fala sobre a importância dos fatores internos, apontando que os externos podem até nos atrapalhar, pois somos levados a pensar que eles devem nos conduzir, e com isso acabamos nos perdendo.

De todas as motivações, o dinheiro é a mais antiga. Muita gente o ama. Depois de algum tempo e muitas conversas com alguns profissionais de sucesso, comecei a perceber que ele parece ser a primeira coisa que consideramos no início da nossa vida profissional. Muitas vezes é ele que direciona nossas escolhas. Mas antes mesmo de chegar ao meio do caminho (cada um leva seu tempo), o dinheiro parece ser a última coisa a ser considerada.

É que algumas pessoas começam a entender que, quanto mais dinheiro se tem, sobra menos tempo para gastar. E um bom salário, benefícios e bônus não são garantia de realização ou sucesso pessoal. As coisas conquistadas com esse dinheiro se revelam insuficientes para preencher a vida. Ou, como canta Marcelo Jeneci, as pessoas descobrem que "o melhor da vida é de graça". Enfim, uma das dimensões da nova economia é entender o dinheiro de um jeito diferente.

Não é à toa que muitos profissionais mantêm projetos paralelos. Pode ser uma marca própria, um trabalho autoral de fotografia ou lecionar. Mesmo com a falta de tempo habitual aos nossos tempos, eles se dedicam bastante, ganhando muito pouco ou quase nada por isso. Mas continuam fazendo, em busca de realização. Como consequência, muitas pessoas passam a repensar suas escolhas (motivadas por dinheiro) em prol de uma vida mais feliz, leve ou verdadeiramente realizada, com base no que é essencial, e não no que "achamos" que queremos ou no que os outros acham que devemos ter.

Vem daí a mudança do conceito de independência financeira, evoluindo de "ter rendimentos passivos suficientes para cobrir as despesas, sem precisar trabalhar para ganhar dinheiro para sobreviver" para "qualquer coisa que reduza a dependência do dinheiro para conduzir a vida". Essas palavras são de Joe Dominguez e Vicki Robin, autores do livro *Dinheiro e vida*, que propõe focar energia em ter mais vida (mais saúde, mais relacionamentos, mais tempo) em vez de acumular dinheiro.

Em "Esquiva da esgrima", Criolo critica:

Hoje, não tem boca pra se beijar
Não tem alma pra se lavar
Não tem vida pra se viver
Mas tem dinheiro pra se contar
De terno e gravata, teu pai agradar...
É o céu, da boca do inferno, esperando você

Bem, se você (ou sua família) estiver contando dinheiro para pagar seus estudos e suas despesas, esse discurso pode parecer um pouco romântico (eu sei, já estive nessa situação), uma grande viagem ou até mesmo um luxo. Mas eu precisava falar isso. Hoje tenho certeza de que o dinheiro pode vir através da materialização dos nossos sonhos, da nossa vocação e de quem somos. Quando realizamos nossas motivações com amor, dedicação e propósito, o universo nos recompensa. Tenho certeza. Todos nós podemos ser muito bem recompensados se o que fizermos estiver alinhado com nosso propósito. Independentemente de qual for sua resposta, acredite: o propósito da vida não é fazer dinheiro.

Estamos aqui para ajudar a criar o mundo. Esse é o propósito da vida. Experimente então gastar a mesma energia que você tem empregado para correr atrás de dinheiro no sentido de descobrir seu propósito pessoal, revelar e cultivar seus talentos para servir ao outro e à criação de um novo mundo. Não tem como ser diferente: se fizer dessa forma, o dinheiro virá (em que quantidade dependerá do quanto você conseguir realizar seu propósito e estiver aberto a receber).

No início de 2016, a Finlândia iniciou um programa de renda mínima fixa para toda a população, independentemente de idade ou situação social, para que todos pudessem optar por trabalhar ou não. Se você morasse lá, com o que escolheria trabalhar? Ou com o que trabalharia mesmo que tivesse muito dinheiro ou não fosse lucrar nada com isso? Pense a respeito.

TRABALHAMOS

COM SONHOS.

9. O seu propósito

"Comece com o porquê" você também. John Mackey fala em *Capitalismo consciente* que o dia mais importante da nossa vida não é aquele em que nascemos, damos os primeiros passos ou nos formamos. É o dia em que intuímos por que e para que estamos vivos. Quando descobrimos o sentido da nossa existência. Quando sentimos que nosso impacto no mundo ficou maior, assim como nosso poder de transformação.

Infelizmente, nem todos experimentam esse dia especial. Muitos nem sequer se questionam a respeito. Mas a data dessa descoberta, quando ela acontece, se torna especial, um marco, que muda (ou confirma) tudo. Como é dito em *Capitalismo consciente*:

> Nada continua igual depois que você compreende seu verdadeiro propósito. As cores da vida mudam, você consegue extrair energia e inspiração de lugares que não imaginava. O trabalho torna-se gratificante, uma fonte de satisfação e alegria.

Thaís Roque é a pessoa por trás da websérie #MeuPropósito (disponível no YouTube), que conta a trajetória de pessoas que decidiram largar tudo para viver com mais propósito. A inspiração veio de sua própria vida: formada em administração, Thaís nunca foi feliz profissionalmente, chorava todo dia, dormia no carro na hora do almoço e chegou a engordar trinta quilos. Sua experiência em buscar um emprego que a preenchesse deu origem à sua carreira de *coach*, com o propósito de ajudar pessoas que vivem os mesmos problemas que ela viveu. Nos doze primeiros episódios, Thaís conta a história de pessoas que conseguiram transformar sua paixão em profissão, gerando felicidade todos os dias da semana.

A vida é curta e passa muito rápido (ela está passando por você nesse momento). Não deixe escapar a chance de torná-la significativa. De tudo o que estamos falando aqui, o mais importante é sua vida (mas sem antropocentrismo, claro). O mais importante é a realização através do que você faz, sua chance de ~~contribuir~~ ser importante para o mundo.

Sempre teremos opção entre a segurança da zona de conforto e a liberdade do crescimento. E é muito fácil se acomodar, eu sei. Mas o crescimento pessoal é uma escolha que só depende de nós. Neste momento, precisamos estar muito conscientes disso, para que possamos fazer escolhas sábias, aprender, crescer e evoluir como seres humanos. Colocando nossos talentos e vocações a favor da mudança do mundo.

Descobrir seu propósito (além do dinheiro) tem a ver com descobrir as coisas que mais importam para você. Entender o que você realmente ama (se já sabe, o que está esperando para começar?). Trabalhar o reconhecimento do que ama, do que te faz feliz, do que faz sentido para você, deve fazer parte da sua vida. Quando amamos alguém ou alguma coisa, ela se torna uma interminável fonte de inspiração e força.

A resposta pode estar na sua infância. Felipe, da biz.u, me fez lembrar de que quando era criança e alguma brincadeira ou algo me deixava feliz eu dizia “De novo!”. Para ele, o propósito está no que nos faz feliz. Então procure se lembrar do que você amava fazer, do primeiro momento em que foi feliz. Ou de quando era adolescente, ou mesmo nos trabalhos pelos quais já passou. Quais momentos você gostaria de eternizar? Neles você se encontrava embriagado pelo elixir do fluxo.

O fluxo tem sido um dos principais indicadores de propósito. Seu conceito original foi proposto pelo psicólogo Mihaly Csikszentmihalyi, e ele define um estado mental de operação em que a pessoa está totalmente imersa no que faz, caracterizado por um sentimento de total envolvimento e sucesso no processo, como se nada mais importasse. Tem a ver com o que os atletas e os que meditam chamam de "entrar em transe" — nos sentimos totalmente envolvidos com o "agora", sem noção de tempo. A ação nos motiva e realiza, tem um valor próprio. Tudo isso sem nenhum esforço na execução ou em manter o foco.

Geralmente me sinto assim quando estou escrevendo sobre algo de que gosto e em que acredito. Quando estou dando aula ou uma palestra sobre algum tema que domino ou curto muito. Perco a noção da hora... Tem tudo a ver com meu propósito. Outras pessoas podem sentir isso quando estão editando fotos, pesquisando na internet, atendendo fornecedores ou realizando uma venda.

Fico feliz que hoje o propósito esteja na moda. Tomara que não seja só uma "modinha", que não passe logo (sinto que não vai). Nos livros, nos cursos, nas conversas com amigos, nas empresas onde trabalho e nas entrevistas para este livro, percebi quase uma urgência em todos de falar sobre o tema e entendê-lo. Urgência que deve crescer conforme a sociedade for se tornando mais consciente.

A Osklen talvez tenha sido a primeira marca de moda brasileira a trazer um propósito claro, o que tem muito a ver com o propósito do seu dono, Oskar Metsavaht, de usar a moda, com um forte dote estético e artístico, para conscientizar as pessoas sobre as questões ambientais mais graves. Outras marcas que já existem estão passando por esse movimento de busca. Enquanto as novas já nascem buscadoras, a partir da vontade de seus donos, como o Ricardinho da Vandal:

> Sou uma pessoa bem questionadora. Um dia eu me perguntei qual é a coisa mais incrível que posso fazer no planeta Terra. Por que estou

> vivo? E cheguei numa resposta, que apesar de muito simples fez muito sentido. Descobri que a coisa mais incrível pra mim é fazer as pessoas mais felizes. Hoje eu sei que tenho que crescer com um propósito que não seja faturar e aumentar meu lucro. Tenho que crescer para proporcionar para as pessoas essa felicidade.

Simples como tudo o que é essencial e forte. Na Vandal, o diferencial é o fator sorriso.

> Então a gente se deu conta de que o mais importante é a experiência e o que gera sorrisos são os detalhes. Isso mudou nosso jeito de fazer, de vender, de comunicar... Para a gente, a parte mais legal da camiseta é tu criar a estampa. Isso traz a unicidade do nosso propósito, que é a felicidade através da liberdade criativa. Porque cada pessoa fica mais feliz com uma camisa diferente.

Mas como estamos numa era de transição, pode levar tempo para que todos comecem a se perguntar a respeito e para que passem a direcionar a estratégia de acordo com seu propósito. Pode levar um tempo para a moda relembrar que vive para servir o outro. Ricardinho concorda:

> Não é todo mundo que se importa de verdade com essa felicidade ainda, em otimizar essa rede. Acho que o dinheiro contamina. Muita gente faz produtos ruins e atende pior ainda porque só está de olho no dinheiro, não se preocupa com a felicidade. O chefe não quer saber de fazer o funcionário feliz, e por isso o cara não liga de fazer o cliente feliz, de entregar um produto que cumpra esse papel, nem de servir bem o cliente. E é isso que contamina o mundo.

O filósofo Peter Singer diz que a única maneira de alcançar realização pessoal e profissional é dedicar nossa vida a uma causa transcendente, maior que nós mesmos. Da mesma forma que o propósito das empresas, o nosso não deve ser somente orientado à nossa vida. Afinal, somos todos seres responsáveis pela criação do mundo.

Renata Abranchs tem noção de que o seu trabalho é apenas uma ferramenta para atingir seu propósito. Ela, que começou trabalhando como vendedora e se transformou numa das profissionais mais (amadas) reconhecidas no Brasil quando se trata de comportamento, tendências e "carioquices", vê hoje o seu fazer se transformar com o mundo. Como ela me disse:

> Hoje por mais que eu mude o rumo do meu negócio, que essa coisa toda de falar sobre tendências esteja tão louca, eu sou uma operária da moda, que existe para inspirar esse mercado. A se descobrir, a ser autoral. A entender a importância de se produzir no Brasil, de valorizar o que é nosso. Eu me inspiro em informação de moda, de arte, de comportamento. Mas também em papo sobre astrologia, economia criativa, espiritualidade, gastronomia. Porque não importa qual é o tema que está na mesa ou o que estou fazendo. O que importa para mim é o quanto estou inspirando.

Foi assim que ela pautou as mudanças da sua vida. Encontros para falar sobre tendências deram origem a livro, site e atualmente consultorias focadas em inspirar marcas e pessoas com o compromisso do *ser*. Da mesma forma, você pode abrir seu leque em busca de formas de realizar seu propósito. Ou até mesmo mudar de lugar, caso sinta que o que faz hoje não está alinhado com ele.

Peter Singer acredita que um propósito orientado a uma causa ética pode ser especialmente transformador. Por causa ética, muitos entendem trabalhos sociais ou ligados ao meio ambiente. Algo relacionado à caridade ou à vontade de fazer justiça. Claro, pode ser isso também; afinal, todos nós temos responsabilidades com o planeta. Mas não é só isso.

Independentemente de qual for seu propósito, é importante a noção da necessidade que temos hoje de direcionar nossas paixões, nossos impulsos criativos, para algum dos principais dilemas da humanidade. E assim nos realizar profissionalmente, ganhar dinheiro e ter um impacto positivo no mundo.

Carla Lemos foi pioneira no negócio dos blogs no Brasil. Iniciou uma faculdade de moda e abandonou, decepcionada com o método de ensino. Foi trabalhar em loja e não durou muito. "Não aguentei o mimimi e as tretas de vendedora", ela me disse. Então começou a trabalhar numa confecção e se apaixonou pelo processo de criação.

Era 2006, quase 2007. A internet estava entrando na moda e Carla descobriu a comunidade da FARM no Orkut.

> Era uma loucura! Um monte de gente brigando por peças. O dono dizendo qual saia tinha tamanho P ou M. Mas fora isso tinha muita gente bacana ali querendo falar de moda. Não era sobre Dior ou Chanel, a moda do dia a dia, a que a gente tinha acesso. Ali comecei a achar uma galera que tinha a mesma visão que eu.

Então ela começou a se envolver mais na comunidade, a produzir conteúdo e compartilhar. Criou gosto pela coisa. Com a vontade de escrever e falar mais sobre moda, criou uma coluna no jornal do bairro. Depois um fotolog e então um blog, o Modices. Assim, há quase dez anos, vem ajudando a revolucionar o jeito de falar de moda. Ela mexeu com as estruturas das publicações formais e participou da primeira rede de blogueiras do Brasil, se tornando um dos nomes mais respeitados do meio.

> Eu tinha muita vontade de revolucionar. Fui me contaminando por ela. E só porque eu tinha essa vontade que consegui meu lugar. Porque sair do subúrbio, da zona norte [do Rio de Janeiro], sem pai rico, sem conhecer ninguém, na raça... não é fácil! Muita gente tem dinheiro, vai estudar fora, conhece um monte de gente, mas não consegue fazer nada.

E hoje, diante de todas as mudanças do mundo, ela entende que precisa ressignificar seu fazer.

> Tá, a gente já revolucionou, agora todo mundo pode falar de moda. Mas o que é preciso agora? [...] Entendi que tenho um novo papel, que minha missão é revolucionar o jeito de ver a moda.

Da mesma forma que mudamos o tempo todo (não só fisicamente, mas por dentro também), nossos sonhos e desejos crescem e se transformam. O valor que damos às coisas muda, e por isso nosso propósito também pode mudar. Nada é definitivo, por isso — digo mais uma vez — estar aberto a receber é o que vai nos manter conectados com nosso propósito.

Durante um tempo achei que o meu propósito tivesse a ver com revelar e incentivar talentos. Usei meu espaço e trabalho na moda para isso. Patrocinei novas bandas e artistas, descobri novas marcas, produtores de conteúdo. Isso era o que direcionava meu trabalho. Depois, ao criar com meu amigo Daniel Benassi o *MODO*, um jornal independente para publicação de trabalhos artísticos, meu propósito se manteve.

Hoje, quanto mais tenho acesso a informação, mais me torno consciente de todas as coisas que estamos vendo aqui. Ganhou força dentro de mim (mais) uma vontade de espalhar tudo isso para o maior número de pessoas possível. Usar minhas aulas, meu livro e tudo o que faço para ampliar a consciência de todos, abrir olhos, cabeças e corações por aí. De propósito, claro. E você, já parou para pensar a respeito? Experimente.

TERCEIRA PARTE

Como?

SER HUMANO É

SER COM
OS OUTROS.

10. Com-unidade

Em 1967, em um discurso numa igreja em Nova York, Martin Luther King Jr. clamou que a sociedade precisava de uma revolução de valores. Bem, isso foi há muito tempo, mas parece que esse momento chegou. Você já parou para pensar que "a crise" talvez seja uma espécie de tensão do mundo para tomarmos consciência da nossa responsabilidade por tudo o que está acontecendo? Um pedido de socorro por uma nova consciência planetária, para nos relacionarmos com o outro e a natureza de forma diferente, a partir da certeza de que tudo o que temos é finito — principalmente os recursos naturais (ar limpo, água, solo...) e os recursos humanos (funcionários, clientes, parceiros, fornecedores...) — e que somos extremamente dependentes de tudo e todos?

Agora é hora de investigar como realizar nosso propósito. Como pessoas, profissionais e marcas, vamos precisar rever nossos padrões de ser e formas de fazer e nos questionar como o que fazemos apoia a(s) crise(s) ou a vida. Como podemos melhorar o mundo que encontramos. Sem utilizar mais do que precisamos. Sem prejudicar a vida (do outro e do meio ambiente). E como compensar o que fazemos de mal. A partir da harmonia entre tudo o que é "material" e "imaterial" — tudo tem uma carga energética. Ela pode ser tanto positiva quanto negativa, de acordo com a maneira como as coisas são feitas. Continuar negando o que é sutil é negar anos e anos de aprendizado de nossos ancestrais.

Alguns acham que a melhor forma de resolver a crise é incentivar o consumo para resgatar a prosperidade do passado. Mas infelizmente isso não vai acontecer. Se a economia melhorar e o tão estimado crescimento voltar, não vai durar muito tempo (lamento dizer), pois bem ali na frente vamos encontrar uma barreira: os recursos necessários para continuar girando o carrossel vão estar bem mais raros e caros. Então teremos outro choque de preços e uma nova recessão — como sempre, mais profunda. Por isso é urgente encontrar novos caminhos. Vale lembrar que para aqueles que já possuem uma nova mentalidade não há crise, a qual pode estar relacionada com resistência a mudanças.

Estamos levando a vida como se fôssemos máquinas. Como se o mundo fosse uma. Mas não somos — por isso estamos sofrendo (nós e o mundo). O primeiro passo é abandonar a lógica herdada da Revolução Industrial. Aquela linear, centralizadora, especialista, desconectada, competitiva. Aquela que muitas vezes se baseia na exploração do mais fraco (do outro e do planeta); que busca lucrar com os problemas alheios e até cria problemas só para se beneficiar (por exemplo, com a obsolescência programada).

Pela frente virão novas revoluções, e quem não estiver ~~preparado~~ disposto a trocar de lógica e se conectar com uma nova consciência será queimado e engolido pelo próprio dragão que ajudou a criar. Os outros terão que relembrar como viver de forma não linear, multidisciplinar, interligada e interdependente (com o outro e com a natureza), como um dia viveram nossos antepassados. Só que de um novo jeito. Afinal, "o mundo mudou".

Quem nos acordou para isso (e as novas formas de fazer) foi Paul Baran, um polonês radicado nos Estados Unidos que na década de 1960, em meio à Guerra Fria, levantou a bola de que as estruturas da sociedade estavam mudando e precisaríamos pensar em novas conexões e possibilidades para então mudar o todo. E, com a habilidade de quem desenha bonecos de pauzinhos, materializou o diagrama de Baran:

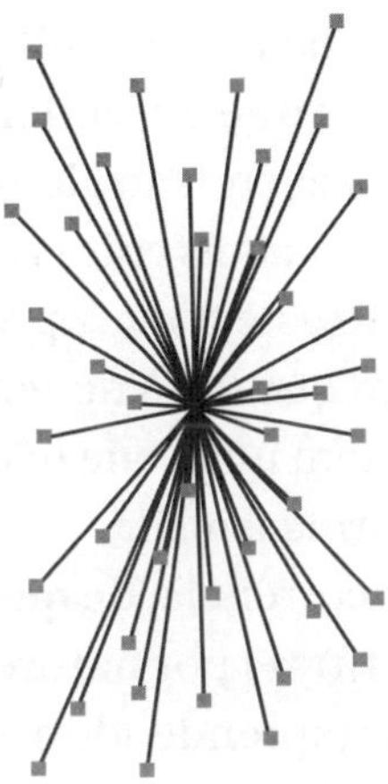

Figura 1

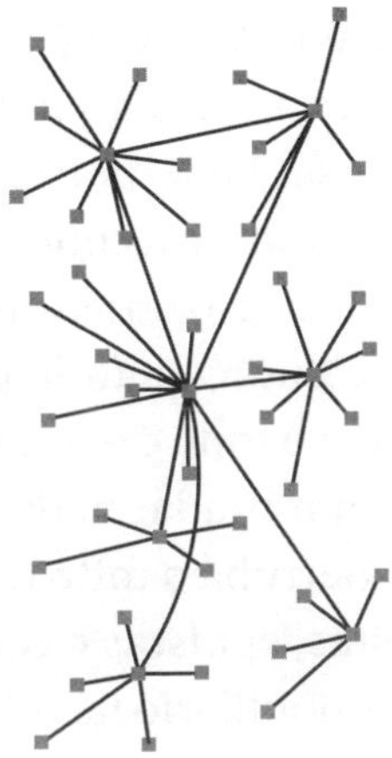

Figura 2

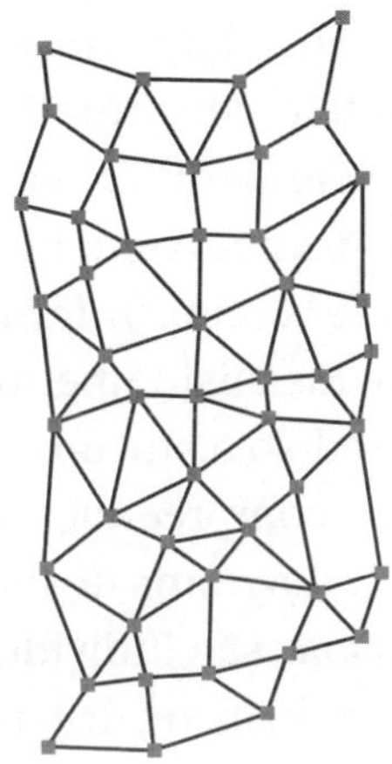

Figura 3

Seu diagrama gera múltiplas interpretações até hoje e pode ser lido de forma bem intuitiva. Aqui cabe interpretá-lo como um espelho das eras que atravessamos. O primeiro gráfico traduz o momento em que todas as coisas no mundo eram centralizadas e distribuídas "de um para muitos" (como a informação, a criação, o poder, a produção, as ordens, o dinheiro...). Assim eram os reinos, os governos, as empresas e o que mais existia.

Com o crescimento de tudo, esse modelo foi se fragmentando. A sociedade moderna descentralizou tudo, formando pequenos núcleos, ligados por pequenos "nós". Assim surgiram os departamentos, os grupos, as escolas, a mídia, as novas religiões, as subes tações... O que transformou bastante, pela primeira vez, as relações e a distribuição de tudo entre todos. Mas, antes que muitos se acostumassem com isso, tudo mudou.

O terceiro gráfico representa o momento atual. Aqui, todos ~~os~~ nós ~~estão~~ estamos conectados na forma de uma grande rede distribuída, que, como defendem os noéticos, nos possibilitou muito mais acesso à informação e ao poder; nos equipou (física, energética e intelectualmente) para podermos nos conectar com pessoas com as quais nos identificamos, com que temos afinidades de valores e propósitos; em que cada um é parte do todo.

A ampliação de nossa consciência é favorecida por este último modelo. Mas infelizmente ainda são poucos os que entendem o que ele significa. Vale pensar bem, pois as mensagens vão além de um primeiro entendimento sobre a conexão de todas as coisas pela "rede" como "internet". Talvez o entendimento esteja mais próximo dos ensinamentos de Buda, quando dizem que tudo depende de todo o resto, um contém o todo e o todo contém um e que não se pode compreender ou tentar mudar nada de forma isolada.

O diagrama de Baran derruba o mito da concorrência, de que as pessoas são individualistas, egoístas e competitivas por natureza. Quem brincou de Banco Imobiliário na infância (aprendendo a acumular) e War (aprendendo a cobiçar, destruir e dominar) pode entender facilmente que tudo foi uma invenção do mundo descentralizado. Nele eram criados ambientes onde todos estavam separados e viviam para competir. Multiplicamos nossos bens, mas reduzimos nossos valores, aprendemos a sobreviver e não a viver, como diz Bob Moorehead no livro *Words Aptly Spoken*.

Celebramos a competição nas salas de aula, no mercado de trabalho, no esporte. Agora entendo por que eu odiava educação física e hoje amo esportes: é que nunca me ensinaram a surfar, andar de skate ou remar em canoa havaiana — o maior exemplo de cooperação no esporte. Em vez disso, na intenção de promover a "socialização", tudo era competição.

Na escola aprendemos com a teoria de Charles Darwin que competimos para sobreviver. "Seja o mais forte, o número um e vença." Quem nunca ouviu isso? Quem nunca sentiu como se estivesse numa corrida com obstáculos? A mensagem do sistema descentralizado é que seríamos máquinas de interesse próprio e nada mais do que isso, o que só criou mais e mais separações. Assim, muitos ficaram apáticos em relação ao mundo, à natureza e à política, e ativos em relação à ideia de concorrência e escassez.

Entendemos errado ☹. Quando em 1871 Darwin escreveu *A origem do homem*, o primeiro livro sobre a natureza humana, e disse que conseguimos evoluir (!) como espécie mesmo sem ser os mais fortes devido à nossa habilidade de cooperar e cuidar dos outros, ninguém espalhou a notícia. Dessa forma, não criamos uma consciência coletiva. Criamos uma consciência individualista. E com ela mais escassez.

A verdade é que somos iguais à maioria dos animais. Quem diz isso hoje é a ciência, que começa a comprovar aquilo em que algumas religiões (especialmente as orientais) já acreditam há muito tempo. Somos todos um. O pai-nosso, um mantra da humanidade, diz que o pai é nosso, o pão é nosso, e pede: "livrai-nos do mal". Isso significa que precisamos ver tanto a humanidade quanto a natureza como família. Aí vem o projeto Genoma (trabalho conjunto realizado por diversos países para desvendar o código genético de organismos vivos) e revela que mais de 99% dos genes de um ser humano são idênticos aos de cachorros, gatos, pássaros, fungos e árvores. É isso, são todos nossos parentes, nossa família (!).

A vida humana (de todas as formas) é nosso parente biológico. Estamos conectados a tudo o que está vivo nessa grande rede. Quando você pensa assim, a perspectiva muda de "Estou protegendo o mundo, as pessoas, a natureza, as árvores, a água, o ar" para "Sou parte disso tudo e quando o protejo e cuido eu me protejo e cuido de mim". O que você faz pelo mundo volta para você, porque você é o mundo — daí a importância do propósito coletivo.

Nunca comprei a ideia de que nossa essência é competir, matar e destruir. "Ninguém é feliz sozinho. Ninguém brinca sozinho, ninguém nasce sozinho, ninguém é Igreja sozinho, ninguém faz amor sozinho", comenta no Facebook o pastor e *vlogger* Thiago Rodrigo. E o amor, a compaixão, a colaboração e a empatia? Eu curto. Nossos ancestrais também curtiam. Essa era a cultura, o maior valor social de quem fomos um dia. Eles celebravam o outro, a água, o ar, o solo e a luz do Sol, que nos permitem viver. Por que deixamos de fazer isso?

É urgente relembrar que somos todos um e estamos conectados em rede. O oceano, a floresta, o corpo humano e até as organizações funcionam da mesma forma. São todos sistemas cooperativos. Onde a folha contém o Sol. O mar são gotas que se uniram. As células humanas se conectam para formar os órgãos e estes para formar os corpos. Cada um desses sistemas tem como vocação desenvolver as potencialidades do outro, complementar e atuar junto (onde nossos pontos se encontram). Cada um contribui com o que sabe, cria ou descobre, pois da biologia humana à biosfera terrestre, da atração gravitacional ao sistema solar, tudo é um enorme sistema conectado sinergicamente — por fios que não vemos, mas sentimos. Nele, nem nós nem as organizações vivem sem recursos. Dependemos de planetas, estrelas, comida, ar, água... E toda contribuição pessoal é fundamental para o (bom) funcionamento do todo.

O diagrama de Baran nos lembra de que somos quem somos hoje porque estamos conectados ao todo. Olhe para a natureza, veja que tudo se movimenta, tudo está vivo — como eu e você. Estamos conectados (lembre-se sempre disso!). O ar que respiramos sai de um e entra no outro. Isso tem tudo a ver com a teoria de sistemas e redes distribuídas, e nos traz uma série de novas possibilidades. Mas também grandes responsabilidades. Sua felicidade é a minha. Seu crescimento é o meu. E se alguém ou algum pedaço dessa rede está morrendo ou está mal, isso afeta a todos. E esse mal é capaz de derrubar a rede. Para mantê-la saudável, precisamos tomar decisões baseadas na sustentabilidade não só econômica, mas também ambiental e humana.

Para a jornalista Lynne McTaggart, autora do livro *O campo*, "assim que começarmos a abraçar a ideia de que somos uma coisa só, usarmos isso em nossa vida diária e começarmos a ajustar a forma como fazemos as coisas, conseguiremos mudar o cenário atual [...]. Somos muito maiores do que nos disseram". Se você acredita nisso (e o busca dentro e fora de você), todas as novas pessoas que encontrar também acreditarão. E será ótimo se puder conscientizar os que estão à sua volta.

Bastante gente já vem abordando esses temas e se transformando. É legal ver a indústria da música, que assim como a da moda influencia o comportamento das pessoas, levantando a causa. Vanessa da Mata, que sempre falou sobre ser mulher, sobre natureza, raça, cor e amor, agora usa sua força para promover ideias a favor do planeta. Emicida, ativista da cultura negra, também. Rael de Lima, que também costuma falar sobre questões de pele, agora fala sobre o consumo e os impactos sobre a Terra. Até Miley Cyrus passou a se engajar em questões sociais e de gestão de recursos em suas músicas.

Em "Passarinhos", Vanessa da Mata e Emicida cantam:

No pé que as coisas vão, jaó
Doideira, daqui a pouco, resta madeira nem pro caixão
Era neblina, hoje é poluição
Asfalto quente queima os pés no chão
Carros em profusão, confusão
Água em escassez, bem na nossa vez
Assim não resta nem as baratas
Injustos fazem leis e o que resta pro cêis?
Escolher qual veneno te mata

Rael Lima canta em "Ser feliz":

Sociedade e os padrões que ainda insiste
Que a felicidade se consiste
Em ser o que tem, porém, fato triste
Os moleque vêm, querem Puma Disk, whisky
Camisa Dudalina
Uma moto muito loca vira o kit, pega-mina
Desviam seus olhares pelo ouro, prata
Os que não têm dinheiro veste só "baguio" pirata
É chapa, a forte no estilo alma fraca
E esse consumismo sem freio é quem nos mata

Miley Cyrus canta em "1 Sun":

Todos nós passeamos
E desperdiçamos vida

Isso deveria durar para sempre
Como se houvesse alguma fonte infinita
Do que é preciso para nos manter vivos
Pode haver um dia
Em que tudo irá embora
Para lembrar como nossa cultura é ingrata
Precisamos usar o tempo
Para substituir o que é roubado da mãe natureza
Nós temos apenas
Um sol, uma lua, um eu, um você
Acorda, mundo
Não consegue ver que a Terra está chorando?

TEM MARCA
QUE TEM VALOR.

OUTRAS SÓ
TÊM PREÇO.

11. Mais valor, por favor

O futurologista Jeremy Rifkin diz que estamos passando por uma mudança fundamental: os jovens não estão só produzindo e compartilhando entretenimento, notícias e informações, eles também estão começando a compartilhar todo o resto — carros, roupas, apartamentos. As gerações mais novas não querem ter um carro, "isso é coisa do vovô". Os *millennials* querem acesso, e não posse. Estão realmente começando a ver a si próprios como parte de uma grande família humana. A chamada "civilização empática" traz uma mentalidade não mais adaptada ao capitalismo, mas à economia do compartilhamento. Uma visão que concebe a humanidade como uma única família e o planeta ou a biosfera como a comunidade que se compartilha (um beijo, Baran).

Como figuras importantes nessa rede, precisamos ter clareza de nossos valores para saber do que realmente necessitamos. Será que você não está desejando ter mais do que precisa? (Tomara que não.) Isso é muito comum. Às vezes nos afogamos em contas, reuniões, projetos, além do que precisamos, o que nos esgota. O tempo para usufruir nossas conquistas é gasto no "querer mais". Acredite, não temos que perder nossa alma para conquistar nosso lugar no mundo (nem como pessoas nem como marcas).

Essa mesma busca desenfreada às vezes nos faz criar mais, produzir mais, querer vender mais, e assim esgotamos nossas fontes — tanto a natureza quanto os que atuam nessa materialização (funcionários, parceiros, fornecedores...). Para vencer a síndrome do consumo e da produção desenfreada (e às vezes até desqualificada), é preciso haver o reconhecimento dos valores fundamentais de viver e ser feliz, para além dos objetos. Esses são os valores que devemos compartilhar com o outro e com o planeta.

Essas mudanças, claro, começam a se evidenciar no topo da pirâmide, com as marcas inovadoras e formadoras de opinião, e também com as pessoas. Mas, como toda onda de comportamento, vai chegar ao *mainstream* (massa geral de marcas e consumidores). Já tem muita gente que não está topando mais o capitalismo (selvagem) que conhecíamos. Gente que tem consciência do valor das organizações (e de seu impacto) na sociedade. Apesar disso, muitas marcas ainda estão apegadas às antigas formas de gerar valor. Elas acham que todas as pessoas buscam apenas preço, praticidade, logomarcas, status social...

As organizações e a sociedade estão interligadas. Por isso é preciso haver consciência social nos negócios, intenção de compartilhar valor com a sociedade. Não existe outro caminho, porque daqui para a frente as organizações vão depender cada vez mais das pessoas e do planeta. O sucesso de uma organização vai depender do sucesso da rede. Pena que essa noção ainda seja muito recente. E a falta dela é o que tem destruído muitas organizações (esgotando clientes, funcionários, parceiros...).

Daqui para a frente as necessidades da sociedade e do planeta determinarão as necessidades das organizações e definirão o mercado. Para sobreviver (e transformar), vamos precisar nos conectar com novas habilidades e conhecimentos, principalmente o autoconhecimento (para pessoas e marcas). Só assim conseguiremos uma compreensão real dessas necessidades. Sempre lembrando que tudo é uma coisa só: nós.

* * *

Todas as mudanças que ocorreram até hoje tiveram a ver com a conscientização sobre determinado tema. O fim da escravidão, a queda do muro de Berlim... Uma vez que somos conscientes, somos responsáveis por nossa ação ou negação. Nos dois casos, somos responsáveis pela decisão. O próximo grande tabu a cair por terra deve ser a noção de separação da humanidade do mundo natural. E a noção de que a economia (com suas empresas, o lucro, a ganância, o dinheiro, o poder...) é a coisa mais importante da vida. Se ainda existirem pessoas aqui em uns cem ou 150 anos, aposto que elas pensarão de outra forma.

E já está acontecendo! O sistema de valores da humanidade vem mudando. Temos visto pessoas realmente preocupadas com ele contribuindo para a humanidade de forma mais tangível do que qualquer organização ou governo, os quais estão sendo cada vez mais cobrados por suas atitudes e pelas ideias que disseminam. Há muita gente fazendo diferente. Mas, como tudo o que está em transição, existem alguns na luz e outros na sombra (é normal).

Você está na luz ou na sombra? No velho ou no novo mundo?

Quando cria um produto, um negócio ou um projeto, tem pensando em quanto (dinheiro) vai ganhar com aquilo ou o quanto pode realmente apoiar a vida de uma pessoa?

Quantas vezes você pensa no impacto das coisas que está fazendo? E não estou falando somente do quanto seu produto ou sua comunicação vão vender, mas sim de todas as possíveis reações decorrentes de suas ações. (Tomara que muitas.)

Quantas vezes você tentou compreender verdadeiramente os sentimentos e as emoções que motivam as pessoas que se relacionam com você ou sua marca? Tentou sentir o que elas sentem como se estivesse na mesma situação? Infelizmente não é sempre que paramos para pensar no outro. Geralmente pensamos no dinheiro.

Mas a mesma força que temos para materializar ~~dinheiro~~ tudo o que é material temos para promover energia vital, mudanças e ações transformadoras. Com essa noção, vamos migrar da economia da experiência (gerada pelo dinheiro) para a economia da transformação (gerada pela consciência), ou a economia das ideias, da natureza, da consciência e até mesmo da economia (de recursos), como dizem por aí.

Nesta nova era vamos precisar ser mais empáticos e buscar maior harmonia entre dinheiro e valores. Esse alinhamento começa em você mesmo. Você se sente bem com o que anda fazendo? Está em paz? Seu carro, sua casa, sua roupa, seu estilo de vida, tudo isso, além da forma como você tem se comportado, representa seus valores? Você está de acordo com eles?

SER HUMANO

>

TER HUMANO.

12. Valores econômicos

Desde seu surgimento, a internet tem nos encorajado a criar conteúdo, trocar e compartilhar informações, eliminando agentes intermediários. Isso tudo nos empoderou muito. E parece que nós curtimos. O que vemos hoje são essas práticas saindo do mundo digital para mudar a forma como vivemos a rede do mundo real e, consequentemente, como fazemos e consumimos.

Mais do que isso. Essas práticas têm transformado nossa relação com a felicidade e com o outro. A economia do patrimônio individual e do status parece estar falindo. Alguns estão começando a mudar velhos hábitos. Muitos estão percebendo que quanto menos quiserem ter, menos dinheiro precisarão, e estão se movendo em outra direção, na qual trocar, pegar emprestado, comprar em grupo passa a ser uma alternativa para uma vida mais leve, menos dependente de dinheiro.

A economia da economia, da consciência, do suficiente, do frugal começa a ganhar vida. Esse é o inverso do paradigma da felicidade a que estamos acostumados. Mas alguns já estão compreendendo que quanto menos temos mais felizes somos, pois podemos fazer escolhas de carreiras, lazer ou relacionamentos pautados no que realmente acreditamos (melhores). No que é essencial. Na era do compartilhamento (que vem surgindo), o acesso vale mais que o ter — não precisamos mais comprar alguma coisa para ter acesso a ela. Isso muda tudo.

Essa noção abala totalmente a lógica do consumo, dos negócios, da comunicação e da própria vida. Ela demanda uma nova economia, mais conectada com premissas e valores pessoais. Para Jeremy Rifkin, estamos presenciando o primeiro eclipse do capitalismo. Acho que ele está certo. Hoje, por exemplo, não faz mais sentido uma campanha "Compre Caloi", se você pode alugar uma bicicleta somente quando precisar usá-la. Quem não se ~~adaptar~~ transformar vai perder relevância.

Essa nova era de poder faz com que a relação de marcas e produtos com as pessoas se transforme. A "nova economia" vai abalar a indústria de todos os setores (como já tem feito com a música, os transportes e a hotelaria, por exemplo), os negócios e até mesmo nosso trabalho (há quem diga que teremos vários microtrabalhos, não seremos mais empregados de ninguém). Herman Bessler, cofundador do Templo, primeiro e maior *coworking* do Rio de Janeiro, me disse:

> Muitas vezes caímos no erro maniqueísta de acreditar que a transição que o capitalismo está vivendo é simplesmente do paradigma competitivo para o colaborativo, das grandes instituições para a população, da hierarquia e da propriedade para a reputação e o acesso. Mas é também uma transição do sólido para o fluido, do industrial para o intangível, do estoque para o fluxo — seja nas relações sociais/profissionais/amorosas ou na maneira de trabalhar, educar, produzir e consumir.

Isso já está acontecendo. No Pley, é possível alugar brinquedos que tendem a ter curta duração, reduzindo o desperdício (algumas famílias estão economizando até 70% em brinquedos). No Bliive, existe uma rede colaborativa de troca de tempo (saberes e fazeres). O Hoffice é um aplicativo para quem quer trabalhar na casa de outra pessoa. O Surf Office, para quem quer trabalhar na praia. Na Netflix, você paga por mês uma taxa menor que a entrada de um cinema para assistir em casa a quantos filmes quiser. No Rdio, você pode escutar suas músicas preferidas sem comprar... E estes são apenas alguns exemplos.

Na moda temos o privilégio de inventar mudanças. Mas a conta raramente fecha — não é à toa que existem tantas marcas informais sonegando impostos, não pagando profissionais e fornecedores de forma justa e ética. O mesmo acontece com os veículos de moda, as fábricas e vários outros pontos da cadeia. Mesmo assim vivemos da satisfação dos sonhos das pessoas. Da construção de identidades. De amplificar experiências. Dentro de toda a indústria criativa, somos quem está mais perto das pessoas. Na pele delas. Por isso precisamos a todo momento acompanhar suas transformações.

Conheci o espaço Betabrand numa de minhas viagens a San Francisco. Fui (incrivelmente) recebido por Caroline (uma mistura de vendedora, *hostess* e facilitadora), que me explicou como funciona a comunidade onde clientes são modelos, designers, financiadores, comunicadores e vendedores. É assim: uma pessoa ou marca submete ao site da Betabrand o desenho de uma peça. Então a comunidade vota na que deve ser produzida (e nessa hora todo mundo pode dar pitaco se acha que algo pode melhorar ou se transformar). Uma vez escolhida, a peça é prototipada — dependendo de qual for, ali mesmo, no espaço que visitei. Em seguida é fotografada (num estúdio dentro da loja, em quem estiver por ali e quiser modelar) para a campanha de *crowdfunding*. Alguns dias depois, a peça está na loja ou na casa de quem financiou. O modelo é superinteligente (apesar de nem tão simples de administrar, imagino), pois não gera sobra e atende o desejo real de um grupo de pessoas. A "loja" ainda conta com um espaço coletivo de criação e costura.

É inútil discutir a construção de um novo paradigma. Ele está quase pronto (enquanto infelizmente ainda há quem não tenha se habituado com o antigo). O fato é que hoje precisamos ajustar nossa percepção e mentalidade. Mudar ou expandir nosso repertório e nossos negócios de acordo com o movimento do mundo. Vamos ter que mudar nossa maneira de criar, produzir, cobrar e fazer parte da vida das pessoas.

O sistema econômico está mudando, independentemente da nossa vontade. Será uma transição épica, que pode conectar a humanidade inteira. Essas mudanças impactam — de forma positiva e negativa — a organização dos negócios. Será preciso ressignificar estruturas, modelos e processos. Será preciso buscar novas práticas de relacionamento, novas formas de gerar vínculo, a partir de novos verbos (transitivos diretos e indiretos) como colaborar, cooperar, compartilhar e completar, com o consumidor se tornando parte fundamental do processo, e não um agente passivo de compra.

Na moda isso já está acontecendo. São incontáveis os novos modelos de negócio que estão surgindo. No site Rent The Runaway, as pessoas podem alugar roupas e acessórios de designers famosos, por mais ou menos 10% do preço de venda. No Brasil, temos o Dress to Go e o Dress and Go, com proposta parecida. O Try é um site que permite a prova de roupas dos maiores sites do mundo e a devolução, caso não se queria comprar (para participar é preciso ser convidado por algum membro). O Le Tote é um serviço de consignação de roupas que funciona com um sistema de assinatura. Os membros recebem em casa todo mês uma caixa com três peças de roupa e dois acessórios. O inovador dessa proposta é que depois de usar você pode devolvê-las (se escolher ficar com alguma peça é só pagar). Aqui no Brasil o site Enjoei tem ajudado milhares de pessoas a esvaziar o guarda-roupa, evitando o desperdício. Esses exemplos alteram muito a relação de posse com a qual estávamos acostumados.

Há também os novos negócios que empoderam pessoas. O Teespring ajuda a montar sua loja de camisetas. É só criar uma estampa, definir o valor e esperar pelo lucro. A venda é realizada em campanha de financiamento coletivo. A Chloe and Isabel é uma nova versão das *tupperwear parties* ou das revendedoras Natura. Em vez de reunir @s amig@s para comercializar produtos, a marca de joias recruta vendedoras entre @s seguidor@s nas redes sociais. Com uma comissão de 30%, elas fazem parte da marca e ajudam o negócio a crescer.

Mas esses novos paradigmas impactam não só clientes como também podem transformar a indústria da moda como um todo — sob a mesma lógica de cortar intermediários e facilitar o acesso. O Swipecast, criado por Peter Fitzpatrick, surgiu para ser uma espécie de Uber das modelos. No aplicativo é possível consultar e contratar modelos disponíveis no mundo todo sem o intermédio de agências, com uma taxa de apenas 10% do valor do cachê (enquanto agências praticam em média de 30% a 50%). O app pode ser útil tanto para pequenas marcas, que não conseguem bancar grandes agências, quanto para grandes marcas e publicações, que precisam de grandes *castings* para *e-commerces* e editoriais. E @s modelos podem otimizar seu tempo, fazendo mais trabalhos numa mesma viagem.

Tudo isso ainda é razoavelmente novo (com necessidades de ajustes de modelos legais e fiscais, por exemplo), mas já faz parte da vida das pessoas. Basta olhar ao redor. O que me leva a crer que é urgente a necessidade de um entendimento desses impactos para a moda. Nossa sobrevivência vai depender da capacidade de ~~antecipar~~ inventar o futuro ou de nos reinventar dentro dele.

Colaborar

O coletivo (das rodas de conversa e das danças circulares de nossos antepassados) volta a fazer parte da nossa vida. Depois de ~~experimentarmos~~ tentarmos tanto ser felizes sozinhos, agora entendemos que a felicidade é coletiva. “A união faz a força” e mais um tanto de coisas que dizem por aí. Assim o consumo colaborativo começa a fazer sentido, com a consciência de que às vezes é preciso dividir para multiplicar. A produção colaborativa segue a mesma onda, e até o financiamento e a educação colaborativa. Mas colaborar é mais que isso. É uma resposta das pessoas às transformações que estamos vivendo.

É só ver o tanto de pessoas que colaboram de forma espontânea, seja no aplicativo de trânsito Waze, no Yelp (com dicas de restaurante e lazer) ou mesmo na rede social de várias marcas, falando sobre produtos e serviços não só dando feedback como sugerindo produtos e inovações. Começa a fazer sentido a colaboração entre pessoas, entre pessoas e marcas e entre marcas e marcas como forma de realizar projetos, economizar, promover relacionamento e interação.

As ações de *crowdfunding* são o primeiro exemplo de colaboração entre pessoas, para dividir custos e materializar projetos (dos mais variados possíveis) de maneira independente. Temos visto shows, benfeitorias, desfiles, softwares, reflorestamento, viagens, livros, presentes de casamento... tudo, através da famosa "vaquinha", só que agora de forma mais organizada e com alcance bem maior.

Desde 2010, o projeto Queremos tem realizado sonhos de fãs da música dispostos a colaborar para assistir a shows que talvez não acontecessem se não através da mobilização coletiva. Começou com um grupo de cinco amig@s, que percebeu que muitos shows internacionais não iam ao Rio de Janeiro porque os produtores cariocas tinham medo de não ter o retorno financeiro ou por falta de interesse das casas de shows.

Uma conversa e uma boa dose de ousadia depois, as amig@s imaginaram que o financiamento coletivo poderia ser uma saída. Dispararam e-mails para suas redes pedindo apoio para ratear os custos de um show e em setembro de 2010 levaram o sueco Miike Snow para o Rio. A estratégia, que se mostrou viável, cresceu e se profissionalizou. Em cinco anos foram mais de cem shows realizados no Brasil e no mundo através da colaboração de mais de 100 mil pessoas (ou "empolgad@s", como costumam chamar).

Criado em janeiro de 2011, o Catarse se transformou na maior plataforma de financiamento coletivo para projetos criativos no Brasil. Realizou 1,6 mil propostas, apoiadas por 200 mil pessoas, que levantaram 27 milhões de dólares só nos primeiros quatro anos de existência. Muitos acabam se tornando oportunidade de marketing para as marcas, seja como ação de relacionamento ou de transformação social. As que ajudam na vaquinha acabam criando vínculos com a comunidade.

Um exemplo foi o Eu Quero Festival, realizado pela FARM junto com o Queremos, no Circo Voador, em novembro de 2011. O festival apresentou quatro bandas internacionais e mais quatro nacionais na comemoração da coleção de verão de mesmo nome, que ainda levou para as lojas pôsteres e camisas das bandas preferidas do primeiro ano de vida do Queremos. A ação foi o início da aproximação da marca com o universo dos shows, e depois vários festivais proprietários foram realizados.

Mas nem só o marketing tem a chance de se favorecer das ações coletivas. Essa pode ser uma alternativa tanto para as novas marcas como para as antigas que queiram se reinventar. Temos visto vários ciclos da moda, como a d@ costureir@ que ditava a moda, d@ estilista que olhava para as ruas para criar coleções prêt-à-porter, do designer de moda que entendia o comportamento do consumidor para atender à necessidade de venda da indústria. No entanto, ainda estamos replicando o mesmo modelo de negócios, sem considerar as mudanças na relação entre consumidor e criador que vemos hoje.

Lançada no fim de 2015, a UDesign (udesign.life) é uma plataforma de *crowdfunding* focada em moda. Surgiu do entendimento dos fundadores Ivan Pereira e Johnny Barros de que um dos entraves para os novos estilistas (ou mesmo para marcas já estabelecidas) era o risco que se assume ao criar uma coleção. Investimento alto sem garantia de retorno, preocupação com a venda × criatividade, quantidade × qualidade e outros fatores inibem que jovens talentos mostrem seu trabalho e que novas ideias de design entrem no mercado de moda. Com o propósito de aproximar o criador do consumidor, deu voz ao último e liberdade de criação ao estilista. O projeto pretende ser inclusivo e de baixo custo para o criador, que só precisa entrar com a peça-piloto: o resto será administrado pela plataforma e a peça/coleção só vai ser produzida se houver uma demanda suficiente para isso. A respeito, Johnny Barros me disse:

> Queremos tornar possível que qualquer estilista ao menos tenha a oportunidade de mostrar seu trabalho. Nosso objetivo é que todos tenham um lugar para expor suas ideias, sem amarras e sem limites de criação, com foco na qualidade, exclusividade e identidade de cada um. Como as peças finais só serão produzidas após a venda, o estilista tem um risco

menor e maior liberdade para desenvolver suas peças, se comunicar com o consumidor e entender melhor suas necessidades.

Além disso, o projeto ainda evita o desperdício. Hoje um grande problema da indústria é a cultura do excesso. O tanto que precisa ser produzido para chegar a uma venda desejada (lógica industrial). Produções feitas com quantidades baseadas em comportamentos de tendência e histórico de vendas não são mais garantia de acerto na indústria. O consumo desenfreado e a aceleração das tendências levaram a uma produção subutilizada, tanto pelas marcas (sobra de peças, estoque) quanto pelos consumidores (descarte após poucos usos). A produção vendida previamente evita esse tipo de desperdício.

Outro ganho para a comunidade é a disseminação desse formato de negócio, o que encoraja mais iniciativas independentes, como o projeto de financiamento da revista *AzMina*, que pretende ser uma revista para mulheres de A a Z. Um espaço para todos os tipos de beleza, rostos e formas, com ensaios de moda que contemplem corpos reais, evitem o consumismo e ofereçam sugestões de looks que cabem no bolso. Para isso, pediram ajuda coletiva, em vez de buscar patrocínio, o que fatalmente tiraria um pouco da imparcialidade pretendida (favorecendo o famoso rabo preso com o anunciante). A *FORT Magazine*, revista brasileira que promove uma abordagem de moda experimental masculina, viabilizou em dezembro de 2015 sua segunda edição através de *crowdfunding* no Catarse.

Pelo Catarse também, o estilista curitibano Alexandre Linhares conseguiu que 110 pessoas o ajudassem a arrecadar dinheiro para realizar o projeto (orçado em 25 mil reais) do desfile de sua marca Heroína, que desde 2007, como diz o site do Catarse, produz "peças de arte vestíveis e se propõe a levantar questionamentos sociais na peça de roupa".

> O objetivo deste desfile é "virar o olhar" dos curitibanos para a sua cidade. É colocar luz nas personagens da cidade. É criticar a nossa sociedade como um todo, sobre preconceitos e imposições que vivemos, sem

nenhuma lucidez. Além de tudo, queremos, de uma maneira lúdica, mostrar a beleza de sermos curitibanos.

[...]

A cada coleção elegemos uma forma de apresentação. Já a fizemos através de exposição, de desfile, de projeção de vídeo e de não lançamento. Para esta coleção, a comunicação será através de desfile/performance.

[...]

Contribuindo para que este desfile aconteça, em primeiro lugar, você confirma que os sonhos são possíveis. Dentre as recompensas, você recebe convites para assistir e participar ao vivo da realização deste projeto. Você pode desfilar, receber um jantar feito por nós na sua casa, participar da criação e confecção de uma peça, ou simplesmente fazer compras antecipadas. Seu nome estará registrado em tudo!

Perceba que tanto as revistas quanto o desfile tinham um propósito coletivo. Pediram apoio da rede, pois esta, de alguma forma, se beneficiava com a realização do projeto. Como vimos anteriormente, essa é a vantagem de trabalhar com causas que gerem valor para o todo. Somente isso pode garantir um alto nível de engajamento e envolvimento. É importante sempre pensar quais contrapartidas (reais) a comunidade poderá ter ao colaborar com a ação.

Mas nem só o dinheiro pode ser compartilhado. A abundância imaterial das ações coletivas é chamada de *crowdsourcing*, termo disseminado em 2005 que caracteriza o processo de obtenção de serviços, ideias ou conteúdo mediante a solicitação de contribuições de um grande grupo de pessoas e, especialmente, de uma comunidade on-line, em vez de usar fornecedores tradicionais ou uma equipe de funcionários.

A parceria da Havaianas com a revista/Site Ideiafixa.com, em 2010, é um bom exemplo. As pessoas foram convidadas a desenhar estampas para as sandálias, e o ganhador, além de ter uma havaiana com seu desenho (pela qual seria remunerado) faturava o posto de designer júnior na empresa. Entre outras ações da Ideiafixa, podemos citar a campanha para criar uma campanha para o Fiat 500 e um painel para o Lollapalooza.

O site gringo Talent House se especializou nesse tipo de busca. Criou uma comunidade com quase 2 milhões de membros interessados em submeter projetos para marcas e a compartilhar com suas redes, chegando a um alcance estimado de 600 milhões de pessoas. Assim, atraiu marcas como adidas, Dolce & Gabbana e BCBGMAXAZRIA, que pagaram para realizar campanhas de criação de design de óculos esportivos, figurinos e peças para desfiles.

A cada campanha, um novo desafio. Participa quem quer, sem ter que pagar nada. Depois basta pedir ajuda da sua rede para votação do melhor projeto. Assim, além de muitas ideias, as marcas ganham visibilidade. Agora, imagine fazer isso dentro do site da própria marca. Realizar campanhas para criação de projetos que demandem conhecimentos específicos, além dos da equipe interna (sem precisar contratar mais pessoas).

Exemplos como esses podem indicar um novo caminho, o do desapego da organização com a própria marca. Permitem que as pessoas criem e comuniquem pela marca. Pode indicar também outro caminho, o de ter funcionários colaborativos no mundo todo, a qualquer hora, para qualquer demanda. E não somente (ou em vez) de empregados oito horas por dia, cinco dias na semana.

Entre tantas marcas temos visto muitas parcerias, que vão desde a troca de dinheiro para realizar projetos e ações até a colaboração de produtos para criar linhas especiais, produtos icônicos que se tornem desejo instantâneo. As lojas de departamento começaram essa onda, com o propósito de democratizar o sonho das grandes marcas, que só atendiam um pequeno público. A intenção é boa, desde que não perca seu propósito e vá em busca apenas de retorno financeiro. Estamos de olho.

Cocriar

Cocriar é outro meme dessa nova economia. É uma evolução (ou uma ferramenta básica, de acordo com a forma como você vê) da colaboração. Num mundo que passa a estimular o empreendedorismo criativo, a cultura *maker* (faça você mesmo) e as redes de colaboração, cocriar passa a ser uma das principais alternativas para oxigenar e melhorar o resultado das organizações.

Na prática envolve vários públicos que se relacionam com a marca (clientes, parceiros, fornecedores e até outras marcas), para desenvolver alguma coisa a partir de inputs de todo o grupo. Sem apego, ego ou defesas e com muita generosidade e confiança, o valor está na variedade dos participantes e na soma que o grupo permite. Tem como consequência envolvimento e engajamento entre as partes, além da troca de expertises, desejos e tudo mais que tiver a ver.

A cocriação entre marcas talvez seja a grande onda desde o início dos anos 2000. Vimos parcerias de todos os tipos acontecendo. O case FARM e adidas Originals é um dos que sempre será lembrado. Essas marcas se uniram para criar uma coleção para a Copa do Mundo de 2014 que unisse os clássicos da adidas com as estampas clássicas da FARM. De um lado havia o desejo de se aproximar do Rio de Janeiro, através da associação com uma marca carioca; do outro, o de ganhar o mundo. O resultado, tanto financeiro quanto de imagem, foi surpreendente.

Pela primeira vez na história da adidas, uma coleção foi comprada (para ser revendida) por todos os países onde a marca está presente (120 no total). Dessa forma, mesmo antes de se internacionalizar, a FARM ganhou capilaridade em todo o mundo, através dos canais de distribuição da adidas. Outra coleção, feita em homenagem à Amazônia e com a colaboração de índios caiapós (que assinaram uma das estampas em troca de royalties) foi a de maior sucesso: vendeu em todo o mundo mais de 1 milhão de peças, rendendo quase 5 milhões de reais de royalties à FARM.

Outro formato de cocriação como ferramenta de engajamento e de negócio combina pessoas e marcas. A Melissa tem uma ótima história. Como marca global (com lojas próprias em São Paulo, Londres e Nova York, além de presença em vários pontos de venda pelo mundo), há mais de trinta anos vem calçando os pés de milhares de mulheres. Para continuar sendo desejada e estar presente na vida das garotas mais bacanas de cada lugar, a marca pensa globalmente e age localmente sempre. Isso significa pesquisas personalizadas em cada praça, colaborações com personalidades influentes — de Erika Palomino a Karl Lagerfeld — e a cocriação de produtos com clientes.

Em 2014, com o objetivo de aproximar a marca do Rio de Janeiro, a Melissa convidou vinte meninas para criar uma coleção verdadeiramente carioca que traduzisse a versatilidade necessária para circular entre a praia, a cidade, o dia e a noite, sem ser um clichê ou estereótipo formado por uma visão "de fora" do Rio. À frente do projeto Melissa Creatives, o trio Bárbara Rosalinski, Marcela Ceribelli e Pedro Pirim recrutou meninas autênticas, criativas e apaixonadas pela cidade. Nem todas eram famosas ou blogueiras, mas cada uma representava um pouco do que a marca gostaria de significar.

Ao longo de oito meses de projeto, foram realizadas 27 ativações — entre encontros, festas, workshops — com o objetivo de fazer as meninas viverem a marca. Nesse tempo elas se aprofundaram nos valores e conceitos criativos da marca, o que fez com que muitas se aproximassem ou mudassem (para melhor) a imagem que tinham dela e do produto. Também durante esse tempo, elas criaram diversos conteúdos que geraram um enorme *buzz* nas redes sociais e na mídia. Os produtos Melissa Creatives Flat e Melissa Creatives Wedge foram desfilados no São Paulo Fashion Week e depois vendidos em todas as lojas. Nuta, uma das meninas, disse em seu blog:

> Foi graças a esse projeto [...] que pude fazer um tour completo pela fábrica da Grendene no Sul, onde a Melissa é fabricada, e conhecer cada detalhe da fabricação e de todo o processo. Pude sentar à mesa de reuniões de lá e decidir pessoalmente com o Edson Matsuo, diretor criativo da Melissa, como seria o próximo modelo da marca.

O nível de envolvimento (e engajamento) gerado com essas meninas é incalculável... Nenhum desfile ou campanha chegaria a tanto. Nuta ainda conta no blog:

> O que eu pude viver não tem preço, nenhuma faculdade de moda poderia me dar uma experiência dessa profundidade. E eu tirei muito mais

que experiências profissionais dessa história. Até porque não tinha só trabalho, não! A gente também se divertia e muito! A Melissa sempre tinha uma surpresinha pra gente, uma festinha, um evento, um show, uma viagem e, claro, muitos presentes. Além disso, tive a oportunidade de fazer novas amigas e de ficar mais amiga de meninas que já eram minhas amigas. E acima de tudo: fez eu sentir (ainda) mais orgulho de ser mulher, porque era tanto talento junto, tanta menina linda, inteligente, cheia de ideias criativas que senti a força do #GirlPower.

Elas colocaram mesmo a mão na massa. Foram envolvidas desde a troca de ideias e referências iniciais, desenvolvimento de *moodboards* e montagem de *mockups*, até desenvolvimento de comunicação, de embalagem, do marketing e da festa de lançamento. O nome da coleção, Trópico Surreal, veio delas também. Isso fez com que a marca entendesse mais a cidade e pudesse realizar na sequência desde ações mais focadas nesse público até o desenvolvimento de modelos próprios mais próximos do desejo das cariocas.

Outro caminho (e sonho) de cocriação é dar a chance de todos os clientes participarem do processo criativo ou da execução de produtos. Quando permitem que todos os clientes possam cocriar com a marca, seja através da customização ou da personalização de algum item, ocorre um estímulo à individuação, em vez da uniformização. O que tem bastante pertinência com a era do ser, em que o apoio à individualidade e à autoestima é um pilar da nova economia social.

A Havaianas faz isso há bastante tempo, com a personalização de tiras e pins nas sandálias. A Levi's, com lavagens diferentes e ternos sob medida. A Reserva possibilita que as pessoas criem os textos das camisas no *e-commerce*. E a Vandal estimula que os clientes façam camisas com suas próprias artes e fotos. Cada vez que fazem isso, não importa quão simples seja a ação, estão estimulando a educação de seres cada vez mais únicos.

Na 3x1, marca americana de jeans do designer Scott Morrison, o cliente é recebido com a seguinte pergunta: "O que você realmente ama num jeans?". A resposta, dependendo do nível de envolvimento, da necessidade de uso ou do objetivo, é convertida em três opções de compra: provar uma das peças "prontas" feitas em lotes de, no máximo, 24 calças; escolher uma calça "pré-pronta" e finalizar com botões e rebites de sua escolha; escolher um tecido entre uma centena de opções de denim, fabricados na Itália, no Japão e nos Estados Unidos, e optar por um dos seis cortes diferentes e infinitos acabamentos (entre bolsos, zíperes, botões) para (co)criar uma peça única.

Tudo isso é feito na própria loja, no SoHo, em Nova York, aos olhos — e com a participação — do cliente, o que caracteriza um serviço que vai além do "sob medida". É um "fazer com". Numa espécie de colmeia de costureiras instalada numa redoma no centro da loja, é possível acompanhar a confecção cuidadosa de cada calça, que respeita o limite máximo de trinta peças por dia.

Mais do que oferecer um serviço incrível, Scott entende que esse momento é de transição e que as pessoas vão estar dispostas a vários níveis de relacionamento/opção de compra com uma marca. No caso, a 3x1 consegue atender pelo menos três níveis. Quando perguntei por que é tão difícil comprar um jeans perfeito, ele me respondeu: "Porque cada pessoa é diferente!". Bem, isso diz muito (e precisamos sempre nos lembrar disso).

Cooperar

> Um helicóptero [...] pousa no gramado da fábrica da Mormaii, em Garopaba (SC), a maior marca de surfe do Brasil [...]. Da nave, desembarcam quatro executivos do banco BTG Pactual. Eles formam um conjunto de ternos bem cortados que avança até o escritório de Marco Aurélio Raymundo, conhecido como Morongo, o fundador da empresa. Após os cumprimentos de praxe, revelam o motivo da visita: querem propor a venda da companhia, avaliada em quase 1 bilhão de reais, para um grupo internacional. Morongo bate a mão na mesa e sobe o tom: "Vocês sabem que estão me fazendo perder um tempo que eu poderia ter dedicado aos meus netos? Acham que eu quero esse dinheiro para quê? Olha, vocês vão me dar licença".

A matéria de Pedro Carvalho, da *Época Negócios* de 26 de setembro de 2015, fala do jeito de Morongo lidar com seu trabalho. Apesar de recusar essa e outras ofertas de venda da marca, doou partes dela para funcionários e pessoas de confiança. Tal generosidade tem feito dele um homem mais rico. Mas não é só de riqueza espiritual que estamos falando, é de dinheiro mesmo.

Em 2012, ele doou a fábrica de roupas de neoprene para Carlos Casagrande, que detinha as licenças para fabricar protetores solares e aparelhos ortopédicos da Mormaii.

> A confecção vendia 10,5 milhões de reais e dava prejuízo. [...] "Quero que organize aquilo, porque não estou conseguindo. Quero que a produção dobre, triplique, só isso." Foi o que aconteceu. No fim de 2014, dois anos e meio após a mudança, o negócio vendia 24,5 milhões de reais e dava lucro.

Morongo é do tipo carismático. Todos na empresa o amam. Apesar do aparente desapego, é totalmente comprometido com o negócio e a felicidade dos funcionários. Assim como a fábrica, doou outras partes da empresa.

> O departamento de marketing [...] foi desmembrado e resultou na criação da agência MXM, dada a dois funcionários antigos. A área que administra as franquias [...] originou a A33, também entregue a um parceiro. O *e-commerce* foi cedido à funcionária que insistiu em sua criação. Até o setor de licenciamento [...] ele pensa em repartir no futuro. "Quem sabe dar uma parte para a prefeitura, ou alguma associação?", afirma. "Acho uma boa ideia deixar algo para a comunidade."

Pode parecer loucura, mas cada vez que cedeu um pedaço da empresa, sempre para pessoas em cuja capacidade de gestão confiava, a área melhorou. A estratégia fez com que mais produtos Mormaii fossem vendidos, gerando mais royalties para ele. "Morongo hoje é proprietário de três helicópteros, casas em praias paradisíacas [...], um barco de setenta pés. [...] Gerentes da Mormaii andavam em carros bacanas, enquanto ele dirigia um Fiat Elba". Isso significa que nem de longe foi a grana que o motivou a chegar ali.

Como já falamos, aquela velha senhora, a economia industrial, nos impôs uma lógica de escassez. Isso fez com que vários negócios se construíssem de forma centralizada, com o objetivo de enriquecer os donos. Hoje, algumas empresas veem na negociação com grandes grupos de investimento ou abertura de capital uma alternativa para ganhar ainda mais — o que já deu problema em muitas marcas. A estratégia da Mormaii é oposta: Morongo descentralizou a administração para ganhar mais com a rede que criou.

As marcas FARM e Animale também buscaram uma alternativa para o crescimento. Em vez de se venderem para grupos ou investidores dos quais receberam inúmeras propostas mas que não entendiam do negócio, elas optaram por se juntar, formando um grupo próprio, o SOMA, que hoje conta com cinco marcas femininas — incluindo Abrand, FYI e Fábula — que poderiam ser vistas (algumas) como concorrentes em algum nível. No fim de 2015, o grupo anunciou a compra da primeira marca masculina, a Foxton.

Além de promover fôlego financeiro, a união entre marcas do mesmo segmento promove a troca de experiência, boas práticas e saberes. Assim todos ganham com o sucesso das marcas. As áreas criativas (de estilo, marketing e *branding*), o RH e o comercial são segmentadas. Apesar da troca entre os profissionais, existe uma intenção clara de manter a segmentação e a identidade particular de cada marca. Mas todas as áreas operacionais (como TI, DP, estoque, distribuição) funcionam de forma cooperada, com o objetivo de otimizar pessoas e custos.

A iniciativa também pareceu estranha aos olhos de alguns, por causa da lógica industrial (na qual todos são concorrentes, todas as informações devem ser protegidas e a reprodução e a cópia fazem parte de qualquer negócio). O grupo SOMA mostra o quanto a quebra desse paradigma, através da cooperação, pode gerar abundância em vez de escassez. Desde a fusão, o grupo teve um crescimento médio anual de 29%. Em 2015, o faturamento foi três vezes maior que o da soma de todas as marcas no ano da fusão.

Há um provérbio africano que diz: "Se quiser ir rápido vá sozinho, se quiser ir longe vá em grupo". Esse pensamento pode fazer a diferença na construção de muitas marcas. Para a Grendene, um dos grandes limitadores do crescimento da Ipanema, marca de sandálias da Grendene, é a falta de pontos de venda próprios. Pensando nisso, faz parte da sua estratégia de colaboração criativa para o desenvolvimento de produto marcas que possam atuar como canais de distribuição. Por isso veio a parceria com a ZeeDog, que vende produtos pet em quiosques nos melhores shoppings, e a Via Mia, com várias lojas de calçados em excelentes pontos. As marcas parceiras se beneficiaram com a realização de produtos que não conseguiriam fazer sozinhas, enquanto a Ipanema ganhou penetração.

Em Santa Catarina, a Associação das Micro e Pequenas Empresas de Brusque (AmpeBr) realiza um dos projetos coletivos mais interessantes que conheci. Fundada em 1990, ela tem como propósito fomentar o crescimento da indústria têxtil do vale do Itajaí e desenvolve ações concretas e objetivas ligadas ao associativismo para as quase 280 empresas que pagam uma taxa mensal para participar delas.

Cada associado pode usufruir da estrutura administrativa com assessoria de vendas para todo o Brasil, além de assessoria para exportação e de imprensa. Também tem livre acesso ao Centro de Tecnologia e Inovação, com infraestrutura completa para prototipagem, viabilizando pequenos negócios que não conseguem manter esse tipo de estrutura. Além disso, são oferecidos cursos, treinamentos, viagens de pesquisa e um showroom coletivo.

Desde 1996, a AmpeBr realiza o Pronegócio, um evento que reúne num grande espaço marcas e fábricas para apresentar os lançamentos da coleção para compradores — e para fazer negócio, é claro. Luiz Carlos Rosin, presidente da AmpeBr e criador do projeto, pensou que essa seria a melhor maneira de unir forças, com cada um podendo ativar seus compradores para uma grande compra coletiva, na qual todos sairiam ganhando. O evento foi responsável por salvar várias marcas em momentos de crise. Hoje são quatro edições por ano, que empregam mais de 20 mil colaboradores. Em 2015, a 36ª edição, organizada em conjunto com o Sebrae-SC, recebeu mais de mil lojistas de todo o Brasil e alguns internacionais.

Além do desfile, eles tiveram à disposição cerca de 16 mil produtos (entre vestuário adulto, infantil, *jeanswear* e cama e banho), provenientes de aproximadamente duzentas empresas catarinenses. E todo o município é atingido com a movimentação do evento — a rede hoteleira, de restaurantes, de lazer... Rosin certa vez me disse: "O objetivo é fazer com que as pequenas e médias empresas continuem produzindo, gerando emprego, sempre proporcionando uma melhor economia para nossa cidade. Para isso, a cooperação é fundamental".

A mesma lógica pode funcionar com pessoas e profissionais que aparentemente poderiam ser concorrentes, mas que crescem juntos, usando a força de cada rede e a boa intenção. Como me contou a Cris Zanetti do Oficina de Estilo:

> Como mulheres, no mundo de hoje, a gente vê como a competição é uma coisa que acaba atrapalhando os relacionamentos e as próprias pessoas. A gente que trabalha com mulher precisa repensar esses conceitos. Eu e a Fê [Resende] pensamos muito sobre isso, pois sentimos na pele. E na nossa vida tudo surge organicamente, a partir de movimentos e sentimentos. Uma faz terapia, outra faz ioga, e a gente troca ideia sobre tudo. Uma hora a gente se olhou e falou: "Vamos juntar todas as turmas numa só e ver o que rola". E foi o que fizemos.

Assim, elas criaram uma cooperativa de consultoras de imagem, um grupo que vai além do WhatsApp. Elas dividem custos para viabilizar cursos sobre o que precisam aprender. Compartilham livros, histórias, amigas e clientes. Assim fortalecem a comunidade e a profissão. Fê me disse:

> Inventar isso dentro de um mercado que ensinava a gente a competir é maravilhoso. Até começar a dar aula, a gente não tinha colegas de profissão, porque todo mundo aprende que tem que ficar de olho no concorrente, não falar quanto cobra, umas doideiras assim. Essa é uma carreira supersolitária. Hoje eu amo ter colegas de profissão, amo ter

com quem conversar. Criar um ambiente em que a gente é colega, troca, aprende junto e cresce é demais!

Para muitos, não é fácil. Eu sei. Trata-se de uma questão arraigada há muito tempo. Quem vive isso na outra lógica tem muita dificuldade de entender esse modelo. Mas é bom ver que bastante gente já está mudando e, assim, garantindo o sucesso do seu negócio ou carreira, enquanto mantém a comunidade saudável.

Compartilhar

A economia colaborativa está mudando a forma como as pessoas usam serviços e como as empresas vendem seus produtos. É o primeiro sistema econômico a se opor ao capitalismo desde o socialismo no século XX. A cultura do ter (e da ostentação), tão exacerbada na segunda metade daquele século, dá sinais de esgotamento e parece estar se transformando.

A escassez de recursos e a sociedade em rede nos faz pensar que a melhor estratégia para sobreviver passa pelo hábito de compartilhar (ou reaproveitar) o que já temos (mais uma vez, como nossos antepassados). Surge assim uma nova economia baseada no compartilhamento de recursos.

Um dos maiores exemplos de compartilhamento é o Airbnb, site de aluguel de casas e quartos ao redor do mundo. Em uma visita que fiz à sede em San Francisco, soube que eles tinham certo medo do Brasil, achavam que o brasileiro não abriria a casa para pessoas estranhas (imagina!). Hoje é a rede de hospedagem com o maior número de leitos do país.

Esse desapego, que começamos a ver em outras áreas, pode ser resultado da noção de que comprar ou acumular bens não traz a tão prometida felicidade. E a angústia que um dia sentimos dá origem a um novo paradigma de satisfação da vida. Além disso, o desejo de comunhão se torna uma opção atrativa para deixar a vida mais prática.

Um amigo recentemente se separou e alugou um apartamento pelo Airbnb. Sem contrato, sem fiador, sem seguro, sem precisar comprar móveis. E ainda com a facilidade de trocar de casa e de bairro (experimentar) a qualquer momento. Logo no primeiro prédio, que maravilha!, uma lavanderia compartilhada, onde os moradores socializavam e ainda economizavam água. (Detalhe: foi lá que ele conheceu um "novo alguém"!)

Como estamos em fase de transição, ainda há aqueles que desejam possuir, ter, comprar (ser os "novos-ricos"), ou que não dão ou trocam nada sem interesse. Mas, como vimos no exemplo do apartamento do meu amigo, com o tempo as pessoas vão começar a ver vantagens... "Imagine que máximo ter um carrão a cada semana!?" "E um vestido caro ou uma bolsa sem precisar comprar! Não vou mais ter medo de enjoar!" (Respostas como essas apareceram em pesquisas sobre o tema das quais participei.)

Hoje já existem pessoas compartilhando não só apartamento, como música, livros, carros, roupas... literalmente tudo! Um exemplo disso é o site de empréstimo entre vizinhos Tem Açúcar?, que conheci na matéria "A história da modelo que quer mudar o mercado de consumo", de 3 de agosto de 2015, no site MdeMulher. O negócio parte do princípio de que não utilizamos com frequência uma série de coisas que compramos (ou ganhamos no chá de panela), logo é mais inteligente (econômico e sustentável) compartilhar com quem precisa.

> A ideia é simples: o usuário faz o cadastro e usa a ferramenta de busca para procurar o que precisa, seja um vestido de festa, seja uma barraca para acampar. O sistema pergunta a pessoas que moram na vizinhança quem pode ajudar, e quando alguém se manifesta o site coloca os dois em contato. [...] Camila [Carvalho, fundadora do site] começou a pensar no assunto em 2009, ano em que morou em países como Índia e China, onde trabalhou como modelo. Lá, viu de perto a desigualdade social e como os muitos produtos vendidos por aqui são produzidos.

Serviços como o Airbnb e o Tem Açúcar? estão ensinando a população a compartilhar — a se sentir confortável, a confiar e a ver vantagens nisso. Na verdade, a possibilidade de trocar, pegar algo emprestado ou alugar sempre existiu. Mas a tecnologia legitimou (e tirou aquela nossa vergonha de pedir). Essas iniciativas ainda contribuem para viabilizar um modelo de vida mais simples, com menos coisas, menos dinheiro e mais experiência (trocas em todos os sentidos).

Na moda, esse movimento já é visto em grupos de amigas que se reúnem para realizar feiras de troca de roupa. Uma prática que vem lá dos nossos antepassados e que hoje viabiliza uma forma mais consciente de ter. O Projeto Gaveta e o Trocaderia são feiras de trocas de roupa em São Paulo que vieram para organizar a ideia. O Roupa Livre, que levou a prática para a internet, é um aplicativo de troca de roupas (tipo um Tinder, que facilita o *match* de peças disponíveis) financiado coletivamente no fim de 2015.

A "biblioteca fashion" LENA, em Amsterdam, surgiu para ajudar a organizar a brincadeira e promover o consumo consciente, claro, com seus lemas "Collect moments, not things" [Colecione momentos, não coisas] e "Fast-fashion is like fast-food" [Moda descartável é como fast-food]. Diz o hypeness.com.br:

> [Lá] você pode alugar roupas e depois devolvê-las, assim como você faz com livros nas bibliotecas [...]. No local, você pode encontrar coleções de alta qualidade, vintage e com designer e marcas ecológicas. A biblioteca funciona assim: as clientes fazem uma assinatura, a partir de 19,95 euros [...] por mês e têm direito a uma quantidade de pontos, e cada item da coleção está associado a uma quantidade específica de pontos. Se você aumentar o valor de taxa mensal, terá mais pontos acumulados. Assim, você escolhe as roupas que quiser pegar emprestado por determinado período utilizando seus pontos. Ao se inscreverem, as clientes ganham uma sacola da loja, para levar suas roupas sem ter que usar sacolinhas de plástico. Não importa a estação, você vai encontrar todos os tipos de roupas, para inverno, verão, sem se preocupar com a forma como elas foram feitas. Como uma biblioteca, a loja aceita doações de roupas em bom estado.

Depois da LENA, começaram a surgir "roupatecas" em vários lugares do mundo (que bom!). Em Paris, a L'habibliothèque, no Marais, oferece roupas de luxo (pense em Prada, Armani e Valentino). Em Oxfordshire, no Reino Unido, a La Leche League é voltada para as grávidas, que vão usar as roupas por tempo limitado. Em São Paulo, na roupateca da House of Bubbles, uma lavanderia em Pinheiros, você paga para lavar sua roupa e ganha uma cerveja (para tomar num ofurô, enquanto a roupa bate). De acordo com a mensalidade paga, cada um tem direito a retirar emprestado um número de peças por mês. E quem quiser colaborar com roupas ganha créditos a partir da doação.

O conceito está se disseminando e não param de surgir novas "bibliotecas". A Seed Libraries, já presente em vários lugares do mundo, proporciona acesso fácil a sementes para que o maior número possível de pessoas possa cultivar seu próprio alimento (livre de agrotóxicos). A Toronto Kitchen Library é voltada aos amantes da gastronomia e oferece vários utensílios para cozinha, além de livros. A Edimburgo Tool Library é a primeira biblioteca de ferramentas no Reino Unido, onde também funciona a Bike Library (emprestando bicicletas inclusive por um longo período de uso). Em Londres também há perucas, com diversos estilos e penteados, na Pink Place.

As "bibliotecas" e roupatecas trouxeram de volta o *hype* das lojas de aluguel. No Rio de Janeiro, Flavia Sampaio lançou um site de aluguel de vestidos de luxo. O Powerlook conta com cerca de quinhentos modelos nacionais e importados (pense em Animale, Cris Barros, Versace, Dior e Pucci). O propósito é conscientizar as pessoas de que, para se vestir bem, não é preciso gastar muito. Principalmente se a utilização é esporádica. A atriz Thaila Ayala curtiu a ideia e usou um dos modelos na festa de abertura do Festival de Cinema do Rio, em outubro de 2015.

Na Antuérpia, o Banks Hotel Boutique oferece um *mini fashion bar* da marca Pimkie. Sabe aqueles doces, refrigerantes e sucos que você consome no quarto e paga no final? Então, é isso, só que de roupa. Com a vantagem de não precisar comprar. Você pega emprestado durante a viagem, usa e acerta no final. Os itens são renovados de acordo com o clima ou alguma agenda especial na cidade, e há ainda itens "necessários", como capas, guarda-chuvas e meias, que resolvem a máxima: "Ai, esqueci...".

Além da roupa, ou melhor, antes da roupa, o tecido acabou se tornando moeda de troca e compartilhamento. Um exemplo é o Banco de Tecido, que nasceu em São Paulo em janeiro de 2015. A ideia é simples: cada correntista deposita peças de tecidos que não utiliza mais, e elas voltam ao ciclo de consumo (quando retiradas por outra pessoa ou marca) sem prejuízo para quem vende e sem impacto para o meio ambiente.

Lu Bueno, designer, cenógrafa, figurinista e fundadora do banco, constatou que possuía cerca de oitocentos quilos de tecidos de cores variadas, acumulados ao longo de vinte anos de trabalho. Sem intenção de jogar todo o material no lixo, criou o projeto que acabou dando uma solução para outras pessoas que também trabalham com moda. Funciona assim: cada pessoa pode comprar tecidos por quilo ou ser correntista e depositar o tecido que tem parado em casa. O peso do material depositado se torna um crédito para retiradas de novos tecidos. Dos tecidos depositados, 20% ficam para o banco e 80% para o correntista. E viva o escambo!

Completar

Grande parte das iniciativas acima oferece algum tipo de serviço. O que vem ocorrendo é, portanto, uma evolução da obsolescência programada para as vantagens mútuas do fornecimento de serviços como uma nova e poderosa economia.

Quando vejo as grandes transformações por que estamos passando, penso que as marcas deveriam começar a pensar em como oferecer mais serviços (além de produtos), ideias e ações para atender a seus clientes e às novas gerações. Afinal, isso tem muito a ver com seu propósito.

Pense em como sua marca pode incorporar segmentos complementares a seus produtos e serviços para criar experiências transformadoras, como promover ambientes e ações nos quais as pessoas possam cocriar, compartilhar, confraternizar, colaborar, construir... Se sua marca vende a roupa, por que não ajudar a consertar, transformar e até a vender para outra pessoa quando o cliente não quiser mais? Se seus produtos estão sempre presentes em lojas de aluguel e suas clientes gostam disso, por que não implementar esse serviço, mantendo a venda? Ou criar um brechó com itens raros da própria marca? Se sua marca tem um estilo de vida praiano, se conecta com pessoas que gostam do mar e de surfar, por que não oferecer cursos, reparos de pranchas, transporte ao litoral — além de outras necessidades reais que seus clientes possam ter? Se sua marca valoriza o ponto de venda e a experiência que o cliente deve ter com ela, por que não transformar sua loja em um lugar onde as pessoas queiram passar mais tempo, como um restaurante, um salão de beleza ou de jogos, uma casa de sucos, um espaço para cursos, para fazer tatuagem...? Pense em como sua marca pode ampliar sua rede e se transformar num ecossistema.

A experiência sempre foi algo que as marcas buscaram (ou pelo menos deveriam ter buscado) como forma de se relacionar e fortalecer sua imagem. Mas ela (quase sempre) é oferecida de graça, apesar de custar dinheiro. O serviço institucionalizado pode ter o mesmo papel na construção de uma marca e ainda pode ser uma fonte de receita complementar. Não que um inviabilize o outro ou que eles devam competir.

Alguns temem que as iniciativas listadas aqui reduzirão a receita das organizações (todas, não só as de moda). Mas pense que o faturamento de determinadas marcas vão reduzir querendo ou não (por conta da expansão da consciência, de uma nova forma de ver o dinheiro e da escassez de recursos). Se forem vistas com bons olhos, essas novas formas de economia podem se tornar oportunidades de crescimento, realização e novas fontes de renda. Quais você sente que têm mais a ver com você?

NÃO HÁ BELEZA
NA ROUPA
MAIS FINA

SE ELA GERA
MORTE E TRISTEZA.

13. Valores sociais

Na velha (e estreita) visão capitalista, a organização contribuía com a sociedade através do lucro e da geração de emprego, que dava acesso à renda e como consequência ao consumo. Assim o ciclo se fechava. Toda e qualquer questão planetária e social ficava fora disso. Só que, da mesma forma que precisamos cuidar da natureza (porque estamos conectados a ela) para que continuemos tendo recursos para produzir e sobreviver, precisamos cuidar da comunidade à nossa volta, que é a rede que produz e consome o que fazemos.

Hoje as marcas tentam sobreviver em comunidades que enfrentam uma série de dificuldades, que vão desde a falta de crédito, água, educação e emprego a problemas de saúde (física, emocional e espiritual), altos níveis de estresse e desequilíbrio (isso tudo independentemente de classe social). Por mais otimistas que sejamos, é complicado acreditar que essas questões se dissolverão de uma hora para outra (ou mesmo que serão resolvidas em algum momento). Como continuar vendendo da mesma maneira ou ainda mais diante desse cenário?

Na *Harvard Business Review Brasil* de janeiro de 2011, Michael Porter e Mark Kramer comentam:

> A competitividade de uma empresa e a saúde das comunidades a seu redor estão intimamente ligadas. Uma empresa precisa de uma comunidade vicejante não só para gerar demanda para seus produtos, mas também para suprir ativos públicos essenciais e um ambiente favorável.

Porter é um dos principais defensores do "valor compartilhado", que trata de conscientizar as organizações a não somente gerar valores financeiros para os acionistas e se conformar em gerar emprego. É preciso gerar benfeitorias para a sociedade e estimular seu desenvolvimento. Gerar valor econômico através (como consequência) da geração de valor social.

O propósito da moda de servir as pessoas deveria ser a maior motivação para nos unir a favor da cura do mundo. Mas se isso não basta, é só olhar ao redor e ver que a humanidade está realmente precisando de ajuda. Qualquer um pode perceber o sofrimento e os perigos do mundo. A vida nas grandes cidades tem se tornado um drama diário. Poluição, violência, excesso de pessoas, desconexão com a natureza. Tudo isso tem gerado uma tremenda perturbação em nosso corpo e na nossa mente, que se reflete na crise externa que vemos — e de alguma forma se volta contra nós.

Durante muito tempo consumimos e apoiamos marcas que faziam muito pouco ou quase nada por nós. Está na hora de as marcas começarem a apoiar as pessoas. Apoiar quem precisa e quem sempre esteve a favor delas. Pessoas que hoje estão com problemas de moradia, saúde ou estudo e veem na moda um consolo. Durante muito tempo isso foi usado como pretexto para o consumo desenfreado e sem controle, mas hoje é a relação entre pessoas e marcas que pode salvar o mundo.

Na prática isso vai além de filantropia, ajuda social ou doação. Tem a ver com o crescimento da organização pautado no crescimento saudável da comunidade. De maneira que um se apoia no outro. Se a moda entende que está a serviço das pessoas, hoje é inevitável que ela vá além do vestir, além das roupas.

Para fazer a roda voltar a girar para a frente, as organizações vão precisar assumir a responsabilidade dos impactos que vêm causando. Cuidar daqueles que têm absorvido o custo imaterial das roupas baratas (e até das caras), pagando com seu trabalho, saúde e muitas vezes a própria vida. Vamos precisar devolver ao planeta e à comunidade o que por muito tempo tiramos deles.

Vamos precisar ajudar a curar. Para isso, considerar a sustentabilidade social do processo de produção — e os impactos gerados após a venda — é fundamental. Pense nas condições e relações de trabalho, funcionários, fornecedores e parceiros, e também na vida de seus clientes. São (todos) eles que fazem a marca.

Transformação social

A já mencionada matéria de Pedro Carvalho na *Época Negócios* conta:

> Morongo era um adolescente hiponga e viajava de carona pela Patagônia argentina. Mergulhador, praticava o esporte na península Valdés, famoso santuário de baleias [...]. Anos mais tarde, ele se formou em medicina em Porto Alegre e decidiu se mudar para Garopaba, onde não havia médicos. O "dr. Morongo", como era conhecido à época, diz que se estabeleceu ali como uma forma de ajudar o povoado carente. "Não havia água encanada nem luz elétrica", afirma. "Não existiam privadas, as pessoas defecavam na rua, muita gente morria de lombriga e verminoses."
>
> Para se divertir, o médico tinha o mar. Mas havia um problemão: o frio tornava quase impossível os banhos durante o inverno. Foi aí que ele se lembrou daquela gola que conheceu na Argentina.

Depois de alguns testes e peças feitas para amigos, Morongo começou a vender roupas com o tal material. A matéria explica: "ele achou que ajudaria mais a cidade como empresário do que como médico". Assim, criou a Mormaii, que até hoje é a marca brasileira mais admirada e respeitada no segmento.

Hoje, quem conhece Garopaba acha difícil acreditar nesse cenário de miséria descrito por ele. O município tem um Índice de Desenvolvimento Humano [...] considerado alto, de 0,75, acima da média do país, de 0,74. [...] "A Mormaii colocou Garopaba no mapa", disse Fernando Ambrosio, secretário de Turismo do município. [...] O turismo ligado ao surfe moldou o crescimento da cidade, sem grandes prédios e repleta de lojas e restaurantes identificados com esse estilo de vida. É seguro dizer que a Mormaii ajudou a dar a cara do município.

Morongo também tem uma tese sobre a Mormaii. Para ele, o poder da marca — que hoje é o verdadeiro negócio da empresa — não está no logotipo ou no marketing. Sua força está na própria história da companhia, na relevância que tem para a comunidade, na forma como o dia a dia é tocado no escritório. Essa visão, baseada no impacto do negócio na vida das pessoas, tem funcionado — e feito a empresa prosperar.

A Mormaii é um exemplo de marca que se beneficiou com o desenvolvimento social à sua volta. Seu mercado (local) foi construído como resultado disso. Hoje, como vimos, Morongo continua reproduzindo esse bem ao próximo — e se beneficiando disso. A Ipanema também viveu isso em sua história. Em 2014, ao abrir sua primeira loja no Rio, a Casa Ipanema, seguiu a mesma filosofia.

Muito mais que uma loja, muito mais que uma casa, o espaço celebrava Ipanema (o bairro e a marca) e sua alma sempre nova, como diz no seu site:

> Para compartilhar boas histórias — como num clima bom de fim de tarde, na praia com os amigos, só que a qualquer hora. Um espaço vivo, colaborativo, que sempre se transforma, como o bairro, que é berço de gente com espírito sempre novo, que movimenta, cria e faz moda. Na música, na arte e no dia a dia.

O objetivo era aproximar a Ipanema do Rio de Janeiro. Em pesquisas realizadas pelo Brasil, estava comprovado o bom desempenho e a imagem da marca em todas as cidades, enquanto no Rio havia a necessidade de crescimento. A forma encontrada para isso foi uma ação de valor compartilhado, que engajou a comunidade local, contando com sua colaboração para construção e posicionamento da marca.

"Ipanema respira a novidade e incentiva a busca pelo novo. Mas sem se esquecer do passado, da história do bairro, dos seus moradores e suas vidas", está estampado na parede da casa. Com esse espírito, a Casa foi construída de forma colaborativa, onde locais ajudaram de várias formas — emprestando móveis para decoração, cocriando produtos ou conteúdos. Tudo o que acontecia ali tinha como objetivo fomentar o bairro e seus moradores. Cursos, festas, exposições, tudo era pensando com a comunidade. A venda dos produtos era o que menos importava (a área de exposição de sandálias, por exemplo, corresponde a menos de um terço da área total da casa).

Como parte do projeto, o Ipanema Closet é um espaço na loja pensado para venda e exposição de novas marcas e estilistas. Depois de patrocinar durante muito tempo a Fashion Rio e a São Paulo Fashion Week como forma de se associar à moda, a marca passou a atuar de forma direta, ajudando novos empreendedores sem nenhum objetivo comercial.

Ao abraçar a causa da moda local, ela se coloca no mesmo nível das novas marcas, e assim todos crescem juntos. O crescimento e o desenvolvimento comercial da marca dependem do sucesso das ações coletivas. Tive a chance de colaborar com o projeto e ver de perto a boa intenção da organização e o reconhecimento da comunidade. O sucesso do projeto foi resultado dessas duas coisas.

Quem também entende a importância do valor compartilhado e se engaja para gerar esse valor é a HEVP Clothing, que surgiu da vontade dos amigos Lucas Rodrigues e Juriel Meneguetti, de Maringá, de lançar um negócio social que realmente impactasse e fizesse diferença na vida das pessoas. A marca preza por um futuro socialmente sustentável e cheio de amor ao próximo.

Lucas me disse que sempre curtiu viajar para países exóticos. Aprender sobre culturas, religiões e o mundo. Em muitos desses países, a pobreza era algo que o sensibilizava demais. No Haiti, diante do nível de miséria que presenciou, sentiu-se chamado a contribuir para melhorar aquela realidade. De volta ao Brasil, decidiu criar uma marca de camisas sobre viagens — e sobre os lugares que tinha visitado.

Em 2013, ele e o amigo começaram a pensar em todo o conceito da marca depois de ter feito o curso de negócios sociais do economista e banqueiro Muhammad Yunus, ganhador do Nobel da Paz em 2006 e de quem falarei mais neste livro. Então sentiram que cada venda deveria ser uma transformação na vida de alguém. Bonito, né? Com uma solução simples: a cada camiseta vendida, uma seria doada para uma criança que precisasse, em qualquer lugar no mundo.

Em maio de 2014 conseguiram fazer a primeira doação. Lucas conta que foi de São Paulo até o Haiti pensando em como a camisa poderia ajudar na vida das pessoas. Chegando lá, foi bem mais do que ele imaginava. "Aquelas crianças nunca recebem presentes", ele me disse. Eles também doaram comida e carinho.

"Muitas crianças não iam pra escola por não ter o que vestir, então a camisa doada acabou virando uniforme. Depois comecei a ver que elas iam pra aula com muita fome. Ou não iam, por falta de comida. Percebi que era difícil ganhar o sorriso de uma criança sem comer por três, quatro dias", Lucas me explicou. Então eles criaram novos produtos e novas entregas: cada calça vendida é convertida em dez refeições, e cada colar, em cinco.

Os meninos contam com orgulho que, em algumas ações, conseguiram fabricar as camisetas que são doadas no próprio local, como outros fizeram no Nepal em 2015, estimulando a economia, a geração de renda e o emprego local. "Foi lindo ver a mãe fazendo a camisa para o filho", me disse Lucas. "A mãe recebendo de forma justa por um trabalho que muda o mundo do filho. O empoderamento feminino nesses lugares não tem preço. O Yunus acredita muito nisso."

Em um curso que dei no Instituto de Design, Inovação e Tecnologia (IDIT) de Florianópolis, em novembro de 2015, conheci Samira Campos. A jornalista me apresentou a L'Afrikana, marca criada pela filha. Com o propósito de empoderar homens e mulheres que sofreram os horrores das guerras no Quênia, possibilitando construir uma vida digna, aprendendo e realizando um trabalho que proporciona o sustento das famílias, a marca de Renatha Flores funciona também como um negócio social, que faz vestidos, saias, bolsas, cangas, almofadas e muitos objetos de decoração.

A marca surgiu em 2013, na capital Nairóbi. Um projeto de conclusão de curso em teatro comunitário levou a catarinense de Florianópolis para a África. Encantada pela força, alegria e resiliência de alguns refugiados (que depois viraram amigos e sócios), e sensibilizada por suas tristes histórias de guerra, Renatha resolveu criar a marca, reconhecida pela Acnur (a agência da ONU para refugiados), pelo Danish Refugée Council, o Refugée Point e o Jesuit Refugée Service. A ideia logo atraiu o trabalho voluntário de estilistas como a designer catarinense Lela Anzanello e Munique Ávila, modelista e ex-professora do Senai de Criciúma, que passaram temporadas doando talento e tempo para o projeto.

Uma organização baseada num propósito social representa o verdadeiro modelo ganha-ganha: quanto mais a marca vende (e fatura), mais a comunidade lucra. Iniciativas como essas (da Mormaii, Ipanema, HEVP e L'Afrikana) mostram que o sucesso comercial das marcas pode ser resultado de ações que geram valor social, dentro e fora das organizações. Ao estimular o desenvolvimento de funcionários, pessoas e outras marcas, elas estão na última linha ativando a fidelidade de toda a rede (de funcionários e parceiros a possíveis clientes).

Mas, quando olhamos para o mercado, vemos poucas organizações se preocupando com o todo. Há pouca inovação, muitos produtos iguais e sem propósito apenas brigando por preço, sem emoção, apelo, moda ou atitude. Apenas "roupas". Sem pensar no todo. Vemos o planeta triste, com seus recursos esgotando. Vemos muitas pessoas tristes, sem energia, se esforçando demais para ter acesso a tudo isso. E um sem-fim de ONGs e instituições surgindo para apoiar as necessidades existentes. Acredito que as marcas podem e devem abraçar essas causas.

Comércio justo

O comércio justo é um exemplo de união de valor econômico e social. Tem como meta aumentar a receita dos produtores, através do aumento do pagamento sobre a produção (em vez de tentar apertar ou reduzir os preços na negociação). Trata-se de uma redistribuição de valores, na qual, se a organização cresce, o fornecedor também cresce.

Mas aí você deve estar pensando: "Como vou aumentar o valor pago a meu fornecedor se não tenho dinheiro, se preciso vender cada vez mais barato para continuar de pé?". Geralmente o compromisso com o preço baixo de venda é o que desestrutura a cadeia. As marcas nunca querem diminuir seus *markups*, e com isso apertam a margem dos fornecedores, que por sua vez precisam pensar em alternativas — nem sempre tão éticas, nem sempre de tanta qualidade — para continuar atendendo.

É, não é fácil mesmo. Principalmente se continuarmos pensando com a cabeça de antes, do capitalismo do velho mundo. Vamos precisar conceber novos produtos e mercados. Novas fórmulas, novos padrões. Todas as iniciativas que abracei de produzir com mão de obra local, com matérias-primas sustentáveis ou mesmo produtos inovadores oneraram extremamente a produção. E, como consequência, o produto final. Então sei bem o que é isso.

Nenhuma solução será instantânea. A resposta não está em uma única ação, mas num conjunto delas. E eu tendo a acreditar cada vez mais que "a solução" não está no binômio "compra e venda".

Mais uma vez, devemos pensar no movimento que está acontecendo na alimentação. Algumas pessoas já estão topando pagar mais para estimular o desenvolvimento de produtores locais, pois reconhecem o valor do desenvolvimento da rede e de consumir produtos mais saudáveis, que no longo prazo vão melhorar sua qualidade de vida e sua saúde. Elas estão se organizando pela internet para fazer compras coletivas e viabilizar entregas, e assim ajudam a desenvolver o negócio.

No Rio, o circuito orgânico, que organiza feiras de produtores locais, começou faturando 700 mil reais em 2010; em 2014, fez 7,7 milhões, com catorze pontos de feiras. No Brasil, esse mercado faturou 2,5 bilhões em 2015. Por causa da "popularização" e do incentivo de quem compra e é fiel, os preços começaram a ficar mais convidativos. Já existem produtos (como folhas) que custam o mesmo preço dos "comuns", vendidos no supermercado. Thiago Gomide, da Junta Local, iniciativa que aproxima produtores do público consumidor (através de feiras, eventos, compras coletivas no site etc.), me disse que o foco é o comércio justo, com margem alta para o produtor e preço baixo para o consumidor.

Talvez na moda isso vá acontecer também. Principalmente se pensarmos que a roupa, assim como o alimento, é algo que está muito perto do nosso corpo. Cada vez mais as pessoas vão se abrir ao entendimento do poder energético do que carregam no corpo — não à toa, muitos desistiram de comer fast-food, pois entenderam a carga energética desses produtos, que são fruto da pressa, da falta de cuidado e das manipulações químicas. Já parou para pensar a carga energética de uma peça de roupa que também se esforça para atender a demanda do tempo acelerado?

De acordo com a Organização Mundial do Comércio Justo, os dez princípios dessa prática são:

1 Criar oportunidades para produtores economicamente desfavorecidos

Comércio justo é uma estratégia para a redução da pobreza, o empoderamento econômico e o desenvolvimento sustentável. Seu propósito é criar oportunidades para produtores desfavorecidos e marginalizados pelo sistema de trocas convencional.

2 Transparência e responsabilidade

Fair trade envolve administração transparente e relações comerciais nas quais se lida de forma justa e respeitosa com parceiros e membros acionistas.

3 Práticas de negociação

A preocupação do comércio justo é para com o bem-estar social, econômico e ambiental dos pequenos produtores marginalizados. Não maximiza os lucros a suas custas e cumpre seus compromissos em tempo hábil. Reconhecendo as desvantagens financeiras que produtores e fornecedores enfrentam, clientes efetuam pagamento imediato ou ao menos 50% antecipados.

4 Pagamento de um preço justo

Um preço justo deve ser aquele que tenha sido mutuamente acordado por todos, por meio do diálogo e da participação dos envolvidos na comercialização, prevendo um pagamento justo aos agricultores e sustentado pelo mercado.

5 Assegurar que não haja trabalho infantil e trabalho forçado

A organização adere à convenção da ONU sobre direitos da criança e à legislação local e nacional sobre o trabalho infantil. A organização deve assegurar que não há trabalho forçado entre seus colaboradores.

6 Compromisso com a não discriminação, a igualdade de gênero e a livre associação

A organização não discriminará ninguém ao contratar, remunerar e dar acesso a treinamento, promoção, conclusão ou aposentadoria, baseada em raça, casta, nacionalidade, religião, deficiência, gênero, orientação sexual, filiação sindical, partido político, sorologia para HIV/aids ou idade.

7 Assegurar boas condições de trabalho

O comércio justo propõe um ambiente de trabalho seguro e saudável para os trabalhadores e/ou seus membros, cumprindo, no mínimo, as leis nacionais e locais e as convenções da Organização Internacional do Trabalho (OIT) sobre segurança e saúde.

8 Capacitação

As organizações de comércio justo buscam aumentar impactos de desenvolvimento positivo para produtores pequenos e marginalizados, que devem desenvolver atividades específicas para auxiliar os agricultores a melhorar suas habilidades de gerenciamento, sua capacidade de produção e seu acesso aos mercados.

9 Promoção do comércio justo

As organizações promovem a conscientização dos objetivos do movimento de comércio justo e da possibilidade de uma maior justiça no comércio mundial. Elas informam aos clientes sobre a organização, seus produtos e em que condições eles são produzidos. Usam publicidade e técnicas de marketing honestas, e têm como meta os padrões mais elevados de qualidade e embalagem dos produtos.

10 Respeito ao meio ambiente

As organizações que produzem produtos de *fair trade* devem maximizar o uso de matérias-primas provenientes de fontes geridas de forma sustentável em suas escalas e comprar localmente quando possível. Elas utilizam tecnologias de produção que buscam reduzir o consumo de energia e minimizar a emissão de gases que provocam o efeito estufa. Também procuram minimizar o impacto do seu fluxo de resíduos no ambiente. Produtores de mercadoria agrícola do comércio justo minimizam seus impactos ambientais através de métodos de produção orgânicos ou com baixa utilização de pesticidas, sempre que possível.

Carta de Bangladesh

Infelizmente, o que acontece na prática ainda é bem diferente disso. Bangladesh, onde há 3 milhões de trabalhadores em fábricas de roupas, sendo 85% mulheres e muitas crianças, é apenas um dos exemplos. Liz Jones, editora de moda do *Daily Mail*, sempre se questionou se por trás do glamour — e dos baixos preços — alguém não estava sendo prejudicado. Então ela viajou em busca de pessoas que suspeitava o tempo todo que existiam. "É chocante o quanto é fácil encontrá-las", disse numa matéria de julho de 2010, na qual retratou sua visita a Kuni Para, uma das maiores favelas de Dhaka, em Bangladesh.

Estou de pé à beira do inferno. Ninguém conversa. Ninguém sorri. São sete da manhã, e os trabalhadores, na maioria mulheres, saem para seus turnos nas fábricas de roupas que poluem esta cidade. Já está perto de 40 °C, e o fedor é insuportável. Água escorre pelas paredes, e há um emaranhado de cabos elétricos acima de mim. No mês passado, um incêndio matou mais de cem pessoas não muito longe daqui.

Digo ao meu guia que quero encontrar uma criança trabalhando. "Isso é fácil", ele diz, e me leva até uma escada onde encontro Dolly. Ela tem catorze anos. Está sentada com as pernas cruzadas numa plataforma de madeira (dura demais para ser chamada de cama) apoiada em tijolos, que colapsa quando me junto a ela, que deve estar desesperada para dormir — após sair de um turno de doze horas de trabalho.

Pergunto o que ela faz. "Bordo", diz orgulhosa. As mais jovens são valorizadas por sua vista aguçada e seus dedos pequenos. "Quando você tira folga?", pergunto. Ela me olha como se eu fosse louca e diz: "Trabalho sete dias por semana". Dolly não me diz o nome da fábrica onde trabalha, por medo de ser demitida, mas me conta quanto ganha: 2800 taka por mês, incluindo horas extras. O salário mínimo em Bangladesh em 2010 era de 1662 taka por mês, em torno de 0,80 dólar por dia.

Quais são suas ambições? "Um dia eu quero trabalhar numa máquina de costura." Ela está feliz? Seus grandes olhos giram, confusos. Claramente não tem um conceito de felicidade bem definido. Eu a abraço, e ela parece tão frágil quanto um passarinho. "Minha mãe está preocupada porque tenho perdido peso", diz. "Eu como arroz, mas dou os camarões aos bebês, quando ela não está olhando."

Em seguida encontro Hashi, mãe de Dolly. Ela tem 35 anos. Disseram que está velha demais para trabalhar na indústria de vestuário. O ideal é dezesseis anos. Não é interessante que seja quase a mesma idade ideal para as mulheres nas passarelas? Aquelas no topo da indústria da moda são magras por escolha; aqui, elas simplesmente não podem comprar comida.

A vizinha de Hashi é Jasmine, que tem 26 anos. Ela está no que teoricamente seria licença-maternidade do seu trabalho como maquinista. Trabalhou até o dia em que pariu, e agora não é paga. Está prestes a enviar a criança para se juntar à mais velha na aldeia da família. Com qual frequência vai vê-la? "Duas, três vezes por ano." Ela sente desespero em algum momento? "Estou acostumada. Não faz sentido me desesperar." Qual é seu bem mais valioso? "Não tenho nada."

E finalmente conheço Khodeza Begum, uma avó de quarenta anos que parece ter duas décadas a mais. Ela me diz que trabalhou numa fábrica por dezesseis anos. Seu trabalho é passar roupa, mas três meses atrás, não pôde ir trabalhar por quinze dias, pois havia sofrido uma queimadura severa na perna. Quando voltou, disseram que não precisavam mais de seus serviços. "Normalmente, eu andava até o trabalho", ela diz, "mas não podia fazer isso com a dor. Depois de dezesseis anos trabalhando doze horas por dia, não tenho nada."

Não estou convocando um boicote ao vestuário em Bangladesh, o que seria uma sentença de morte para milhões. Quero que toda marca de moda vendida no Reino Unido insista num salário mínimo de 5 mil taka por mês. A realidade de um salário de 5 mil taka? Significaria que o preço de um par de jeans custando vinte libras (32 dólares) aumentaria oitenta centavos (1,30 dólar). Oitenta centavos. Pergunto a Sharti se ela tem alguma mensagem para os consumidores do Ocidente. "Venha ver onde eu moro. Se você pagar um pouco mais, nós poderemos viver um pouco melhor."

Trabalho justo

Essa história começou há muito tempo. No dia 8 de março de 1857, operárias de uma fábrica de tecidos em Nova York fizeram uma grande greve. Ocuparam o local e começaram a reivindicar melhores condições de trabalho, assim como respeito e igualdade. Elas queriam redução da carga horária de dezesseis (oi?) para dez horas por dia, equiparação de salários com os homens (que ganhavam em média três vezes mais pelo mesmo trabalho) e tratamento digno no local de trabalho. A manifestação foi reprimida com total violência. As mulheres foram trancadas dentro da fábrica, que foi incendiada. Lá foram carbonizadas aproximadamente 130 tecelãs. Em lembrança a esse acontecimento foi criado (e oficializado pela ONU) o Dia Internacional da Mulher.

Tiago Mattos, no livro *#VLEF: Vai lá e faz*, diz que a normalidade de hoje é o absurdo de amanhã. Mas, enquanto vivemos uma aceleração inacreditável na mudança dos formatos de trabalho, o fim das profissões e carreiras, com novos modelos mais horizontais e livres, questões trabalhistas degradantes à vida — desde as mais básicas até o serviço análogo ao escravo — ainda são tidas como normais para alguns.

Diversas vezes fiquei constrangido ao visitar fábricas ou escritórios de marcas que nada representavam a imagem externa que tentavam construir. Lugares tristes, sem vida, onde a criatividade não era estimulada — assim como a consciência social, a saúde mental, a higiene... (Como querer que seus funcionários se preocupem em servir bem aos outros se não são bem servidos? Como valorizar o outro sem se sentir valorizado?)

Por outro lado, tive a chance de me conectar com grandes organizações como adidas, C&A e Disney, que fazem vistoria detalhada em todos os parceiros e fornecedores. Elas estão interessadas em saber se as pessoas que ali trabalham são felizes, se usam roupas e acessórios adequados à segurança do trabalho, e por aí vai. Não topam nenhum tipo de associação (seja *cobranding* ou mesmo a contratação de um serviço) até que tenham segurança sobre "como" as coisas são feitas ali. Isso é verificado bem de perto através de visitas, pesquisas, entrevistas com funcionários e outras iniciativas. Para ter controle sobre a produção, hoje algumas empresas têm suas próprias fábricas (adidas) e outras suas próprias empresas de vistoria (C&A).

Algumas se queimaram muito por ter a imagem associada ao trabalho escravo e infantil, como Zara, Nike e Primark. Estima-se que 170 milhões de crianças sejam vítimas do trabalho infantil no mundo (muitas delas trabalhando na cadeia produtiva da moda). No contexto atual, essa preocupação pode ser um gatilho para despertar o nível interno de consciência que os donos de empresas (marcas ou produtores) precisam ter.

Um dos vencedores do Prêmio Nobel da Paz de 2014, Kailash Satyarthi, acredita nisso. Ativista dos direitos das crianças desde o início dos anos 1980, ele promoveu uma transformação na indústria indiana de tapetes. Desde que soube que as crianças pobres eram presa fácil para "corretores de mão de obra", que recrutavam trabalhadores para várias indústrias indianas — como a tecelagem e a moda —, começou a lutar contra a prática. Capturadas por esses intermediários, as crianças eram vendidas e forçadas a trabalhar sob condições brutais por mais de doze horas, perdendo — entre tantas coisas — a chance de viver a infância.

Satyarthi começou sua luta como advogado, realizando blitz em empresas na esperança de promover a conscientização sobre a exploração infantil. Um dia, voltando para casa, angustiado, pensou que jamais conseguiria dar conta de visitar ou transformar todas as empresas do mundo. Foi quando (para piorar) se deparou com o sequestro de várias crianças, que às dúzias seriam levadas para uma vida de escravidão.

Ali ele percebeu que mesmo que conseguisse salvar aquelas crianças, tantas outras, em tantos lugares, passariam pelo mesmo. Então pensou que, se todos soubessem daquela realidade, tivessem consciência sobre a origem dos produtos comprados, talvez ela começasse a mudar. Você teria na sua casa um tapete sabendo que foi feito por crianças nessas condições?

Assim, Satyarthi criou a Rugmark, uma certificadora para produtos sem mão de obra infantil. Hoje, com o novo nome de GoodWave, a empresa opera mundialmente. Dessa maneira, ele e muitos outros empreendedores sociais que implementaram sistemas de certificação reforçam a tese de que consumidores (pessoas) representam um meio poderoso de alterar um equilíbrio sustentável. "Quando um número suficiente de consumidores vota com sua carteira, o mercado entende suas preferências", é o que dizem Roger L. Martin e Sally R. Osberg em artigo da *Harvard Business Review* sobre iniciativas sustentáveis.

O 24 de abril de 2013 foi um dia triste para a moda. A queda do Rana Plaza, em Bangladesh, foi uma das maiores tragédias que a indústria já viveu. O edifício que abrigava em condições precárias diversas fábricas de roupas que produziam para grandes marcas globais — como Benetton, Mango e Primark, conforme noticiado na época — colapsou, levando em poucos minutos a vida de mais de mil trabalhadores têxteis e deixando outros 2,5 mil feridos. Detalhe: alguns meses antes, outras centenas morreram em um incêndio ali mesmo e nada foi feito. No total, foram 200 mil pessoas mortas, em trezentos acidentes em fábricas como essa no século XXI.

O cenário, que mais parecia uma zona de guerra (entre escombros, pedaços humanos e pessoas soterradas vivas), foi o ponto de partida para o movimento Fashion Revolution, criado em Londres pelas designers e ativistas Carry Somers e Orsola de Castro com o objetivo de despertar a consciência para as práticas antiéticas na moda e lutar por um mercado fashion mais seguro, sustentável e humano. O movimento repercutiu.

Na época, a Primark comunicou em seu site oficial:

> O edifício que desabou abrigava várias fábricas que produziam vestuário para cerca de 28 marcas. Uma dessas fábricas fornecia a Primark. Nossos pensamentos permanecem com as vítimas dessa catástrofe e suas famílias. A Primark trabalhou com parceiros locais em Bangladesh para prestar apoio financeiro e ajudar alimentar as vítimas e suas famílias. Também concebemos uma abordagem de indenização no longo prazo e temos feito pagamentos ao longo do último ano. Gostaríamos de agradecer a nossos parceiros por sua experiência e empenho em nos ajudar a desenvolver e executar esse programa. A empresa também participou plenamente na resposta da indústria na tomada de medidas para tornar a fabricação de vestuário em Bangladesh mais segura no futuro.

Junto com ela, outras marcas se comprometeram a alimentar um fundo de apoio às vítimas e às famílias. Mas em 21 de abril de 2015 o jornal britânico *The Guardian* noticiou que grupos de direitos dos trabalhadores calcularam que, dois anos depois da tragédia, algumas organizações não tinham cumprido sua parte com as doações, de modo que o valor total não passou de 70% do combinado.

Em 2014, quando a tragédia estava prestes a completar um ano,

Carry e Orsola estabeleceram que 24 de abril seria o Fashion Revolution Day (#FRD), data marcada para aumentar a conscientização sobre o verdadeiro custo da moda e seu impacto — da produção ao consumo — a partir da investigação de quem faz as roupas que usamos.

Quem fez sua roupa? Que materiais utilizou? De onde eles vieram? Como as peças foram feitas? Essas eram as perguntas a ser respondidas. A campanha usava as redes sociais como forma de disseminação. Por ali, as fundadoras do FRD convidavam pessoas e marcas a postar fotos dos produtos do avesso, com a etiqueta aparente, e as *hashtags* #fashrev, #whomademyclothes e #quemfezminhasroupas (aproveite para dar uma olhada).

Em 2015, a ação ganhou força no Brasil e adeptos como a estilista Thais Losso, a consultora Chiara Gadaleta, a revista *ELLE Brasil*, entre tantos outros. Foram mais de setenta países celebrando a consciência do consumidor quanto ao verdadeiro custo de nossas roupas — que muitas vezes é a vida. Assim como no caso dos tapetes, acredita-se que quanto mais os consumidores tiverem acesso à forma como suas roupas são feitas, tendo informações para balizar suas decisões, mais perto estaremos de uma solução.

Com a mesma filosofia, o aplicativo Moda Livre, da ONG Repórter Brasil, tem como meta avaliar as medidas que as principais empresas de moda do país adotam para combater o trabalho escravo. Atualmente, monitora 45 marcas de moda que foram convidadas a responder a um questionário com as políticas da empresa, as medidas adotadas para fiscalizar os fornecedores (confecções), ações de transparência e o histórico de envolvimento em casos de trabalho escravo. As respostas renderam pontuação e, com base no resultado, as empresas são classificadas em três categorias: verde, amarela e vermelha. As que não responderam foram automaticamente incluídas na categoria vermelha. O site gringo slaveryfootprint.org calcula a quantidade de trabalho escravo envolvido nas cadeias que prestam serviço a você. Iniciativas como essas (e outras) ajudam a disseminar a história e a conscientizar as pessoas. Carla Lemos, da Modices, já percebe essa mudança em suas leitoras (que bom!):

> Acho que o grande lance agora é que as pessoas estão tendo mais consciência de si e do seu papel no mundo. Foi um movimento que alguns blogs legais ajudaram a promover, porque antes as revistas não falavam disso. É muito bom de ver, a cada novo caso de escravidão ou de coisas negativas que acontecem na indústria, ou até mesmo coisas positivas relacionadas a consumo consciente, mais e mais pessoas compartilhando. Não é mais só o look do dia ou a nova bolsa que elas querem compartilhar.

Em seu Facebook, Renata Grimberg, dona da marca carioca Qvizoo, compartilhou o trailer do filme *The True Cost*, que trata dos valores ocultos da indústria da moda, e comentou:

> Eu faço roupa há dez anos. As fábricas que produzem para minha empresa são todas no Brasil. Quando entro numa loja de *fast-fashion* e vejo um vestido com preço final para a cliente mais baixo do que eu pago para meu fabricante, eu fico assustada. Pode ter certeza de que a margem de lucros dessa loja é maior que a minha, apesar de meu produto final ficar mais caro para o cliente. Mas isso tem uma razão. Preciso parar e pensar sobre ela.

Mas infelizmente ainda não são todos que veem assim. Muitos consumidores valorizam os preços baixos. Às vezes é uma necessidade, sabemos. Porém na maioria das vezes não. Existem muitas pessoas conectadas com a lógica da "vantagem", e do antigo capitalismo, dispostas a pagar pouco — custe o que custar. Só que geralmente é muito alto o custo para entregar um produto com preço baixíssimo. Quase sempre o que está em jogo é o planeta ou a vida das pessoas envolvidas no ciclo de produção.

Para alguns, essa questão caiu na normalidade... Muitos sabem do envolvimento de marcas como a Zara ou a Primark nesse tipo de operação, mas continuam comprando em suas lojas. Acredito que quanto mais pessoas tiverem acesso a esse tipo de informação, maiores serão as chances de ter produtos especiais e com preços justos. Afinal, como ser feliz pagando pouco por uma roupa que custou a infância ou a vida inteira de uma pessoa?

Produção local

Você já deve ter ouvido falar dos bilhetinhos encontrados em roupas, escritos por costureiras pedindo socorro e denunciando o trabalho escravo em fábricas na China. O *e-commerce* gaúcho de vestidos de noiva O Amor É Simples resolveu mandar seu recado também, só que de um jeito bem diferente. Os bilhetes deles dizem coisas como:

> Isso é um pedido: quero que você seja muito feliz no seu dia mais que especial. Este vestido foi feito com mão de obra brasileira, gera empregos e movimenta a economia local. Foi um prazer fazê-lo para você. De: Eliana, costureira. Cachoeirinha-RS

Eles são escritos à mão e enviados nas encomendas para que as clientes saibam onde e por quem são feitos os vestidos vendidos pela marca. Para Lais Ribeiro, uma das sócias, essa é uma forma de cumprir o propósito de vender vestidos de noiva feitos no Brasil, a preços justos, com amor e carinho em todo o processo produtivo.

Estima-se que mais de um quarto da produção global de roupas hoje seja feita na China. O restante acaba se concentrando em outros países orientais, africanos e sul-americanos. Apesar de todas as notícias ruins (de condições de trabalho principalmente), a moda ajuda no desenvolvimento de países com uma economia subdesenvolvida. Em Bangladesh, por exemplo, 80% da pauta de exportação é de têxteis, de maneira que o país vive em função da moda.

São vários os motivos que levam a produção para esses países, que vão desde a especificidade de trabalho e matéria-prima, que muitas vezes só se encontra lá (como muitos tipos de bordado), até impostos menores, incentivos fiscais (de importação e exportação) para promover o desenvolvimento local e baixo custo de mão de obra, decorrente da fraca economia e da fragilidade das leis trabalhistas e da fiscalização. Mas não é bem verdade dizer que, em todos esses países onde se produz com baixo custo, a mão de obra seja escravizada ou ilegal. É importante ter essa visão crítica e não generalizar. Além disso, há outras questões culturais, análogas ao trabalho chamado "escravo" na cultura ocidental, que a nossos olhos são surreais. Elas vão desde a normalidade com altas cargas horárias de trabalho até a preferência dos funcionários de dormir em fábricas para evitar o deslocamento de longas distâncias ou em épocas frias.

Apesar "da boa intenção" com os incentivos e a ideia de que a moda ajuda a desenvolver a economia por lá, muitos desses países estão passando por problemas que certamente são resultado da forma como vêm "fazendo". A China, por exemplo, passa por sérias crises de desemprego, desvalorização da moeda e endividamento. O meio ambiente também está reagindo à forma como tem sido tratado pelas fábricas, com a produção desenfreada. Shanghai, a capital comercial e financeira, registrou níveis recordes de poluição atmosférica em 2015, chegando a quinhentos pontos na escala chinesa (o "máximo" deveria ser entre cinquenta e cem). Durante quase três dias, uma espessa neblina envolveu a cidade e muitos de seus habitantes sofreram com problemas respiratórios e irritação nos olhos. Outra consequência negativa da poluição são as chuvas ácidas, provocadas pela alta presença de dióxido de enxofre no ar, que acaba com a agricultura. O desequilíbrio ambiental ainda gera falta de chuva — 80% de queda —, o que fez com que o Yangtsé, maior rio chinês e o terceiro do mundo, registrasse, também em 2015, a pior estiagem em mais de meio século, chegando a secar totalmente em vários pontos, enquanto outros estão totalmente poluídos. Com isso, menos chuva, e tudo vai virando um grande círculo vicioso, financiado por quem contrata serviços por lá.

Ao mesmo tempo, vemos uma queda de produção em países mais desenvolvidos, como nos da União Europeia, onde o nível de consciência quanto às questões tratadas aqui já é maior; como reflexo, as normas ambientais e sociais são muito mais rigorosas. Eles não se rendem a iniciativas no curto prazo. Em todo o Ocidente, o Brasil ainda é um dos poucos países que realiza o ciclo do início ao fim (da produção das fibras ao varejo), mas vem sofrendo com a queda da produção. Quanto mais rara ela fica, mais cara e menos competitiva se torna. Com isso, geramos outro círculo vicioso, só que aqui. As marcas nacionais reclamam do amadorismo e do preço do mercado, mas sem incentivo, sem produção, ele não consegue se desenvolver. Há um consenso de que, ao retirar a produção do Brasil, a indústria local enfraquece e até quebra.

Ou seja, as decisões tomadas aqui têm impacto do outro lado do mundo. Vamos até lá em busca de preços baixos, mas como consequência financiamos o desequilíbrio social e ambiental de ambas as partes. Por causa disso, muitos movimentos têm surgido com o objetivo de fomentar nossa indústria — que é a segunda mais empregadora do país. Se morrer, muita gente será impactada.

Um deles é o Feito no Brasil, um projeto-manifesto de amor pela moda brasileira. Capitaneado por Renata Abranchs, reúne um grupo de criadores em prol da moda originalmente brasuca. A causa é justa e incrível, pois valoriza produtos feitos por empresas pequenas, resgata o orgulho e estimula as grandes a manter uma identidade única (em vez daquela carinha "feito na China"). Junto com o movimento foi criada uma logomarca *open source* #feitonobrasil, que pode ser baixada gratuitamente no site feitonobrasil.com.br para ser usada a fim de divulgar qualquer produto 100% nacional. A própria Renata me contou:

> Esse é um exercício de aprender a olhar de dentro pra fora. Ainda estamos no início dessa estrada. Valorizar e ajudar a desenvolver o que é nosso é questão de educação também. Uma das frentes desse movimento é inspirar as pessoas desde a escola. Os maiores resultados serão no médio e no longo prazo. Primeiro, pensar a respeito, tomar consciência, mudar o olhar, depois o comportamento. Só assim mudaremos a cultura...

Mas produzir no Brasil não é garantia de mão de obra legal. É importante ficar de olho nisso também. Infelizmente é bem mais comum do que imaginamos fábricas produzirem em condições precárias, com jovens, crianças ou adultos (quase sempre mulheres) em sua grande maioria imigrantes escravizados. Por ali, longas jornadas, pessoas morando e trabalhando no mesmo local, tocando a produção de grandes marcas. Nem todas as marcas que fazem uso desse tipo de mão de obra estão cientes disso. Muitas vezes, o serviço é terceirizado (e até quarteirizado) pelas facções (onde se costura as peças) ou fábricas contratadas sem seu conhecimento. Mas sem dúvida é um reflexo de toda a desestruturação que estamos sendo levados a promover. Todos lutam para baixar os custos.

O site Repórter Brasil acompanhou uma operação feita em força-tarefa pelo Ministério do Trabalho e a Receita Federal, em um dos fornecedores quarteirizados da marca Le Lis Blanc. Em 27 de julho de 2013, publicou o seguinte relato:

> A parede é de tijolos aparentes, com reboco improvisado e tábuas tapando as janelas. O piso é de cimento, coberto de retalhos, linhas e sujeira. Há fios de eletricidade puxados de maneira improvisada por todos os lados, alguns perigosamente próximos de pilhas de tecido, e, em um canto da improvisada oficina de costura, uma caixa-d'água. Para ficarem mais próximos das máquinas, os lustres pendem do teto amarrados por cordões em que é possível ler "Le Lis Blanc", nome de uma das grifes mais caras do país. Espalhadas nas mesas estão etiquetas da marca, peças finalizadas e guias com orientações sobre tamanho e corte. Em cômodos próximos ficam os trabalhadores bolivianos, vivendo em beliches em quartos apertados, alguns com divisórias improvisadas, recebendo por produção e cumprindo jornadas exaustivas.

Apesar de afirmar que não tinha conhecimento de tais condições (o que é bastante provável), a grife foi autuada e pagou 600 mil reais de indenização aos estrangeiros, a maior parte em situação irregular no país.

De acordo com o site da revista *Exame*, em 29 de julho de 2013, "as ações da Le Lis Blanc (LLIS3) abriram a semana em queda. Na mínima do dia, os papéis chegaram a cair 6,44%, negociados a 5,95 reais. A Restoque, dona da grife, enfrenta uma acusação de manter funcionários em condições degradantes de trabalho, análogas à escravidão". Assim como os clientes que votam com a carteira, o "mercado" (que bom!) começa a recriminar esse tipo de prática.

A questão toda é bem mais complexa (há ainda quem fale sobre impostos e incentivos do governo), e seria leviano buscar apenas uma causa ou solução. O objetivo inicial é fazer pensar. Sensibilizar. Mas me parece claro o quanto todas as modificações que temos feito visam sempre maiores lucros e agilidade, e na maioria das vezes não têm funcionado. Isso me leva a crer que precisamos rever esses valores para chegar a uma resolução. Valorizar o que fazemos e estabelecer uma nova relação com o dinheiro. Promover essa consciência. A Walk Free Foundation confirmou numa pesquisa que 78% dos consumidores brasileiros deixariam de comprar uma peça se soubessem que foi feita com trabalho escravo. E 94% trocariam de marca por uma associada a uma boa causa.

Em todos os casos vemos o quanto a informação ajuda a transformar os processos. Vemos também como isso muitas vezes parte das pessoas: consumidores, funcionários ou outros envolvidos no ciclo. Infelizmente ainda vejo muitos gerentes de produção que nunca visitaram as fábricas onde produzem para saber como são, em que condições as pessoas trabalham etc. Essa questão vai bem além do trabalho escravo ou infantil — muita gente pensa que, tirando isso, toda forma de produção seria satisfatória. Quando muitas vezes não é.

É importante valorizar um ambiente de trabalho favorável (na própria empresa e nos prestadores de serviço), onde as pessoas são felizes, participam de ações internas de motivação, têm liberdade de associação e negociação, com estímulo à comunidade, à meritocracia (distribuindo lucros) e ao cumprimento de fato das leis e dos códigos de conformidade (com pagamento de hora extra, cumprimento de folgas, salários e benefícios). Por outro lado, deve-se dizer não ao assédio ou abuso, à discriminação e a toda ação que não é a favor da vida, perceber o quanto a cadeia produtiva da moda é um ecossistema, e que qualquer alteração, perda ou falta pode desestruturá-lo, acarretando problemas maiores para todos.

ROUPA BARATA NÃO É

TÃO BARATA QUANTO PARECE.

Fashion Revolution

14. Valores naturais

Pense em geleiras derretendo — a camada polar do Ártico já perdeu 40% de espessura nos últimos quarenta anos e pode desaparecer até 2030 —, continentes sendo inundados, países inteiros submergindo enquanto outros secam, sofrendo com a falta da chuva, o que vai deixar a energia e a água cada vez mais caras (e raras). Pense na falta de água na sua casa (como já está acontecendo em vários lugares no Brasil). Hoje, esse recurso é escasso para 2,8 bilhões de pessoas, e serão 4 bilhões em 2030 — quase metade da população estimada. Para dar conta do crescimento, precisaríamos aumentar em 44% a produção de energia elétrica. Com isso, mais devastação para construir hidrelétricas, menos água, mais dinheiro... Num cenário extremo, podemos presenciar uma extinção em massa na Terra como na época dos dinossauros.

Mas continuamos sem compreender que temos responsabilidade nisso tudo. Somos parte deste grande organismo vivo chamado planeta Terra. Fato é que, ao longo da nossa evolução, fomos perdendo essa consciência, nossa conexão com a natureza, esquecendo que ela também é (nossa) vida (as plantas, as águas, as pessoas, os animais...). Deixamos de nos ver como parte da natureza e do outro. Assim, esquecemos nosso propósito com o planeta, e pessoas e organizações puderam se construir durante muito tempo apenas para satisfazer seus próprios interesses. E tudo começou a ruir.

A indústria da moda, por exemplo, foi a segunda atividade mais poluidora do século XX (perdendo apenas para a do petróleo) e a segunda que mais consumiu recursos naturais (depois da agricultura), contribuindo muito para o estágio atual de desequilíbrio planetário. A visão de que ela é algo fútil ou banal resultou no amadorismo do sistema. Custando o que de mais precioso temos hoje: o solo, a água e o ar — e também a vida de muitas pessoas. Além de demandar muita energia e água na produção, a indústria têxtil polui o solo com pesticidas e fertilizantes (para acelerar as coisas), polui a água durante todo o processo de tingimento e beneficiamento, e polui o ar com emissões de gases causadores do efeito estufa.

Isso impacta as comunidades que produzem roupas e até mesmo quem as usa (por conta dos resíduos químicos que ficam nas peças), podendo gerar um dramático número de (d)efeitos congênitos, de câncer a doenças mentais. Além disso, dívidas, disputas e conflitos nas terras produtoras de matérias-primas fundamentais para a moda (como o algodão) resultam no assassinato ou suicídio de um fazendeiro a cada trinta minutos, de acordo com o filme *The True Cost*. Na última década, foram 291 mil suicídios apenas na Índia. Sem contar com os funcionários que trabalham em condições precárias, os escravizados e os que são vítimas de acidentes de trabalho.

Muita coisa mudou no mundo desde que essa indústria surgiu. Porém parece que ela pouco se atualizou. As necessidades de mudança são gritantes, mas parece que muitos preferem ignorá-las. O que durante muito tempo (desde a Revolução Industrial) funcionou como um relógio, hoje parece tomar a forma de uma bomba-relógio. Precisamos fazer as pazes com o tempo.

Em 2015 me formei em design para sustentabilidade pelo Gaia Education. Mais que um curso, posso dizer que foi uma experiência bem transformadora (somente fazendo para entender), que mudou o rumo da minha vida. Com uma metodologia de ensino verdadeiramente diferenciada, baseada em aulas práticas e teóricas, vivências (com cantos, danças circulares, biodança e meditações), trocas profundas entre os participantes (em trabalhos de grupo, partilhas, ioga e banhos de cachoeira), ali tive a noção da responsabilidade que é optar pela vida neste planeta e nesta época — uma grande aventura na qual temos muita responsabilidade.

O curso nos prepara e estimula para a "grande virada" em direção a uma sociedade sustentável — papo que não é só para quem curte golfinho e borboleta. A teoria do Gaia nos encoraja a ver o planeta como um sistema integrado, vivo, nosso corpo maior. Conceitos de ecologia profunda, ecofeminismo, cosmologia, lições deixadas por nossos ancestrais e muitos ensinamentos das tradições hindu, hassídica, sufi, taoista (e outras que sugerem respeito com a Terra), combinados com avanços tecnológicos do nosso tempo, geram insights poderosos para nos libertar das garras da sociedade industrial e nos resgatar do antropocentrismo.

Saí da lá com a certeza de que precisamos urgentemente repensar a forma como lidamos com o planeta e as fontes de nossas criações. Caso contrário, muito em breve vamos deparar com uma nova barreira, uma nova crise — a de recursos. Joanna Macy e Molly Brown, autoras de *Nossa vida como Gaia: Práticas para reconectar nossa vida e nosso mundo*, acreditam que a sociedade industrial fez das pessoas seres de produção e consumo. Ela nos isolou do mundo natural e nos fez perder a conexão com outros seres e a noção de que somos Terra consciente. Sabemos que os recursos são finitos, mas como só nos preocupamos com nossas próprias necessidades, agimos como se não fossem. Assim estamos saqueando os recursos limitados e deixando um péssimo legado para as próximas gerações. Como dizem no livro:

> A maior destruição do mundo não está sendo feita (somente) por bandidos, criminosos ou políticos. Ela está sendo feita por pessoas bem comuns — obedientes da lei, frequentadores da igreja, chefes de família,

adeptos da moral —, que desfrutam de seus veículos esportivos, de suas férias no exterior e de seus hambúrgueres, indiferentes à fonte desses prazeres e seu verdadeiro custo. Não indiferentes ao preço dessas coisas nas lojas, mas ao custo real quando todos os efeitos não contabilizados de sua produção e uso forem somados.

Nunca fomos realmente encorajados a ter um estilo de vida que preservasse o planeta. A moda — e a gente — tem tudo a ver com isso. Estima-se a produção de cerca de 80 bilhões de peças de roupa por ano no mundo (hoje consumimos uma quantidade 400% maior que há vinte anos). Na grande maioria, a partir de fontes naturais. Em 2014, a produção mundial desses filamentos foi de aproximadamente 60 milhões de toneladas, e deve chegar a 90 milhões de toneladas em 2020.

Mesmo com todo o alarde sobre o esgotamento de recursos do planeta, cresce a fabricação de peças com poliéster — que tem como base o petróleo, um material finito, não renovável, que causa danos ao meio ambiente em seu processo de extração. O algodão, que representa cerca de 90% de todas as fibras naturais utilizadas na indústria têxtil, conta com uma massa de terra finita para o cultivo, concorrendo com a produção de alimentos. Desde seu plantio, passando pelos processos de produção, faz com que a indústria da moda seja uma das maiores consumidoras de água do planeta, junto com a de alimentos (e a pecuária é a que gasta mais).

Quanto mais algodão usamos, mais água gastamos. São necessários mais de 30 mil litros para criar um quilo de algodão. Se considerarmos a média de consumo recomendada, de três litros por dia, em um ano consumimos 1095 litros. É fácil perceber que há um desequilíbrio aí. Vale lembrar que, enquanto isso, 1 bilhão de pessoas não têm acesso à água potável no mundo.

MÉDIA DE LITROS DE ÁGUA GASTOS NA INDÚSTRIA TRADICIONAL DA MODA:

Calça jeans	15 mil
Sapato de couro	8 mil
Camisa de algodão	4 mil

MÉDIA DE LITROS DE ÁGUA GASTOS NA PECUÁRIA TRADICIONAL:

1 kg de carne bovina	15 mil
1 kg de carne de porco	5 mil
1 kg de frango	4 mil

MÉDIA DE LITROS DE ÁGUA GASTOS COM OUTROS ALIMENTOS:

1 kg de arroz	1,9
1 kg de soja	1,6
1 maçã	70

MÉDIA DE LITROS DE ÁGUA GASTOS EM OUTRAS INDÚSTRIAS:

1 kg de papel	324
1 kg de aço	95
1 litro de gasolina	10

A produção de um hambúrguer consome 2400 litros de água, o que corresponde a mais de dois anos de consumo na vida de uma pessoa, enquanto um quilo de couro para fazer acessórios gasta mais que um quilo de carne para alimentação. Grande parte dessa água não é tratada ou reaproveitada. Precisamos voltar a usar os recursos hídricos de forma respeitosa, porque são de grande importância para todos nós. Para a produção de energia vital, para o funcionamento do planeta e também do nosso corpo, que é 70% água.

A população não vai parar de crescer, e com isso a demanda de recursos naturais será cada vez maior (para alimentos, roupas, energia). Só que, quanto mais usamos esses recursos de forma desequilibrada, mais desestabilizamos o clima e mais difícil fica sua renovação. Nossas práticas vão causar uma verdadeira escassez de recursos têxteis em nível mundial, muito antes do que todos imaginam. Mas é muito pouco provável que as pessoas tenham consciência disso.

Muitos também não têm ideia de que uma camiseta de algodão (não orgânico) demanda cerca de duzentos gramas de agrotóxico, causando sérios danos ao solo, à água e à vida dos agricultores — que muitas vezes carregam lesões e deformidades na pele por conta do processo produtivo. E à de consumidores também. Muitos resíduos de pesticidas, incluindo substâncias cancerígenas, podem permanecer nos produtos e contaminar quem usa, assim como outros químicos empregados nas lavagens e para criar "efeitos" nas peças. Alguns têm menos noção ainda de que, ao lavar e passar roupas, também geram impactos ambientais (gastando água e energia). Infelizmente nos faltam muitas informações.

Além da preocupação com a água, o aquecimento global é uma grande ameaça que colabora com o cenário apocalíptico que alguns ambientalistas anunciam, e, mais uma vez, a solução passa por todos nós. Impedir que a temperatura mundial atinja níveis catastróficos depende de ações simples e individuais de todos, que vão desde economizar energia, consumir alimentos de forma consciente e evitar usar o carro. E da indústria, com diminuição da queima de combustíveis fósseis, do emprego de certos fertilizantes e do desmatamento. Tudo isso vem intensificando o efeito estufa e desestabilizando o equilíbrio energético do planeta. O livro *Gaia, cura para um planeta doente*, de James Lovelock, é excelente para entender o tema.

O observatório da Nasa já constatou diversas vezes a multiplicação de eventos climáticos resultantes do aquecimento global, como o frio intenso do inverno de 2015 na América do Norte e o aumento drástico do calor no verão do mesmo ano na Austrália e na América do Sul. Os estragos paralisam setores vitais para o funcionamento da sociedade. O físico sul-africano David King, conselheiro científico do governo britânico para mudanças climáticas, cita como exemplo os piores cenários previstos para a China: elevações do nível do mar afetando, na costa leste do país, o lar de 200 milhões de pessoas, quebras da safra de arroz — que têm de 5% a 10% de chance de ocorrer mesmo com elevações modestas na temperatura — e ondas de calor que estejam acima da capacidade fisiológica de adaptação do ser humano. "Com mais de três dias com temperaturas superiores a 40 °C e muita umidade, você não consegue compensar o calor pela transpiração e morre", ele afirmou em 2015, no Dia Mundial do Meio Ambiente.

Atualmente, o objetivo é não deixar que a temperatura global suba mais de 2 °C (já subiu 0,8 °C). Em 2100, a previsão é de que esse aumento seja de 5 °C, que já é o suficiente para provocar inundações, fome, seca, aumento do nível do mar e extinção em massa. O microbiologista australiano Frank Fenner assustou o mundo ao afirmar que daqui a cem anos não existirá mais vida humana no planeta. A justificativa é relativamente simples: estamos criando um ambiente inabitável, com superpopulação, esgotamento de recursos naturais e mudanças climáticas. Não só fazemos muito pouco para prevenir, como, quando desmatamos ou financiamos essa prática, estamos acabando com as árvores, que seriam as melhores aliadas nessa luta.

Para ajudar a remediar o efeito estufa, um dos caminhos é nos "neutralizar", isto é, calcular quanto gás carbônico você emite na atmosfera e plantar a quantidade de árvores necessárias para absorver esse gás, evitando assim que ele se concentre em torno do planeta e dificulte que a Terra respire. Artistas, empresários, marcas e até Bento XVI entraram na onda. Hoje, já existem bandas americanas como Foo Fighters e Pearl Jam que neutralizam suas operações comerciais — por aqui Sandy & Júnior e Jeito Moleque também fizeram isso. Sem contar as empresas que se anunciam como ecologicamente neutras, calculando o gasto de suas fábricas e compensando esse gasto. Algumas marcas também fazem isso, como a Osklen, que compensa a emissão de algumas de suas lojas.

Há ainda quem atue na revisão de processos para a redução das emissões. Em 2014, a Prada anunciou que diminuiu sua emissão de carbono em 596 toneladas e aumentou a absorção do mesmo gás em vinte toneladas, com ajuda de reflorestamento na área de Valvigna. Em seu site, a C&A explica que "exigiu que a frota de terceiros utilizasse o biodiesel B5 como combustível dos caminhões". A marca diz que o propósito da "utilização do biodiesel é reduzir a emissão de poluentes dos caminhões, mobilizar, conscientizar e incentivar também nossos funcionários para o exercício da corresponsabilidade e da cidadania".

Você já parou para pensar quanto carbono emite em suas tarefas diárias? No trabalho e na vida pessoal? Tudo o que fazemos gera um impacto sobre a emissão de gases. O dióxido de carbono é um gás comum, que pode ser produzido de maneira natural ou artificial. Pequenos cuidados diários — como a atenção ao que você come e veste — podem contribuir com isso. Numa das primeiras aulas do Gaia, uma das facilitadoras, a Marina, pediu que escolhêssemos um objeto que tivéssemos à mão e pensássemos (faça isso você também): De que matérias-primas é feito? De onde elas vêm? Quais são os impactos decorrentes da extração desses materiais? Quanto tempo e distância esses materiais viajaram para finalizar a fabricação? Como viajaram? Quais gastos energéticos estão relacionados a essa produção? Existe algum processo tóxico ou químico envolvido? Quais máquinas e quantas pessoas estão envolvidas no processo? Em quais condições de trabalho? Qual é a estimativa de vida útil desse objeto? Qual será o destino dele?

Quase sempre é impossível responder a todas essas questões. Perguntas sem respostas revelam o quanto somos inconscientes, e isso livra um pouco nossa responsabilidade. Pois, quando conseguimos responder, é desesperador. É fato que, comendo carne vermelha, usando uma bolsa de couro ou até mesmo uma simples blusa de malha com jeans, estamos causando um impacto imenso no futuro da humanidade. Mas, por falta de consciência, por não saber, não fazemos, não atuamos.

Quando comecei a ter noção de tudo isso, fiquei desesperado. Me senti carregando o peso da crise. Mas depois me acalmei. Compreendi que não era possível fazer diferente, enquanto eu não estava consciente. O mesmo vale para as marcas com que trabalho, as pessoas com quem convivo. Há um tempo, o cenário era outro. Não havia esse nível de consciência para que as coisas fossem feitas de forma diferente. Mas, agora que sabemos, podemos abraçar a causa ou então continuar nas "distrações" que a sociedade moderna nos oferece.

Podemos continuar comendo carnes e produtos agrícolas mesmo tendo noção das condições de produção (pesticidas, hormônios) e dos danos que fazem à Terra. Podemos continuar usando roupas de lugares que produzem de forma não ética, escravizando pessoas e saqueando o planeta. Ou optar por ser agente da transformação. Financiando a moda que é a favor da vida, considerando as soluções que já estão disponíveis ou inventando novas, para que possamos continuar existindo e produzindo.

"Unir moda ao termo sustentabilidade pode parecer contraditório. E em parte é. O consumo exagerado de roupas e acessórios bem como a lógica *fast-fashion* fazem com que a data de validade desses produtos seja curta e nossas relações com eles sejam superficiais", diz no livro *Moda e sustentabilidade* Lilyan Berlin, doutoranda em ciências sociais e mestre em ciências ambientais, docente do tema em instituições no Brasil e no exterior, e uma das primeiras a falar sobre a relação dessas disciplinas com a moda.

"Para nos mantermos inseridos, compramos cada vez mais e mais, sem nos dar conta de que tudo o que compramos vem e volta para o planeta. Vestimos plantas, pelos de bichos, saliva de lagartas e petróleo", completa Lilyan. Mas ela acredita que a moda pode adotar práticas sustentáveis, criando produtos que demonstrem sua consciência diante das questões sociais e ambientais que se apresentam hoje, e, ao mesmo tempo, expressar a individualidade de quem a consome.

Algumas organizações já têm se posicionado de forma mais consciente, de "cima para baixo". A iniciativa começa (como deveria ser) nos donos e vai descendo em cadeia. Mas onde isso ainda não acontece, cada um que lida diretamente com a produção pode contribuir.

Estilistas, compradores, produtores e todos os envolvidos na criação e na produção precisam ter mais consciência sobre suas escolhas. Um produto começa a nascer das escolhas de quem o cria e materializa. Essas escolhas definem que tipo de produto será, sua utilidade e seu tempo de vida. Essas escolhas definem o impacto ambiental e social que o produto terá.

Vejo em algumas organizações em que trabalho o tanto de pessoas que ainda não estão nem um pouco preocupadas com isso. Muitas vezes porque não têm informação ou consciência. Pautadas pelo antigo capitalismo, escolhem fornecedores e matérias-primas pelo preço ou pela beleza, sem considerar a procedência, o impacto causado pelos produtos químicos envolvidos na produção e as pessoas que fazem parte do processo. Isso precisa mudar.

A sociedade parece estar cada vez mais consciente desse tema, e a moda sustentável deve expressar daqui para a frente esse tipo de sociedade. Essa é uma das mudanças da nova era que a moda precisa compreender (e, mais do que isso, absorver). Temos que concordar que não será possível mudar os rumos dessa indústria do dia para a noite. Para as novas marcas, é mais fácil vir com essa nova consciência. Mas cada uma das marcas antigas deverá avaliar quais mudanças serão necessárias e possíveis, de acordo com quem é e com seu propósito.

Revisão de consciência e processos

De acordo com o site Coletivo Verde, para ser considerado sustentável, o sistema de produção da moda deve funcionar da seguinte forma:

- Produto feito com algodão orgânico e certificado ou com reaproveitamento de jeans já existente no mercado.
- Mão de obra remunerada de acordo com as leis trabalhistas e atenção à segurança do trabalho.
- Tingimento natural.

- Programa de reaproveitamento da água utilizada na lavagem que, para isso, deve ser sem produtos químicos.
- Programa de reciclagem de resíduos, reduzindo quase em sua totalidade o lixo têxtil. Para que o produto chegue perfeito e desejável às prateleiras, deve ter um design interessante. Todo o processo de produção deve obedecer à legislação e às normas ambientais, buscando como complemento o melhor aproveitamento no uso de recursos naturais e a preservação da natureza e da biodiversidade.

Para realizar essas mudanças vamos precisar passar por uma nova revolução industrial (que para muitos já começou). Toda a lógica industrial precisará se transformar, e teremos que encontrar um novo jeito de fazer, mais sustentável. Essa transição vai ocorrer: ou vamos desenhá-la, ou seremos vítimas dela. Vamos precisar rever nossa existência na Terra, nem que seja por um instinto de sobrevivência.

O site Coletivo Verde destaca também duas marcas que têm trabalhado com métodos mais sustentáveis no desenvolvimento de tecidos:

> A Tavex Corporation, fabricante do tecido Bio Denim, substituiu seus processos químicos por naturais em toda a linha de produção do produto. Um amido natural de batata foi usado no lugar da goma sintética e nos processos de lavagem e tingimento, a manteiga de cupuaçu foi utilizada como amaciante natural, resultado de uma parceria com a comunidade da Amazônia. A extração é feita por setecentas famílias, o que movimenta recursos na região, atendendo as necessidades das famílias locais. O acabamento é produzido com algodão reciclado e feito exclusivamente com fibras e fios reaproveitados do próprio processo industrial. [...] O lançamento do Bio Jeans foi feito pelo estilista brasileiro Carlos Miele.
>
> A Tristar, uma empresa familiar do Rio de Janeiro, tem o jeans feito com algodão e tingimento orgânicos. Para ser limpo, nada de água e sabão! Segundo a marca, 24 horas na geladeira ou freezer matam as

> bactérias. O jeans sustentável ainda é dupla face, permitindo variações e consumo consciente. [...] O tecido da Tristar é resultado do plantio de algodão em uma área preservada durante cinco anos, o que dispensou o uso de agrotóxico. Todo o processo foi comandado pela Santista Indústria Têxtil, de São Paulo.

A Osklen se entendeu desde cedo como um veículo disseminador dessas ideias e sem dúvida vem contribuindo para a tomada de consciência das pessoas. Em 2007, a coleção Amazon Guardians era um grito da moda contra a exploração da natureza, o desmatamento, a pesca predatória e a biopirataria. Inspirada pelo punk rock, a coleção exibiu um ativismo pró-sustentabilidade, com roupas feitas de algodão orgânico, malhas de garrafas PET recicladas e látex natural da Amazônia.

Depois dessa vieram muitas outras coleções engajadas, utilizando palha, seda e algodão orgânicos, couro de pirarucu, lona de ecojuta, além de ações que tinham como propósito despertar a consciência sobre tais questões e que fizeram da sustentabilidade uma das marcas registradas da Osklen. Mesmo que não seja o caso de 100% dela ser feita com esse tipo de matéria-prima, sua existência ajuda na disseminação dessas ideias.

O movimento de transformação não será isolado. Vamos precisar das marcas (dos donos), dos funcionários e dos clientes. A roupa é muitas vezes apenas sentida no corpo, quando na verdade é importante pensar sobre ela também. Não criamos essa cultura. "Mas, se estamos em uma era em que é preciso um reposicionamento perante o meio ambiente e as gerações futuras, é preciso refletir sobre como nos vestimos, o que compramos, como compramos, por que compramos e que diálogo estamos travando com a natureza e com o próximo por meio da moda", diz Lilyan em seu livro.

Hoje meu ser se enche de alegria, pois vejo esse movimento de tomada de consciência acontecendo em algumas pessoas. Enquanto escrevia este capítulo, recebi um e-mail de Paula Maia, vendedora da FARM da loja do Rio Design Leblon, que alimentou meu otimismo:

> Acho a FARM uma ótima empresa, que se preocupa com muitas questões sociais. Gostei da campanha Troca Amor, mas tem uma questão me incomodando. Todo dia jogamos na loja mais de um saco de lixo de papel, sem separação para reciclagem. Além disso, mudamos a decoração e detalhes da loja com uma frequência muito grande e mais uma vez os restos da semana passada são jogados no lixo sem a menor preocupação. O planeta já está pedindo socorro, e apesar de ver outras iniciativas, como a de aproveitar as sobras de tecido para fazer os saquinhos de lingerie e biju, não vejo uma preocupação com o lixo que é produzido, e isso me decepciona.

Para as grandes organizações, que já seguem um fluxo, alterar as lógicas de produção e composição dos produtos ainda é um processo complexo. Sem dúvida esse será um dos grandes desafios da nova era. Enquanto isso, outra consciência importante é a de que existem práticas sustentáveis que podem ser adotadas em vários âmbitos, desde uma preocupação com "quem faz" até o que não está relacionado diretamente ao produto. Tudo isso ajuda a ampliar o nível de consciência dos envolvidos nessa grande fábrica (de tantas coisas) que é a moda.

Pense no bem-estar dos funcionários, no controle com a regulamentação da mão de obra e também em economia e reciclagem de papel, coleta seletiva, reaproveitamento de materiais, economia de energia... Essas iniciativas podem vir do RH, do marketing, do *branding* e até mesmo do comercial, pois podem se estender até as lojas. Dessa forma começamos a ampliar a consciência de todos. Quanto mais pessoas estiverem nessa frequência, maiores as chances de criarmos soluções.

Grande parte da energia utilizada nas fábricas provém da queima de combustíveis fósseis, por isso sua utilização é uma das principais causas do efeito estufa — e, como consequência, do aumento da temperatura do planeta. A energia que consumimos em casa também. Assim, a economia pode ser repensada, considerando desde a construção de espaços que usem luz natural, horários alternativos de trabalho de acordo com a época do ano, utilização de lâmpadas econômicas e até mesmo de matérias-primas que dispensem a lavagem ou a passagem futura (estou amando usar roupa sem passar para economizar energia e tempo).

Algumas organizações que começaram a fazer a transição já perceberam a economia financeira da revisão de processos. Por exemplo, a inclusão de placas solares para ter energia renovável pode ter o retorno do investimento em até seis anos (com a vantagem de não ser mais preciso pagar conta de luz). A compostagem de alimentos gera terra fértil (adubo líquido e sólido) e economia também para manutenção de parques e jardins. Grande parte do lixo reciclado hoje pode ser vendido ou trocado em cooperativas. Em 2014, a Prada anunciou a troca de 3800 lâmpadas fluorescentes por lâmpadas de LED, que, além de reduzir a emissão de gás carbônico em 509 toneladas, têm expectativa de vida nove vezes maior e diminuem significativamente o valor da conta de luz. No armazenamento de água da chuva também existe chance de economia e preservação.

Nos resíduos sólidos, gerados durante as etapas do processo de produção, como pedaços de tecidos, fios e até papel, também há oportunidade de transformação (e economia). Tudo isso pode ser pensado para virar enchimento de almofadas, embalagens de produtos menores, matéria-prima para utilização da equipe de *visual merchandising* e por aí vai. Hoje, na FARM, apesar de a coleta de todo o lixo ainda não ser seletiva, o papel é separado e vendido. A verba é revertida para financiar as ações de endomarketing — o que faz com que os funcionários tenham interesse em cooperar. Prints de estampas (em papel) viram quadros e decoração de lojas e do ambiente de trabalho. Algumas são até vendidas em bazares internos.

Existe ainda o lixo que estimulamos nossos clientes a produzir, com etiquetas e tags (desnecessários), que além de aumentar o custo do produto, ainda geram um desperdício enorme de matéria-prima. Caso esses materiais sejam realmente essenciais, é importante considerar como eles podem ser mais a favor da vida — com a utilização de matéria-prima mais ecológica, por exemplo. A Reformation, marca consciente de Los Angeles, tem tags nas peças que falam sobre o tempo de decomposição e os impactos ambientais de cada uma (achei o máximo isso!). No marketing, tenho ponderado muito antes de imprimir catálogos e *lookbooks*, que, além de dispendiosos, gastam papel e muitas vezes são jogados fora pelas clientes na primeira olhada. É preciso pensar em como reinventar esses materiais, de forma a não perder a emoção ou o suporte de comunicação, mostrando uma postura criativa mais consciente na produção de descartes.

Sacolas e embalagens também podem ser mais inteligentes (li num post do site ECOERA que uma pesquisa feita em doze países revelou que embalagens ecológicas influenciam a decisão de 75% dos consumidores hoje) ou até mesmo não existir. Em algumas lojas, a embalagem é cobrada ou há um desconto no valor total caso o cliente a dispense. Um ato simples pode fazer um grande impacto, como comentou Fernanda Cannalonga, da marca Canna, no Facebook: "Antes, usávamos um saquinho de algodão cru feito para proteger e uma sacola de papel para entregar os produtos. Por que não juntar as duas coisas e produzir menos lixo? Agora nossa embalagem, além de cuidar das bolsas, pode ser também sua ecobag". A real é que existe muita oportunidade em tudo o que fazemos.

Como outra forma de ampliar o nível de consciência interna (dos funcionários), em 2015 a FARM abraçou o projeto Menos 1 Lixo, criado pela Fê Cortez. A Fê trabalhou muitos anos no departamento de compras da C&A, onde aprendeu sobre boas práticas de sustentabilidade e teve contato com a realidade produtiva da cadeia da moda. Depois foi para a FARM, e em seguida abriu uma empresa de comunicação. Em 2012, depois de assistir ao documentário *Trashed*, que conta para onde vai o lixo nosso de cada dia, ela sentiu a urgência de rever seus padrões de consumo e de descarte. E foi além: criou uma campanha que pudesse estimular as pessoas a diminuir sua produçao de lixo.

Em janeiro de 2015, o Menos 1 Lixo surgiu como um movimento simbólico entre amigos e foi se espalhando. A ideia era substituir o uso de copos descartáveis por um reaproveitável e portátil. Fê entendeu que, para ser produzido no Brasil, um copo de plástico gasta quinhentos mililitros de água, cabendo nele de 250 a trezentos mililitros em média. Fora os gastos de petróleo (para fazer o plástico) e as emissões de gás carbônico (durante a produção e o transporte). Ela sentiu que isso tudo não fazia o menor sentido. Então começou o projeto, com o desafio de ficar um ano sem usar copo de plástico, carregando um copinho de metal para lá e para cá. No fim de 2015, veio o resultado: 1618 copinhos não descartados, diminuindo ainda a emissão de gás carbônico e economizando oitocentos litros de água (o suficiente para uma pessoa beber ao longo de um ano) na produção dos copos não utilizados.

Em entrevista ao caderno Meio Ambiente, do jornal *Folha de S.Paulo*, em 5 de junho de 2015, Fê provocou: "'Já teve Protocolo de Kyoto, Eco-92, Rio+20. As pessoas sabem o que vai acontecer. Por que ninguém muda os hábitos, sabendo que a gente é quem mais vai sofrer com isso?'. Para ela, trata-se de um problema de comunicação. 'As notícias são muito densas e negativas. O desafio parece grande demais. Adotei a estratégia que uso para vender qualquer outra coisa para amplificar um comportamento", disse ao jornal a partir da experiência que ganhou trabalhando com a moda. Ela fechou parceria com grandes empresas e famosos para disseminar suas ideias.

A mesma dificuldade (de ser vistas como ecochatas ou sem graça) têm as marcas que abraçam a sustentabilidade. A maioria não tem noção de construção de marca (tenho um livro ótimo para indicar, hehehe) nem de como criar produtos desejáveis, com estilo de vida, informação, identidade e que ao mesmo tempo gerem um impacto positivo. Pensam muito no produto e se esquecem da moda. Por isso, muitas dessas marcas não prosperam, assim como campanhas de conscientização ambientais e sociais.

A Reformation é talvez a marca de moda dessa nova era que mais tenha entendido esses conceitos. "We make killer clothes that don't kill the environment" [Fazemos roupas matadoras que não matam o meio ambiente] é seu propósito. A marca começou pequenininha em 2008, mas teve um boom nos últimos anos (junto com a expansão da consciência). Fiquei encantado com a loja de Los Angeles, com neons nas paredes que dizem "Future" [Futuro] e "More trees" [Mais árvores]. Lá a água é distribuída em caixinhas de papel reciclado com a frase "Boxed watter is better" [Água na caixa é melhor] estampada. Todos os móveis são feitos de *upcycling*, e as músicas são maravilhosas.

Além da preocupação com o ponto de venda, a marca soube fazer associações importantes com personalidades — virando uma das favoritas de Rihanna, Taylor Swift, Karlie Kloss, Vanessa Hudgens e de muitos formadores de opinião. Dessa forma ajuda não só a provar que é possível desconstruir e rever o sistema, como também usar a moda para promover a expansão da consciência e conectar pessoas que acreditem no mesmo propósito.

Ideias circulares

A visão analítica e mecânica obscureceu a visão holística e orgânica dos fenômenos, nos impedindo de ver a vasta e complexa rede de relações, ligações e interdependência de todos com todos e tudo. Assim como as eras e as transformações, tudo o que acontece no mundo é cíclico. O planeta é cíclico. A natureza não é linear — é holística, intuitiva e alimentadora. No entanto, a lógica da moda vem sendo pensada de forma linear: a gente extrai, produz, consome e joga fora, com base na crença de que os recursos naturais são infinitos, fáceis de adquirir e baratos, de modo que podem ser descartados.

Mas você já parou para pensar para onde vão as roupas que sobram das liquidações? Para onde vão aquelas descartadas porque não estavam na cor "correta", apresentavam "defeitos" de fabricação ou não foram feitas para durar? No fim da vida, muitas desses 80 bilhões de peças feitas por ano voltam para a natureza. Quer dizer, vão para os aterros sanitários, infelizmente, nem sempre da forma mais apropriada.

Li no site ECOERA que, só na Inglaterra, cerca de 2 milhões de toneladas de roupas e 3 milhões de toneladas de gás carbônico são despejados, *por ano*, em aterros sanitários (juro, nem consigo ter ideia dessa quantidade), e muitas roupas são queimadas. No Brasil, apenas na região do Bom Retiro, em São Paulo, são descartados todos os dias, inadequadamente, doze toneladas de resíduos têxteis (retalhos), de acordo com o SindiTêxtil. O impacto disso no meio ambiente é incomensurável. Sem contar que há um enorme desperdício de tecidos que poderiam ser reciclados e reinseridos no processo de fabricação, sem exigir recursos naturais virgens. Mais uma vez: o processo inteiro precisa ser repensado.

Uma das formas de reverter esse quadro é a prática do ecodesign, que tem como propósito conceber produtos pensando em todo o seu ciclo de vida — desde a criação, passando pela extração da fibra bruta e pela produção, até o descarte — com atenção para reduzir os impactos em cada etapa. Isso já acontece com algumas marcas, que veem o meio ambiente ou o planeta como *stakeholder* prioritário, parte essencial do propósito da organização. Mas deveria acontecer em todas as marcas. Esse deverá ser o papel de um designer daqui para a frente: ao criar uma peça, ele precisará pensar na redução das perdas, na durabilidade, na forma como ela vai ser feita e nos resíduos. Bons designers criarão soluções, enquanto designers ruins continuarão criando problemas (um produto descartado será fruto de um design ineficiente).

Isso significa pensar num produto que realmente seja relevante para as pessoas e a favor da vida, com uma seleção consciente e amorosa do uso de matéria-prima, considerando as que causam menor impacto ao meio ambiente. Na hora da produção, corte otimizado, para que haja o melhor aproveitamento da matéria-prima e menor perda. Consciência também em toda forma de produção e seleção de fornecedores e onde as peças serão produzidas, considerando os impactos de transporte e distribuição. E pensar no fim da vida do produto.

A Saissu é uma marca brasileira que acredita nisso. A começar pelo nome, que em tupi-guarani significa amor. É essa a mensagem que pretende transmitir, manifestada principalmente na responsabilidade social e ambiental de seus produtos, ações e conceitos. Seu desenvolvimento é feito em parceria com ONGs e cooperativas com capacitação própria — tudo com mão de obra 100% brasileira. Sua matéria-prima vem de materiais reciclados, como a borracha (de câmaras de pneu), a lona, o algodão e garrafas PET, que viram lindas bolsas, malas, capas de pranchas, acessórios e calçados.

Voltada para o público masculino, que valoriza "estilo" e se preocupa com questões socioambientais, além do cuidado em todo ciclo do produto, a qualidade é um fator essencial para a Saissu. A matéria-prima usada faz com que os produtos tenham alta resistência e durabilidade, capazes de atravessar gerações. Para expandir ainda mais o tema da sustentabilidade, em 1º de julho de 2015, a marca lançou uma parceria com o projeto Plant Your Tree, que atua na restauração, manutenção e preservação de ecossistemas ameaçados, para que a cada peça vendida uma árvore fosse plantada. Segundo o site da Saissu, de acordo com Ricardo Machado, que organizou o projeto: "Os produtos Saissu são feitos com borracha reciclada. A borracha vem das árvores. Quando um produto Saissu planta uma árvore, ele está fechando o ciclo — veio de uma árvore e terminou em outra!".

Iniciativas como essa contribuem para a disseminação de uma economia circular, na qual nada se perde e tudo se transforma, considerando o retorno de matérias-primas ao início da produção por meio da reciclagem ou reutilização. Preveem geração zero de resíduos, uma vez que o produto se transforma em insumo para outro (como ocorre na natureza). "Poupa tempo, dinheiro, aumenta a produtividade, fomenta empregos verdes e o desenvolvimento de tecnologias inovadoras; além disso pode aumentar a competitividade de um país ou de uma empresa ao reduzir a sua dependência de recursos naturais", me disse Bruna Miranda, do site Slow Fashion Review.

Isso mesmo: faz bem ao planeta e poupa dinheiro. Em 2015 a consultoria McKinsey estimou que só a Europa economizaria 1,8 trilhão de euros até 2030 caso adotasse princípios da economia circular. Isso porque grande parte da matéria-prima seria reaproveitada, economizando a compra e a produção de novas matérias-primas — o que geraria menos impactos ambientais. Na lógica circular os materiais são reciclados infinitamente, sem perder valor.

Na indústria têxtil circular, uma peça que tenha atingido o fim da vida é mantida dentro do sistema, para que seja utilizada outras vezes como matéria-prima para novas peças. Um exemplo é o Programa de Tecidos Circulares, da União Europeia, que tem o propósito de estabelecer um processo que garanta a recuperação e o *upcycling* de tecidos em um circuito fechado, para preservar o meio ambiente de novas extrações. Em Panipat, na Índia, onde toneladas de roupas são descartadas por países desenvolvidos, existe uma indústria especializada no seu reaproveitamento. As peças são transformadas em fio para depois virar tecido e, por fim, roupa novamente.

O documentário *Unravel*, disponível no YouTube, mostra um pouco desse ciclo da moda ao acompanhar o trabalho de mulheres que passam horas separando e reciclando quilos de peças.

Algumas maneiras de ativar a moda circular são a compostagem, a reciclagem e o *upcycling*. Vejamos agora uma a uma.

Compostagem

É viável para resíduos biológicos, peças com fibras 100% naturais (como o algodão orgânico) e sem tingimento químico que, em contato com o solo (nos aterros sanitários), viram adubo, o qual, por sua vez, volta para a terra devolvendo os nutrientes para plantar sementes e árvores, dando origem ao fruto do algodão, que é colhido e fiado para então se tornar uma nova peça.

Em "Orgânicos" (p. 225) e "Detox" (p. 220) veremos vários exemplos de como viabilizar esse processo.

Reciclagem

Para resíduos sintéticos. Fibras recicláveis, como o poliéster, também podem se beneficiar da metodologia *cradle to cradle* [do berço ao berço], para a qual não existe o conceito de lixo: tudo é nutriente para um novo ciclo. O tecido é destruído para ser transformado em novo insumo (para serem recicladas, as peças não devem ter mistura de materiais). A reciclagem de tecidos no Brasil ainda é muito baixa, mas vale lembrar que já estão disponíveis tecidos feitos de garrafas

PET, por exemplo, quando se esgotam as possibilidades em outra indústria, ou por opção (para que sejam novamente inseridas no ciclo).

A Levi's, a maior produtora de denim, anunciou em 2014 a expansão da reciclagem de roupas para sua linha principal nos Estados Unidos, ajudando assim os consumidores a reciclar suas peças, enquanto reduz o volume de resíduos enviados para aterros — quem leva uma peça de roupa para reciclar recebe um voucher com 20% de desconto na loja. É o mesmo que a H&M tem feito em suas lojas no mundo todo. Ela acredita que 95% do que é descartado poderia ser reaproveitado (e o que não é reaproveitado é doado). A economia feita na compra de matéria-prima justifica o desconto e ajuda a fechar a conta. Em ambos os casos, o consumidor se engaja como parte da solução do problema.

Ao lado da Levi's e da H&M nessa missão está a I:Collect (I:CO), uma organização especializada na triagem e na reciclagem de peças usadas. Assim como no projeto Pegada Sustentável 2.0 que fez para a adidas, a I:CO é responsável pela política reversa — recolher roupas e calçados depositados nas lojas e dar um novo destino a eles. As peças coletadas podem ser utilizadas de três maneiras: higienizadas e encaminhadas para brechós, reaproveitadas na fabricação de um novo produto ou como fonte de geração de energia em fornos de cimento.

No compromisso com a mudança e também como forma de conscientizar as pessoas, em 2010 a Nike transformou garrafas plásticas nos shorts oficiais da Copa do Mundo. O material plástico de oito garrafas ganhou nova vida em cada short de poliéster (foram 13 milhões de garrafas no total). Houve um consumo de 30% da energia que seria utilizada na manufatura de um novo tecido.

A Mescla, do Rio de Janeiro, é uma das novas marcas que começou experimentando o conceito de reciclagem. Criada por Lucas Arcoverde, ela se preocupa com os recursos naturais e nos faz pensar em um desenvolvimento consciente. Tecidos de fibra de PET e algodão orgânico e reciclado fazem parte da essência da marca, que cria peças atemporais cheias de design. Além disso, todo material expositivo usado em feiras e eventos de que a marca participa é reciclado (a estante-arara feita com escada de pintar e cadeira é destaque por onde passa).

Lucas Arcoverde me disse:

> Uma das vantagens do PET é a reciclagem. Ainda tem um papel social, pois muitas pessoas vivem de catar e selecionar materiais. É uma forma importante de reinventar possibilidades. O lixo ainda é muito pouco reciclado no Brasil. Se as pessoas começarem a ver e a acreditar nesse tipo de iniciativa, e em várias outras que possam surgir, isso poderá ser um estímulo, e quem sabe a própria indústria têxtil não terá interesse em estimular a reciclagem do lixo. Dentro das fábricas são produzidos insumos e resíduos que podem ser transformados em matéria-prima, inclusive com economia financeira, e muitos não se dão conta disso.

No início eram apenas camisetas na Mescla, até que, entendendo a importância de aumentar o mix de produtos, no fim de 2015 ela lançou sua primeira bermuda, composta de 70% algodão reciclado com 30% de fibra de PET. O mais legal fica no detalhe: a etiqueta externa é feita de retalho de pneu, que passou por um processo de curtimento igual ao do couro e leva a marca gravada a laser (sem gasto de tinta).

Upcycling

Diferente da reciclagem, que usa energia para destruir a forma e então transformar em algo novo, o *upcycling* reinsere a peça descartada no processo para então transformá-la. A peça é a matéria-prima, e o trabalho agrega valor a ela transformando-a em uma nova, com criatividade e baixo gasto de energia (porque não é preciso destruir nada). Também uma alternativa para peças que não podem ser recicladas (devido à matéria-prima ou mistura de materiais).

Quem acredita nesse tipo de gestão sustentável é Gabi Mazepa, do projeto Re-Roupa, que trata de uma etapa importante (e muito esquecida) do ciclo do vestuário: o descarte. Ela transforma peças que já existem (sobras de marcas, peças próprias, doadas ou garimpadas em brechós) em outras completamente diferentes, cheias de "moda" — e arte.

Vários caminhos me levaram a Gabi. Quando nos conhecemos, montamos um curso de costura criativa e *upcycling* no IED. Fiquei encantado com sua história e impressionado com seu trabalho, pois é raro ver um resultado realmente bonito e com apelo estético dentro dessa proposta (o *tumblr* sustentavelhorrivel.tumblr.com está aí para comprovar). Após deixar a faculdade de arquitetura para estudar "*textile*" na França, Gabi aprendeu a manipular o tecido como intervenção artística e fez seu projeto de conclusão sobre a memória afetiva das pessoas relacionada às suas roupas.

Ela disse ao blog adoro!, em 22 de junho de 2015:

> Percebi a relação completamente diferente que elas têm com o consumo e que certamente produzimos muito mais roupa no mundo do que a capacidade de consumi-las. Isso me abriu portas tanto pra pesquisar a relação mais intimista de cada um com a roupa quanto pra explorar maneiras de reaproveitar os excessos das grandes indústrias de tecido.

De lá pra cá, Gabi reaproveitou materiais diversos para construir novas roupas. Ela também promove oficinas nas quais as pessoas têm a possibilidade de transformar peças do próprio armário. "Elas chegam com uma saia e saem com uma blusa!", ela conta no mesmo blog. Gabi voltou para o Brasil por acreditar que pode trazer essa consciência para cá. "Isso de transformar uma coisa em outra é muito brasileiro. É desafiador, mas o improviso é coisa nossa. Não tem como não dar certo."

Engana-se quem pensa que *upcycling* tem a ver só com reformar roupas. Está relacionado também com todos os tecidos esquecidos na fábrica, sobras de aviamento e outras matérias-primas que vão sobrando ao longo das coleções. Muitas vezes sem controle, tudo isso é esquecido e acaba virando resíduo. Uma postura sustentável também tem a ver com um olhar crítico para o que é descartado. E jamais vou esquecer uma coleção de longos na TopShop com tecidos que perderam elastano — imagina o prejuízo (em todos os sentidos) que teria o descarte e a economia que foi feita.

Para Gabi, ações como essa ajudam a promover uma nova consciência. Ela (como eu) não acredita que possa haver uma grande revolução, mas que cada um de nós promoverá pequenas transformações. Em cada escolha. Em cada ação. Seu projeto, assim como o da Fê Cortez, tem o indivíduo como foco. Um a um. Até se espalhar por muitos outros. Hoje temos a chance de ativar uma imensa rede, acelerar e encurtar processos, já começar grandes mesmo pequenos. Por que não seria possível?

"O mundo, de uma forma geral, produziu mais do que podia e distribuiu mal: tecido, roupa, alimento, renda... É um assunto complexo, mas não posso fugir dele pra explicar o que faço. O reciclar pode ser aplicado em todos esses campos. É uma questão de consciência", finaliza Gabi no blog.

Além dessas iniciativas, existem outras que também "prolongam" a vida útil das peças e contribuem para minimizar os impactos ambientais dos resíduos. Algumas marcas estão se engajando sério para fechar o ciclo e assumem a responsabilidade completa por seus produtos (o que faz muito sentido, não?), produzindo coisas para durar mais ou consertando-as — como o projeto Regenera, da marca Pipe, que recolhe roupas em suas lojas para esse fim — e até ajudando a vender ou trocar quando as pessoas não querem mais.

Não compre esta jaqueta

A marca norte-americana Patagonia tem um propósito claro: "Fazer os melhores produtos, causando o mínimo de impacto, usando os negócios para inspirar e implementar soluções à crise ambiental", como explica o site Mundos das Marcas. E continua:

> O que você pensa de uma empresa que fatura mais de meio bilhão de dólares por ano lançar uma campanha de marketing pedindo que seus consumidores pensem duas vezes antes de comprar um produto novo?

Pois é exatamente o que a marca californiana de roupas esportivas faz. A marca já colocou etiquetas nas roupas com a mensagem: Você realmente precisa disso? Outro exemplo ocorreu em 2011, durante a popular Black Friday, a famosa sexta-feira em que os americanos vão às compras de forma compulsiva, quando a Patagonia publicou um anúncio de página inteira no tradicional jornal *The New York Times* dizendo: "Não compre esta jaqueta". Detalhe: a jaqueta era da própria marca. Mais abaixo, os avisos:

"REDUZA. Nós fazemos produtos que duram muito tempo, assim, não compre aquilo que não precisa. RECUPERE. Nós o ajudamos a recuperar seu produto Patagonia, se prometer que vai consertá-lo quando estiver danificado. REUSE. Nós o ajudamos a encontrar um novo lar para um produto de que não precise mais caso tenha interesse em vendê-lo ou passá-lo adiante. RECICLE. Nós buscaremos seu produto que está inutilizado se prometer que vai deixá-lo longe de um aterro sanitário ou incinerador.

Com a propaganda, a marca pretendia

fazer os consumidores refletirem se realmente precisavam comprar mais roupas, sapatos e produtos, só porque o preço era uma pechincha. A iniciativa foi uma extensão do programa Common Threads Initiative, lançado pela Patagonia em 2005 e apoiado nas premissas de reduzir, reparar, reutilizar, reciclar e reimaginar. A marca solicita aos clientes que encaminhem roupas danificadas para reparos, façam doações de peças que possam ser comercializadas por preços mais baixos e não comprem novos produtos que não tenham uma real utilidade. A empresa montou uma estrutura para receber de volta roupas velhas e gastas da marca, que são então enviadas para recicladores, em muitos casos, em outros países. Aproximadamente 47 toneladas de roupas foram devolvidas à empresa desde então — e sua reciclagem deu origem a mais de 35 toneladas de vestimentas novas.

Mais recentemente a empresa lançou uma campanha cujo conceito central era a proposta "Celebrate the stuff you already own", algo como "Celebre as coisas que você já tem". A campanha, que foi criada como antídoto para conceitos de promoção comercial, consiste em histórias de pessoas contadas a partir de peças de roupa da marca que as acompanham há muito tempo, ilustradas com fotos que traduzem o mesmo conceito, por exemplo, uma jaqueta infantil que tem em sua etiqueta os sete nomes das crianças a quem ela já pertenceu. Desse modo, essas histórias transmitem, com base em fatos reais, toda a confiabilidade da marca Patagonia. E roupas para esportes ao ar livre precisam ser extremamente confiáveis. Afinal, ninguém quer descobrir que sua calça impermeável não é tão impermeável assim no meio de uma tempestade com ventos de dezenas de quilômetros por hora em uma trilha no fim do mundo.

Pode parecer uma enorme jogada de marketing, mas o fato é que a empresa tem demonstrado suas boas intenções sustentáveis há anos e a lista de iniciativas é extensa. Por exemplo, desde 1985, a Patagonia destina 1% de sua receita ou 10% do lucro, o que for maior, para grupos de proteção do meio ambiente. Desde então, a empresa já doou mais de 55 milhões de dólares a 1200 organizações. E mais exemplos não faltam. Foi uma das primeiras empresas americanas a oferecer aos funcionários licença-maternidade e paternidade. Seus funcionários podem ir trabalhar de bermuda e chinelo e têm horários flexíveis. A sede da empresa, em Ventura, na costa da Califórnia, também coloca em ação o que prega. Usa energia solar, só tem comida orgânica no refeitório (onde nenhum item é descartável) e oferece incentivo para o uso de bicicleta. Na recepção há um grande quadro com boletins atualizados sobre as condições do tempo para o surfe, esporte preferido de boa parte dos empregados. Ao sinal de ventos generosos, qualquer um pode passar a mão na prancha e rumar para a praia. Além disso, desde 1984, não há escritórios particulares, e a Patagonia foi uma das primeiras empresas americanas a ter creche no local de trabalho.

Detox

"Era uma vez um reino não tão distante onde vivia um pequeno rei. Sua mãe queria só o melhor para seu querido filho e comprou para ele as roupas mais luxuosas do reino. No entanto, ele se recusava a vesti-las porque conseguia ver algo que sua mãe não conseguia. Ele percebia que as roupas estavam contaminadas com substâncias químicas perigosas. Recusando-se a vestir qualquer roupa, então proclamou que nenhum produto tóxico nas roupas seria permitido em seu reino e em todo o mundo, desafiando os alfaiates a produzir roupas livres de tóxicos para ele e para todas as crianças."

A pequena história acima é uma releitura do clássico *A nova roupa do imperador*, de Hans Christian Andersen, em que um rei é enganado acreditando estar vestindo roupas especiais quando na verdade está completamente nu. Ela foi adaptada pelo Greenpeace para revelar a mentira tóxica por trás das marcas de luxo do mundo da moda. No conto de fadas atual, grandes marcas do mundo fashion, como Versace, Louis Vuitton, Dior e Dolce & Gabbana, estão enganando seus consumidores, escondendo a presença de substâncias químicas perigosas por trás do glamour de suas passarelas.

Quem diz isso é o próprio Greenpeace em seu site, com base numa investigação, divulgada em 17 de fevereiro de 2014, que revelou a presença dessas substâncias na produção de roupas de adultos e crianças.

A maior concentração total de químicos polifluorados (PFCs) foi encontrada em uma jaqueta da Versace. Essas substâncias são despejadas nos rios e lagos de países onde são fabricadas, mas também estão sendo liberadas das roupas compradas e vendidas no mundo todo. Quando liberadas no meio ambiente, elas podem contaminá-lo, e em contato com o corpo algumas são capazes de causar distúrbios hormonais.

A investigação fez parte da campanha Detox, que foi lançada em 2011 e "pede o comprometimento de grandes marcas para zerar o despejo de substâncias químicas perigosas nas águas até 2020", diz o site. Por conta disso, "vinte grandes organizações como Nike, adidas, Puma, C&A e Victoria's Secret se comprometeram a desintoxicar e estão trabalhando por uma cadeia de produção transparente e livre de contaminação" (tomara!).

Em 2012, novas investigações encontraram mais produtos químicos perigosos em roupas de vinte das principais marcas de moda. O relatório divulgado no dia 20 de novembro daquele ano apontava a Zara no topo da lista (imaginem quantas "vítimas da moda" a maior varejista de roupas do mundo não fez). O relatório do Greenpeace adiciona:

> Os itens testados foram fabricados principalmente no hemisfério sul e incluíam calças jeans, calças, camisetas, vestidos e roupas íntimas, para homens, mulheres e crianças, feitas a partir de fibras artificiais e naturais. [...] Em alguns dos itens testados da Zara, foram encontradas substâncias cancerígenas e que podem desregular os hormônios naturais, o que é inaceitável para os consumidores e para as pessoas que vivem perto da fábrica onde essas roupas são feitas. Como a Zara pode ter certeza de que mais roupas da sua linha de produção não estão contaminadas com esses produtos químicos perigosos?

Em 28 de novembro do mesmo ano, o grupo têxtil Inditex, do qual a Zara faz parte, assumiu o compromisso de eliminar todas as substâncias químicas perigosas de sua cadeia de produção, incluindo a de fornecedores. A dispersão de substâncias químicas perigosas em sistemas de água, na fabricação de roupas e após sua venda — como quando são lavados os resíduos químicos existentes nos produtos — só pode ser enfrentada com a eliminação rápida e transparente de seu uso na fonte.

Em 4 de dezembro, novas investigações, dessa vez na China, identificaram esgotos industriais contendo uma grande quantidade de substâncias perigosas. O relatório "Fios tóxicos: Colocando a poluição contra a parede" revela que grandes marcas comerciais, como Levi's, Calvin Klein e GAP estão "explorando sistemas de esgotos complexos para evitar um exame detalhado dos seus processos de fabricação".

Em 2013, foi a vez de investigar as marcas da alta costura. No dia 7 de fevereiro, o Greenpeace Itália divulgou um ranking "que revela grandes diferenças entre as políticas de adequação ambiental. A maioria continua utilizando produtos tóxicos que poluem as águas e o couro vindo de áreas desmatadas ilegalmente. Poucas têm planos de mudar de atitude". Ainda segundo o relatório do Greenpeace:

> O ranking Duelo da Moda propõe uma disputa entre as marcas por uma produção mais sustentável. Por enquanto, a grife italiana Valentino lidera a lista, já que se comprometeu a eliminar todos os lançamentos de produtos químicos tóxicos e a adotar o desmatamento zero em toda a sua cadeia de fornecimento. Enquanto isso, seis diferentes marcas famosas, como Prada, Chanel, Hermès e Dolce & Gabbana, aparecem em último lugar por não tomarem nenhuma decisão sobre melhorias em suas políticas ambientais.

No fim de 2015, passei uma semana no escritório da C&A em São Paulo para conhecer as iniciativas de sustentabilidade realizadas pela marca. Lá encontrei Marcos Camargo, que está à frente da cadeia de fornecimento sustentável, uma plataforma que trabalha com metas e objetivos importantes, definidos globalmente para aumentar o nível de sustentabilidade no negócio. Pelo que vi, hoje a marca é referência no Brasil em alguns aspectos, mesmo sem comunicar ou explorar isso na estratégia de marketing.

Além da consciência ambiental, a organização trabalha em várias frentes, que vão da manutenção do Instituto C&A à preocupação com bem-estar, segurança, qualidade de vida de funcionários, clientes e fornecedores. Marcos me contou que a segurança química dos produtos (tanto para quem usa quanto para o meio ambiente depois do descarte) tornou-se de fato uma meta global (muito ambiciosa), para que até 2020 a C&A ofereça roupas extremamente saudáveis. No acordo com o Greenpeace foram listadas catorze substâncias consideradas tóxicas que devem ser controladas (em corantes e pigmentos, por exemplo). Faz parte dessa meta garantir que todos os processos produtivos que utilizam água a devolvam tratada e livre desses tóxicos para o meio ambiente.

A utilização desses agentes químicos em todo o mercado é muito mais comum do que imaginamos. Não só por causa do preço (o que faz mal é mais barato), mas por desinformação e falta de consciência. Talvez faça parte do próprio amadurecimento do setor — vindo de uma época na qual não se falava ou discutia sobre isso — a pressão pública e de instituições, como o Greenpeace, estimulando a transformação.

No instituto me lembrei de uma das experiências mais simples e transformadoras que tive em Piracanga: tomar banho, beber, fazer comida com água de bica (o que é muito comum em outros países, mas aqui é impensável). Para conseguir isso, bastava que ninguém na vila usasse produtos de higiene ou limpeza feitos com químicos que não fossem biodegradáveis. E a lógica (da responsabilidade) é sempre essa. Nosso estilo de vida e o que fazemos determinam as coisas que temos e o impacto que recebemos.

Marcos cita algumas preocupações da C&A:

> Estamos elegendo as principais tinturarias, tecelagens e lavanderias dentro do nosso portfólio e começando a discutir com elas essa lista de tóxicos; traçando um plano em conjunto para eliminar os produtos da nossa cadeia. Muitos já têm o uso dessas substâncias bastante minimizado; o desafio é mapear a cadeia toda, saber onde está comprando e o quê... Outra forma de reduzir os químicos é aumentar o uso de algodão orgânico e matérias-primas recicláveis, feitas de PET, o que também virou meta para a gente. Além disso, existe a preocupação com a presença de chumbo e níquel nas bijuterias, o que na Europa foi totalmente banido. E até a segurança mecânica dos produtos, que é muito importante pra gente também, principalmente na linha infantil, que tem a ver com resistência e tamanho de botões, aviamentos ou cordões de capuz, por exemplo...

Isso tudo é garantido por uma empresa própria de auditoria, que atua "ranqueando" fornecedores de A (o melhor) a E (o pior). São levados em conta diversos critérios, desde a segurança do lugar e as condições de trabalho até os materiais usados. Com base nesse ranking, alguns são cortados imediatamente, enquanto outros (que são menos frágeis) recebem um plano de ação, para que melhorias sejam feitas e eles possam continuar cadastrados como fornecedores. Dessa forma, ajudam a desenvolver a cadeia. Constantemente são realizadas auditorias (que variam de quantidade de acordo com a posição no ranking), nas quais os fornecedores podem mudar de posição.

Outra garantia é a certificação da Associação Brasileira do Varejo Têxtil (Abvtex), que a C&A ajudou a fundar. O programa de certificação permite às empresas do varejo têxtil monitorar seus fornecedores quanto à adoção de boas práticas nas relações de trabalho e nas questões ambientais. A certificação, realizada por meio de auditorias independentes, contempla aspectos como a não utilização de mão de obra infantil ou em condições de trabalho análogas às de escravo, liberdade de associação, documentação regular dos empregados e questões de saúde e segurança, entre outras. Marcos demonstra bastante orgulho em fazer parte disso tudo:

> Tudo o que falamos aqui é bastante sério, cada vez mais as pessoas estão atentas a isso, e claro que já é, e será cada vez mais, uma preocupação das marcas com sua imagem no mercado. Mas para nós, sinceramente, vejo tudo isso como uma questão de valores. A família fundadora do grupo tem isso muito claro. Aqui qualquer comprador pode descobrir um fornecedor para fazer o produto mais barato do mundo, que, se não estiver dentro do nosso código de conduta, ele não vai comprar. Não é só dinheiro, entende?

Orgânicos

Nossa pele é o principal *órgão* de absorção do nosso corpo. Mesmo assim, não costumamos pensar no que colocamos em contato com ela. Dormimos em lençóis, usamos toalhas e roupas durante toda a vida sem nos dar conta de que podem ter toxinas. Por exemplo, você sabia que 90% da oferta mundial de algodão é geneticamente modificada e que nesse processo são utilizadas inúmeras substâncias químicas altamente tóxicas, algumas até cancerígenas?

Não é à toa que muitas pessoas vivam com problemas respiratórios (como asma e bronquite) e alergias. O maior causador desse mal é o algodão — essa "coisa" macia e fofinha, inofensiva à primeira vista. Mas, claro, nem todo algodão é ruim. Pena que os orgânicos correspondam a apenas 0,7% da produção mundial.

A agricultura orgânica é uma alternativa importante para a produção de roupas mais saudáveis — para o meio ambiente e para nossa saúde —, pois não utiliza agrotóxicos e pesticidas. A lógica é bem parecida com a dos alimentos — diminui os danos ao solo, ao meio ambiente em geral e ao ser humano. Combinando colheitas alternadas e métodos ancestrais, o cultivo ocorre dentro de um sistema a favor da atividade biológica, considerando a preservação ambiental e o bem-estar de quem faz.

A preservação do solo se dá graças ao sistema de alternar culturas no mesmo espaço, de modo que os nutrientes do solo não se esgotem. Assim, descarta a necessidade de fertilizantes sintéticos, o que reduz o consumo de água, emissão de gases, acidificação, eutrofização e demanda de energia primária, chegando a participar 46% menos do aquecimento global. As pragas são combatidas com a inserção de espécies predatórias benéficas ou com outro tipo de planta que seja mais atraente para esses insetos.

Com tudo isso é preciso de mais gente para trabalhar, gerando mais empregos, em comparação com a produção comum, que, ainda hoje em muitos lugares do mundo, faz uso de mão de obra escrava. As condições de trabalho também são melhores. Cerca de 250 mil agricultores adoecem a cada ano no mundo por conta do uso de produtos químicos nas lavouras. No entanto, por falta de conhecimento ou até mesmo de oferta, acabamos estimulando a indústria tradicional. Como disse Fê Resende, em 31 de agosto de 2015, no Oficina de Estilo:

> A real é que a gente tem financiado esse esquema com cada camisetinha 100% algodão que a gente compra. Mais: é tanto tanto mas TANTO produto químico nas plantas, que o algodão absorve geral e retém durante todo o processo de fiação, industrialização e tecelagem. Então ó, a gente

tá vestindo remédio todo dia, toda hora, botando de propósito esses tóxicos todos em contato com a nossa pele.

Em todo o mundo, o cultivo do algodão orgânico é uma atividade de fomento à agricultura familiar, em que pequenos e médios produtores trabalham em conjunto com órgãos governamentais, ONGS e instituições de ensino e pesquisa que apoiam a causa. O algodão agroecológico segue os mesmos princípios, porém é produzido por pessoas que não têm como arcar com os custos da certificação para ser enquadrados como orgânicos. Para ambos se desenvolverem, precisamos gerar essa demanda. Como produtores (marcas) e como clientes cabe a nós apoiar, por meio das escolhas de compra.

A produção e a comercialização não só do algodão, mas da agricultura orgânica como um todo, ainda são pequenas no Brasil, porém estão crescendo. A Associação Brasileira da Indústria Têxtil e de Confecções diz que o crescimento por aqui é em média de 20% ao ano, com a produção do "algodãozinho orgânico" (algodão cru), malha, sarja, brim natural e linho. No mundo, ela dobra a cada ano, de acordo com a Organic Exchange. Grandes marcas como H&M, C&A, Nike e Gap vêm ajudando a encorpar a estatística.

Por aqui, em 2014 a C&A foi a primeira a lançar um programa contínuo com matéria-prima orgânica em suas lojas. A coleção infantil Essentials Baby, em parceria com a Disney, foi toda elaborada com algodão orgânico e outros tecidos 100% naturais. Hoje, grande parte da linha infantil da loja conta com esse tipo de matéria-prima, e a marca firmou um compromisso de expandir esse uso para outras linhas — em 2016 foi lançada uma coleção inteira de jeans na qual não só o fio era orgânico, como todo o processo foi pensado para ser o mais sustentável possível, da lavagem ao beneficiamento. E o melhor: pelo mesmo preço do jeans tradicional e com efeitos tão lindos quanto.

Em São Paulo, a marca Eden Organic nasceu em 2006 para realizar sonhos sustentáveis, com peças totalmente livres de produtos químicos nocivos, produzidas com tecidos de puro algodão orgânico, com corantes e pigmentos naturais. Hoje a marca assiste duzentas famílias no campo, produtoras de algodão 100% orgânico. Os produtos são superbonitos. "Quem usa Eden Organic deixa o mundo melhor", diz em seu site.

No fim de 2015, numa viagem a Floripa para lançar *A moda imita a vida*, conheci Davi Hennemann. Sua marca, a Divinno, tem o propósito de promover e se comunicar com o mundo através do consumo consciente. "Isso representa comprar bem, optar por materiais que não agridam o meio ambiente, saber de onde eles vêm, quem fez as roupas e a que condições de trabalho essas pessoas estão expostas. Queremos ser lembrados como uma marca antenada e atual, que se importa com as pessoas e o meio ambiente", ele me disse. Esse parece ser o pensamento da maioria das marcas que estão surgindo. Principalmente as que têm mais conexão com a natureza.

Davi cursou arquitetura até o sexto semestre e sempre se interessou por bioconstruções, nas quais a preocupação ecológica está presente da concepção à ocupação, utilizando materiais que não agridem o ambiente e, se possível, reciclando materiais locais, aproveitando resíduos e minimizando o uso de matéria-prima nova. Todo projeto foca no máximo aproveitamento dos recursos disponíveis com o mínimo de impacto, com melhor uso da ventilação e da iluminação natural, por exemplo. Ele também me disse: "Eu achava ruim pagar por um logo gigante no peito das camisetas, fazer propaganda de marcas que vendiam peças que faziam mal à natureza, que eu não sabia da onde vinham nem a que condições de trabalho as pessoas que as faziam estavam expostas".

Foi assim que nasceu a vontade de investir na moda. Ele começou com a pesquisa de materiais que pudessem cumprir seu propósito.

> Primeiro tentei usar apenas garrafa PET, mas o toque e a cor não me agradaram, apesar de ser ótimo para sublimação. Depois tentei o 100% bambu, mas a cor foi um problema também. O toque era ótimo, mas não aceitava sublimação. Então achei em Blumenau o tecido certo para mim: 100% algodão orgânico, sem agrotóxicos e com menor emissão de gás carbônico. Estava resolvido! Ainda por cima aceitava a impressão digital com tinta à base d'água diretamente no tecido.

As t-shirts da Divinno trazem um corte bem contemporâneo e estampas que contam com a colaboração de pessoas com atitude e engajamento com a causa, como a surfista profissional Jacqueline Silva, o fotógrafo Douglas Cominski, e o artista e *free surfer* Binho Nunes. No site, as pessoas podem customizar as camisetas, escolhendo a estampa, o corte e a cor, tornando assim a peça mais pessoal. A maior parte da produção hoje é de algodão orgânico, livre de agrotóxicos, corantes e adubos químicos, ou de qualquer outra substância que seja prejudicial aos agricultores nas lavouras, além de composições mescladas de algodão orgânico com garrafas PET, a matéria-prima que retira do meio ambiente um material de difícil decomposição, responsável por mais de 30% dos resíduos sólidos coletados nas cidades brasileiras.

Há também as marcas que estão aos poucos fazendo a transição. Enquanto ainda não adequaram toda a sua produção, criam linhas de orgânicos. Uma delas é a Diesel, que criou a Pure Organic, feita em algodão natural e, segundo a marca, sem utilização de nenhum processo químico em sua produção. A Levi's criou a Levi's Eco, produzida com algodão 100% orgânico e certificado. Aqui no Brasil, C&A, Foxton e Ronaldo Fraga já utilizaram a matéria-prima em suas coleções.

Veganismo

Desde pequeno eu sentia um chamado para conhecer a floresta. Guardo até hoje alguns desenhos de quando sonhava como ela seria. No inverno de 2015, finalmente, fiz uma viagem de imersão pela Amazônia. Minha guia foi Karina Miotto, terapeuta holística, jornalista e ativista ambiental, com passagens pelo Greenpeace e pela Amazon Watch, que realiza um projeto lindo, o Reconexão Amazônia — uma viagem que nada tem a ver com turismo, e sim com (re) conectar as pessoas emocionalmente com a floresta.

Durante o retiro — entre momentos de contemplação, silêncio e meditação —, descobri o que estava fazendo ali. Ao desenvolver ainda mais empatia e carinho pela floresta, compreendi que aquele chamado era para ajudar a salvá-la. E, numa velocidade avassaladora, fui conhecendo pessoas e histórias, e vivendo situações que acordaram minha consciência para sua preservação.

Como Karina costuma dizer, o problema da Amazônia não é só dos índios ou das comunidades ribeirinhas, que estão morrendo (muitas vezes sendo exterminados) e ficando sem terra por causa do desmatamento para a pecuária e a construção de hidrelétricas. Também não é "só" problema da natureza. É problema de todo mundo (além do Brasil) que bebe água e respira. Hoje a floresta corresponde a 60% do nosso país, e 60% dela está no Brasil (o restante está dividido entre oito outros países). Muita gente não sabe, mas a floresta Amazônica desempenha papel vital na estabilização do clima global.

As árvores atuam de diversas maneiras no ciclo da chuva, aumentam a umidade do ar e ainda estocam carbono — o que é ótimo para combater o efeito estufa. Se hoje não chove, por exemplo, em São Paulo, é por causa do desequilíbrio que vem ocorrendo lá. Sozinha, ela é responsável por um sistema natural de evapotranspiração que forma espécies de "rios voadores" (carregados de água) que vão em direção aos Andes levando chuva e umidade para o planeta. O desequilíbrio desse sistema afeta o planeta e todos nós.

As florestas mantêm sistemas ecológicos essenciais para a manutenção da vida. A sobrevivência cultural de muitas comunidades ribeirinhas depende da saúde das árvores a seu redor. As florestas também desempenham papel fundamental na preservação da biodiversidade — quase metade das espécies terrestres de fauna e flora é encontrada ali. Isso tudo está sendo destruído. Zerar o desmatamento é um passo essencial na estratégia global de combate às mudanças climáticas e de proteção à biodiversidade.

Nos anos recentes, a cada dezoito segundos, um hectare de floresta amazônica, em média, vem sendo convertido em pasto. Isso faz do Brasil o quarto maior emissor mundial de gases do efeito estufa — liberados com o desmatamento e as queimadas. Além da pecuária, parte da terra que um dia foi floresta é utilizada para construção de fábricas de madeira, papel e de hidrelétricas (como as dos rios

Negro e Tapajós). Isso tem sido motivo de grandes revoltas locais, pois provoca catástrofes ambientais e econômicas, levando à extinção de espécies e comunidades, além da obstrução dos rios, que deságuam em todo o Brasil. Tudo isso pode levar a floresta à extinção nos próximos dez anos.

Sem árvore não tem chuva, não tem água. O Brasil é o país que, no século XXI, tem o maior índice de desflorestamento em área. Estes são os percentuais de desmatamento que o país enfrenta hoje, de acordo com o site do projeto de *crowdfunding* Dá Pé, cujo sonho é reflorestar o país com a ajuda da população:

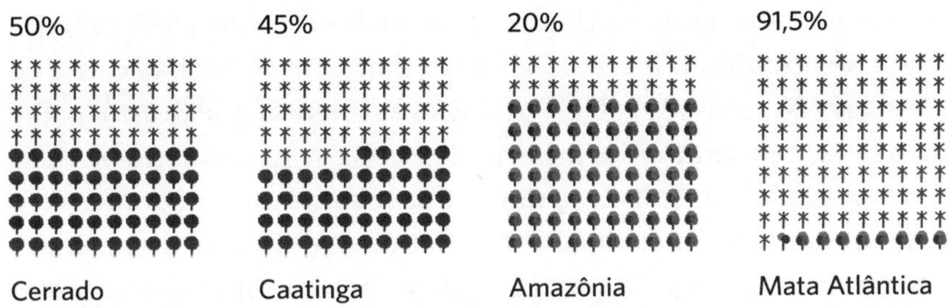

O mais chocante é que diversos relatórios do Banco Mundial, de institutos de pesquisa e de ativistas, como o Greenpeace, mostram de forma consistente que a pecuária ocupa cerca de 80% de todas as áreas desmatadas da Amazônia. Para piorar, o Greenpeace analisou dados de satélite e autorizações de desmatamento entre 2006 e 2007 e constatou que mais de 90% da destruição florestal no período era ilegal. Isso torna a pecuária, o maior vetor de desmatamento ilegal do mundo, responsável por mais floresta destruída que o total desmatado em qualquer país.

Por pecuária entenda a carne que comemos e o couro que vestimos. Isso mesmo: a moda também financia o desmatamento. Florestas de valor insubstituível — e vitais para nossa existência — estão sendo destruídas para dar lugar ao gado, utilizado posteriormente para a produção de sapatos, bolsas e cintos. Globalmente, quase metade da produção de couro é destinada à confecção de sapatos. Seguida da fabricação de móveis e estofamento para automóveis.

A pecuária tem se mostrado inviável no mundo em que vivemos. Não existem animais suficientes para atender à demanda atual e não há maneira sustentável de dar conta dessa demanda. A indústria é responsável por 51% das mudanças climáticas do mundo, incluindo o aquecimento global. Produz cerca de 65% do óxido nitroso que polui o mundo. Estima-se que as emissões de gás carbônico relacionadas à energia deverão aumentar 20% até 2040; e as emissões de gases provenientes da pecuária, 80% até 2050. A produção de petróleo utiliza 378 milhões de litros de água por ano; a pecuária, 125 trilhões. Metade do consumo diário de água de uma pessoa é da carne que come. O consumo caseiro de água equivale a 5% do total no mundo, enquanto a criação de animais equivale a 55% (e tanta gente no mundo morre de sede). Ela é também a principal causa de consumo de recursos e da degradação ambiental que destrói o planeta hoje, ocupando 41% da terra do planeta. E, enquanto pessoas morrem de fome, 50% dos grãos e dos legumes plantados servem para engordar animais que serão abatidos. Além disso, a pecuária é responsável pela poluição das águas e pelo surgimento de zonas mortas, onde nenhuma espécie de vida é capaz de sobreviver (esses dados são do documentário *Cowspiracy*).

Ou seja, mesmo que não fosse ilegal, a pecuária nunca é legal, mas isso não é dito. Muitas pessoas parecem não querer se aprofundar na questão, pois as faria pensar e ter que tomar uma atitude. No Brasil falta bastante consciência e atitude sobre o tema. O consumo no país é o dobro do sugerido pela Organização Mundial da Saúde (OMS). Mas existe muita gente trabalhando e lutando para mudar esse cenário, às vezes até pagando com a própria vida: mais de 1100 ativistas foram mortos nos últimos vinte anos no Brasil. No filme *Cowspiracy*, Leila Salazar Lopez, diretora do programa de preservação Amazon Watch diz:

> Não se fala muito sobre isso, principalmente depois da aprovação do novo código florestal (que é a favor do desmatamento). No Brasil, muitos que resolveram falar e protestar foram mortos, como José Carlos, Cláudio, a freira Dorothy Stang, que dedicou sua vida a impedir a destruição

da floresta tropical. Um dia, voltando para casa, foi morta à queima-roupa por um pistoleiro contratado pela indústria do gado.

O filme insinua que existe "algo estranho" que faz com que essas mensagens não se tornem públicas. O relatório "A farra do boi", de 2009, do Greenpeace Brasil, liga a cadeia contaminada de produtos amazônicos aos fornecedores de muitas marcas reconhecidas mundialmente. E aponta o governo como principal financiador da pecuária. Não à toa, mesmo o Brasil tendo o maior rebanho comercial do mundo e sendo o maior exportador de carne e o segundo maior de couro curtido, o governo planeja dobrar a participação no comércio global de carne até 2018. Isso mesmo com todas evidências dos malefícios no longo prazo. De acordo com o relatório:

> O Brasil se apresenta como líder mundial no combate ao desmatamento. [...] No entanto, o governo brasileiro financia e é acionista das maiores empresas do setor pecuário que operam na Amazônia — o maior vetor de desmatamento do mundo. O governo brasileiro possui 2,65 bilhões de dólares (5,46 bilhões de reais) em ações de empresas frigoríficas, que se beneficiam do abastecimento barato de gado criado em áreas da Amazônia destruídas ilegalmente. A projeção de crescimento para as exportações nas próximas décadas deve aumentar a pressão sobre a região. [...] O Greenpeace identificou centenas de fazendas no bioma Amazônia fornecendo gado para os grandes frigoríficos, financiados pelo governo brasileiro. Todas as vezes em que foi possível obter mapas das propriedades, análises de satélite revelaram que fornecimento significativo de gado vinha de fazendas envolvidas em desmatamento recente e ilegal. Dados comerciais também mostraram negócios com fazendas envolvidas em trabalho escravo. Além disso, um dos frigoríficos recebeu gado de uma fazenda instalada ilegalmente dentro de uma terra indígena.

Ou seja, não vai existir intenção "superior" de mudar esse cenário, nem que seja para garantir nossa existência, pois muita gente está se beneficiando no curto prazo. Por mais que a pecuária seja um ativo importante de geração de receita para o país, as implicações decorrentes desse "desenvolvimento" podem ser fatais e se voltar contra ele. Se grandes marcas, produtores e governo estão entrelaçados nessa questão, só cabe a nós (re)agir. Em 16 de maio de 2014, a ONU afirmou, no seu relatório anual sobre o gerenciamento de recursos sustentáveis, que uma mudança global para uma dieta vegana é vital para salvar o mundo da fome, da escassez dos combustíveis e dos piores impactos das mudanças climáticas.

Quando as pessoas (e marcas) se conscientizarem do impacto (que logo vai bater na porta de casa) do couro que vestem e da carne que comem, talvez mudem seus hábitos. Não é só um movimento para acabar com a fome ou salvar a indústria da moda. É também um comprometimento humanitário em direção à compreensão de quem somos e como nos conectamos com o planeta. Um entendimento de que não temos poder sobre a natureza, e sim *com* ela. O que acontece com a natureza também acontece com a gente. E ela nos emite sinais. Podemos ouvi-los, entrando em harmonia com ela, ou então sofrer as consequências. O que você prefere?

O Greenpeace lançou, em outubro de 2015, a campanha Desmatamento Zero, com apoio de grandes nomes da moda, do cinema e das artes. Entre as gotas que já se uniram a esse "oceano" em defesa das florestas está Ronaldo Fraga, que desenvolveu a camisa da ação. No site do Greenpeace, ele diz:

> Certa vez ouvi de um barranqueiro que o povo do rio é o rio, sem o rio o povo de lá não existe. O mesmo se aplica ao povo da floresta. Toda a ancestralidade que vem dos seres e saberes vai embora junto com o desmatamento. [...] Não são poucas as questões que me levaram a abraçar essa causa; lutar contra o desmatamento deveria ser um compromisso civil de todo brasileiro.

Hoje vemos essa consciência ressoar de várias formas. Em 7 de outubro de 2015, o *Estadão* publicou o artigo "Até a moda virou vegana". Personagem principal da matéria, a paulistana Fernanda Cannalonga, "vegetariana há quinze anos, sempre encontrou dificuldades na hora de encontrar peças de vestuário livre de origem animal e que estivessem aliadas a um design sofisticado. Ao se formar na faculdade de moda, em 2010, decidiu fundar o Studio Canna".

E o jornal continua, dizendo que sua "marca aposta em bolsas e acessórios com 'design temporal, produzidos artesanalmente e, o mais importante, com matéria-prima vegana'. [...] hoje começa timidamente a vender para países como Japão e Alemanha". Segundo ela, nesses lugares, a mulher contemporânea opta por usar bolsas assim, em vez daquelas com monogramas, sem a menor responsabilidade com o meio ambiente. "Fernanda está entre um grupo de pequenos empreendedores de moda que apostaram no nicho de mercado voltado à moda e sustentabilidade", completa o jornal.

Na matéria, Marcio Banti, professor de moda da Faculdade Santa Marcelina, diz que "ser sustentável já quase não é um diferencial. A marca que se negar a prestar atenção nisso tem um impacto negativo no mercado". E cada uma deve encontrar o que e o quanto fazer.

Dando aula na Perestroika de Porto Alegre, conheci a Insecta Shoes, das queridas e supertalentosas Pamela Magpali e Barbara Mattivy. Inaugurada em 2014, a marca foi batizada pela paixão das duas por bichinhos de muitas patas e duas antenas. Da paixão pela natureza e do compromisso com o planeta veio a criação de sapatos artesanais lindos e coloridos, forrados com tecidos de peças garimpadas em brechó e 100% veganos.

Na Perestroika do Rio conheci Mariana Iacia, que trabalhou com Stella McCartney e, de volta ao Brasil, fundou a Svetlana. A marca de moda ética e sustentável trabalha com matéria-prima vegana, sem usar nada de origem animal. Tem um apelo estético fortíssimo, cheio de referências globais e aquela cara colorida e carioca que todo mundo ama. A primeira loja foi aberta em novembro de 2015, em Ipanema.

Como opção ao couro de animal, o couro vegetal, elaborado de látex extraído por comunidades de seringueiros da Amazônia, pode fazer sentido para algumas marcas. É usado na moda e até mesmo na decoração e na indústria automobilística. Em termos ambientais, essa produção é a favor da preservação da floresta, pois mantém intactas as árvores de onde é extraído o látex. Além disso, colabora para o fortalecimento das comunidades que permanecem na floresta, evitando a migração para as periferias das cidades e a geração de mais pobreza e perda da identidade cultural. A matéria-prima é produzida e comercializada pela empresa AmazonLife e tem clientes grandes e internacionais, como a Hermès, que fez uma coleção Amazônia de bolsas ecologicamente corretas.

Até aqui falamos muito da carne de boi, mas o papo tem a ver com todo tipo de animal — assunto que há muito tempo é debatido na moda. Algumas marcas já aboliram o uso de peles de sua produção, enquanto outras insistem e são motivo de boicotes e revolta. Em 29 de julho de 2015, uma notícia maravilhosa foi publicada no Fashion Forward ("Jane Birkin pede à Hermès que mude nome de uma das bolsas mais famosas do mundo") e correu a internet:

> O pedido foi feito depois que ela assistiu ao documentário feito pelo PETA (Pessoas pelo Tratamento Ético dos Animais, na sigla em inglês) sobre a produção do couro por empresas fornecedoras de matéria-prima para a Hermès. Em comunicado oficial, a Hermès especificou que a fazenda mostrada no vídeo não lhe pertence e que as peles de crocodilo fornecidas não são usadas para a fabricação de bolsas Birkin. Afirmou que impõe aos seus parceiros os mais altos padrões no tratamento ético, tendo organizado visitas mensais aos fornecedores.

Pode parecer contraditório: a marca que incentiva a produção de tecido sustentável na Amazônia é a mesma que do outro lado do mundo maltrata crocodilos. E é. Mas o fato, que precisa ser considerado, é que muitas marcas não têm controle sobre sua produção — e pode ser que a Hermès seja "inocente". Apesar de parecer óbvio, principalmente para marcas grandes, manter um controle ético e de qualidade rigoroso, entre tantos meandros durante a produção, diante do volume e da rapidez com que tudo é feito hoje, é realmente difícil, e assim algumas coisas podem de fato passar sem que a marca esteja ciente. Da mesma forma, provavelmente algumas das marcas citadas no relatório "A farra do boi" não têm ciência (prefiro acreditar nisso) do quanto estão contribuindo para o fim de tudo.

Na dúvida, cabe a cada um fazer suas próprias escolhas, levando em conta o quanto acredita que está sendo a favor da vida. Bem, ao voltar da Amazônia, aboli a carne vermelha do meu prato e do meu armário. Isso pela minha incapacidade de comprovar a origem do que consumo. Na dúvida, achei melhor não ~~arriscar~~ incentivar.

E você, o que mais te sensibilizou neste capítulo? Quais ideias e transformações tem vontade de implementar?

"FRASE DE IMPACTO

AQUI."

15. Valores culturais

Pelo que vimos até agora, podemos dizer que a grande virada trará uma nova economia, mais consciente, humana, colaborativa, distribuída, sustentável, social e ética. Tudo isso precisa ser alinhado com uma nova cultura. E a moda, como veículo de comunicação a serviço das pessoas, pode (e deve) ser um agente dessa transformação. De veiculação dessas ideias.

Para isso precisaremos resgatar a consciência e os valores humanos das marcas. A sustentabilidade vai muito além das questões ambientais e sociais. Para a moda, tem muito a ver com todos os aspectos reflexivos e expressivos que ela propõe (ou não). Os conceitos de coleção, os símbolos, as imagens, @s modelos, as histórias, as ações e principalmente o estilo de vida. Em todas as escolhas que fazemos, temos a chance de trabalhar a favor da vida.

A partir dessas escolhas — feitas pelos profissionais que produzem moda — existe uma força imensa para alimentar sonhos, incentivar, esclarecer e até empoderar as pessoas. Porém tais escolhas também podem gerar tristeza, frustração e até transtornos psicológicos. Quando olho ao meu redor hoje, sinto que a estreiteza da visão sobre os impactos da moda no mundo e o pensamento autocentrado (das marcas e de alguns profissionais) têm frustrado muitos, em vez de alimentar sonhos.

Estou falando sobre a utilização/veiculação de padrões estéticos limitados. Apropriação cultural. Disseminação de ideias separatistas, machistas, preconceituosas e/ou discriminatórias. Manipulações que promovem a desigualdade, gerando sentimentos de superioridade e inferioridade, e por aí vai... Em todo o mundo, além da moda, isso é o que tem gerado violências, revoltas e até guerras — externas e internas (dentro de cada um de nós).

Para combater tudo isso, precisamos elevar nosso amor ao próximo. Retomar, em todos os sentidos, aquele poderoso e nutritivo senso de comunidade que nossos ancestrais tinham. Eles acreditavam que pessoas precisam de pessoas para ser pessoas. Vale lembrar que quanto mais dedicados a outras pessoas estivermos, mais conectados com vínculos de amor, amizade, afeto, mais fortes nos tornaremos.

Em alguns países do continente africano, chamam isso de "ubuntu", que significa "humanidade com os outros" e/ou "sou quem sou porque somos todos nós". Para irmos longe precisamos de gente ao nosso lado (é no coletivo que a gente se arma). Precisamos dos outros para ser nós mesmos, porque "ser humano é ser com os outros". Tudo isso é ubuntu. Na prática, é enxergar verdadeiramente o outro como parte de nós. Com respeito, generosidade, compaixão, partilha e empatia. Compreender isso é sentir que somos afetados quando nossos semelhantes o são.

Fico feliz em ver que essa consciência vem se expandindo. Algumas marcas, e muitas pessoas, já se entenderam como agentes dessa transformação e vêm contribuindo para ajudar a curar o coletivo. Elas estão atuando na conscientização de questões ambientais e planetárias, no desenvolvimento pessoal e no estímulo à individuação. Outras têm trabalhado para o empoderamento feminino e a celebração da diversidade (com a conscientização de questões de gênero e etnias, por exemplo). Há ainda as que estão fornecendo ferramentas para que as pessoas atuem nessa transformação e têm conquistado relevância, admiração e identificação, potencializando o engajamento (e até laços de consumo), como uma importante forma de relacionamento.

Individuação

A Fê Resende, autora do site Oficina de Estilo, me disse uma vez, toda empolgada:

> A gente viveu uma época de muita sorte, quando a internet abriu espaço para a autopublicação. Começamos a ouvir falar de blogs nos anos 2000 e em 2006 lançamos o nosso. Imagina o contexto: o desfile de Paris que a gente antes via só no *Jornal Nacional* estava disponível a qualquer hora. As revistas de outros países estavam aqui nas bancas. Rapidinho os blogs de moda começaram a pipocar. E a gente não só tinha acesso a essa informação toda como também podia trocar impressões.

A blogueira Carla Lemos, por sua vez, me contou:

> Recebi outro dia uma DM assim no Instagram: "Ah, Carla, você é muito legal, eu quero ser famosa como você, me ensina como eu faço para ser uma blogueira famosa, tirar fotos lindas e ir para lugares incríveis por favor! CORAÇÕES". Há quem ache engraçado, mas eu acho triste. E sei de onde vem isso. Vem de um monte de blogueira que ainda acha que o papel delas é somente se montar e vestir looks.

Em nossa conversa, senti como as imagens que o mundo nos apresenta hoje são as grandes responsáveis por instalar o mal-estar na nossa alma — mesmo quando nos inspiramos nelas. Senti como as imagens que a moda cria dialogam e interferem diretamente em nossos desejos mais profundos. Muita gente que está de fora não sabe que, na maioria das vezes, tudo não passa de uma grande ilusão. "Você está na cama, arrasada, cansada de tanto trabalhar, ou deprimida por não trabalhar, vai lá, bota um filtro, posta e todos acham incrível", ela me disse.

No início de novembro de 2015, a blogueira australiana Essena O'Neill decidiu revelar a verdade por trás dos seus posts — que atingiam na época 700 mil seguidores no Instagram e os mais de 260 mil inscritos em seu canal no YouTube. Ela alterou sua descrição nas redes sociais para "Social media is not real life" [Mídia social não é vida real] e as fotos ganharam um alerta de "legenda real". Lá compartilhou quanto ganhou para usar determinada roupa, as horas que precisou gastar para fazer a foto perfeita, as edições de imagem que lhe deram aquela aparência, escondendo espinhas e olheiras, e assim por diante.

As blogueiras tiveram uma importância grande na democratização da moda, isso é fato. Muita gente que jamais se imaginou comprando uma revista sobre o assunto se tornou assídua de blogs e tomou gosto pela coisa. As blogueiras se tornaram grandes parceiras comerciais de marcas, contratadas para fazer voar das araras as novidades da estação. Poderia ser lindo, mas a forma como muitas coisas foram feitas (e ainda são) levou algumas delas ao desserviço. Em outra conversa, com as meninas do Oficina de Estilo, a Cris me falou:

> Acho que a forma como algumas blogueiras fazem é ruim para o mundo. É pior do que a capa de revista, que todo mundo já entendeu que é photoshopada. Às vezes chega a ser cruel, quando se mostram de forma impecável, com cabelo feito, supermaquiadas, com roupas a que as pessoas jamais terão acesso, como se fosse vida real, insinuando "Compra isso que estou usando que você vai ter a vida que estou mostrando aqui na foto". Não tem como a gente valorizar singularidade de ninguém assim. Não tem como ter consumo consciente assim.

Alimentar sonhos faz parte do propósito da moda. Mas isso demanda muita responsabilidade. O conteúdo que é produzido para inspirar, quando usado de forma irresponsável, pode contribuir para uniformizar aquele que vê. Pode gerar dramas e conflitos internos. Sentimento de inferioridade. Por outro lado, como tudo depende de como é feito, pode também nos oferecer antídotos, como me disse a Fê Resende:

> Pensa na gente tendo acesso a um monte de informação! A imagem de moda, no começo da internet, era uma aula, um aprendizado. O produto era só a representação de algum significado que fazia a gente repensar conceitos sociológicos, antropológicos, de mundo, de culturas, de diversidade. O que a gente faz hoje tecnicamente é muito por causa das temporadas de moda que a gente acompanhou com essa vontade, com esse brilho. Exercitando decodificar elementos visuais que significavam alguma coisa relacionada ou à personalidade ou ao estilo de vida ou ao ambiente. Teve essa época maravilhosa, em que a moda era sobre isso. Todas as trocas eram muito ricas de significado, de referências. Sou grata até hoje pelo que a Erika Palomino falava. Ela é muito responsável por eu ser quem sou, por muito da minha formação intelectual. Ela ajudou muita gente que estava mais interessada no sentido e no significado da moda do que no produto em si.

Qualquer pessoa que tenha um propósito coletivo em seu trabalho, independentemente de ser blogueira ou jornalista, marca ou pessoa, de usar um canal digital ou analógico, pode promover a transformação e contribuir com o mundo e as pessoas. Eu acredito nisso.

Carla Lemos me disse:

> Eu tive muita dificuldade para me assumir blogueira. Por mais que tenha o blog já há oito anos e tenha sido uma das primeiras no Brasil, resistia muito a isso. Eu carregava o preconceito de ser só blogueira, porque me sentia um pouco desconfortável com o que via por aí... Então eu me apresentava como uma *stylist* que tinha um blog. Até que chegou um momento em que pensei: "Eu realmente sou blogueira, ganho dinheiro com o Modices. Se não trabalhar para tirar o cunho fútil do termo, ninguém vai fazer isso por mim".

Carla saiu da zona norte do Rio de Janeiro e foi parar na semana de moda de Londres, numa das primeiras filas do desfile da Burberry, com roupas e bolsas que jamais imaginou usar. Foi quando se olhou e disse: "Eu não sou isso. Não preciso ter esse padrão. Não preciso usar salto alto o tempo inteiro". Então, ser parte de um grupo de blogs de luxo parou de fazer sentido para ela, assim como alguns tipos de conteúdo e o relacionamento com algumas marcas.

"Minha leitora não vai consumir uma bolsa de 10 mil reais. Sabe, *eu* não vou consumir essa bolsa, porque acho que dentro da minha verdade, dentro da minha realidade, não vale a pena me sacrificar para isso. Vou pegar esses reais e viajar. É isso que eu tenho vontade de falar para minha leitora fazer também", ela conta. Com esse sentimento, o Modices passou por um grande reajuste de conteúdo e filtro do que é verdade para Carla (e para sua leitora) e o que não é. Ela foi atrás do seu propósito, e o *headline* do blog passou a ser "Moda, feminismo e consumo consciente". Carla acredita que quem forma opinião sobre a moda, até mesmo as blogueiras, pode ajudar na individuação, mas para isso é preciso haver verdade, diversidade e conteúdo realmente relevante (e propósito, eu diria). Ela continua:

> Tem espaço para todo mundo. O que não dá é achar que todo mundo é rico. Ou pobre. O erro é limitar. Com a internet não dá mais para ignorar as pessoas. O Brasil tem a chance de ter voz, com a blogueira de Manaus, a do Recife, de todos os lugares. Quando a gente conseguir que a moda seja menos limitada, opressora, preconceituosa, quando a gente de fato conseguir celebrar as diferenças, não vai ter por que a pessoa ficar julgando a outra porque ela está com tal chapéu ou porque usa uma coisa diferente. Com essa grande evolução, de fato as pessoas vão poder pensar mais sobre quem elas são.

Cris Guerra começou blogueira e hoje roda o Brasil dando palestras sobre moda, autoestima e maternidade. Em 2007, criou o primeiro blog de looks do dia do Brasil. O Hoje Vou Assim nasceu de um impulso e da necessidade de contraponto ao seu primeiro blog, Para Francisco, onde construía para o filho as memórias do pai que morreu dois meses antes de ele nascer.

Muito ligada à moda e apaixonada por suas possibilidades, Cris era conhecida entre os amigos por se dedicar bastante à maneira como se vestia para o trabalho. Daí veio a ideia: registrar todos os dias a roupa que tinha escolhido. A brincadeira virou coisa séria, e Cris foi entendendo cada vez mais o quanto seu discurso poderia gerar um impacto positivo. Em 2013, lançou seu primeiro livro de moda, um "não manual" para ajudar as pessoas a descobrir seu próprio estilo, chamado de *Moda intuitiva*. Na abertura, Ronaldo Fraga diz:

> Ela nos ensina a mágica da transformação diária do patinho feio em cisne. Coisa que, acredito, ela já nasceu sabendo. Em tempos de suposta democratização da moda em que curiosamente manuais de estilo ainda possuem uma multidão de fervorosos seguidores, [...] ela nos convida ao instigante exercício do desconstruir o personagem de ontem para ilustrar o personagem de hoje. [...] Sem impor listas do "certo" e "errado" [...], Cris Guerra nos convida a voar, tendo as escolhas das roupas como as verdadeiras asas da libertação.

Tive a honra de assinar a abertura da segunda edição, lançada no início de 2016, e contei sobre a primeira vez que entrei no Hoje Vou Assim. De cara percebi uma intenção genuína de dar um valor criativo forte ao uso da moda. Mostrando que uma peça de roupa não serve somente para proteger, envolver ou "vestir", a moda também é um veículo estético de expressão.

Com o tempo fui percebendo que a mensagem ia além (e assim Cris me ganhou). Comecei a entender que a moda pode ser bem mais que veículo de expressão social, valores ou ideias. Ela pode nos ajudar em nossos dilemas mais íntimos e a construir nossa identidade, a nos individualizar. Cris nos mostra isso estimulando o prazer em experimentar, criar e expressar. Usando a moda que valoriza o ser, que se veste da gente (e de gente), não a moda que manda na gente.

Compreendi a importância de olhar para dentro — assim retomamos partes faltantes da nossa personalidade ou reforçamos outras já existentes. E a Cris nos lembra de que não são as mesmas coisas que nos faltam ou fazem parte de todos nós. Essa busca é o que nos conduz a nosso estilo individual, uma conquista pessoal que só está disponível aos que se dispõem ao maravilhoso exercício do autoconhecimento e da aceitação.

Individuação é um movimento de aprofundamento individual. Somos originais por natureza e estamos aqui para construir o conjunto de características físicas, afetivas, mentais e espirituais que ~~resulta no nosso estilo~~ nos difere dos outros. Como marcas, veículos ou pessoas, ao incentivar a individuação do outro, incentivamos também que cada um possa ir a fundo em si mesmo, para testar suas potencialidades e então ir ao encontro de sua vocação.

Considero o Oficina de Estilo, o Modices e o Hoje Vou Assim exemplos importantes de conteúdo a favor da vida. São blogs que, através de um olhar não só criativo, mas principalmente crítico, estimulam as pessoas a se descobrir verdadeiramente e fazer do armário sua própria cultura.

Poder.com

O dia 9 de dezembro de 2014 talvez tenha sido um dos mais desafiadores da minha vida profissional. Eu estava fora do Rio de Janeiro em uma reunião de planejamento estratégico da FARM quando recebi a ligação de uma jornalista do caderno Ela, do *Globo*, me questionando sobre a polêmica da Iemanjá, descrita assim em seu site:

> Era para ser um post de moda. Mas a imagem de uma modelo representando Iemanjá acabou gerando uma série de comentários de internautas no Instagram da marca carioca FARM. Para alguns dos seguidores, a grife fez uma apropriação indevida da imagem da entidade. Eles criticaram ainda o fato de a modelo escolhida ser branca. [...] Até a tarde desta terça-feira, havia mais de 270 comentários sobre a foto.

Essa nota se espalhou rapidamente por vários sites (que começaram a nos procurar também) relacionados com moda, cultura e comportamento, chegando a parar na *Exame*. Isso fez os comentários se multiplicarem, triplicarem... de forma quase exponencial. Eu estava com acesso restrito à internet, e só naquele momento tomei conhecimento do que acontecia. A cada comentário respondido, mais e mais contestações e acusações. Não parecia ter fim!

Tratava-se da pré-divulgação da coleção de fantasias de carnaval, fotografada em meninas que trabalham na FARM e escolheram suas preferidas. A "modelo branca" era a Mari, que trabalhava como coordenadora de conteúdo e ficou à frente da gestão de toda a crise nas redes sociais — enquanto via sua imagem sendo publicada em inúmeros sites, acompanhada de críticas e uma energia de ódio e revolta.

As pessoas estavam furiosas. Era como se naquele momento a FARM tivesse a chance de resolver todas as questões étnicas (e algumas religiosas) do mundo. Até o rapper Emicida se manifestou, conforme publicado na *Exame*: "Usar a cultura afro como base de criação de elemento de autenticidade sempre. Empregar modelos negros nunca. Racismo brasileiro onde ninguém é e assim todos são livres para continuar sendo sem culpa. Triste, mas sem novidade. #ubuntu".

Uma semana antes, outra bomba na minha *timeline* do Facebook: a selfie de um rapaz no provador de uma loja da FARM, em São Paulo, dizendo que havia sido vítima de preconceito por parte de uma vendedora:

> Ao chegar à loja com amigas, perguntei a uma vendedora se poderia ver o casaco. Ela perguntou para quem seria e, quando eu respondi que era para mim ela perguntou outra vez. Não fiquei chateado quando perguntou da primeira vez. Mas aí ela saiu andando e perguntou mais três vezes, e eu dizendo que sim, que sim... Nisso, fui ficando nervoso e desconfortável, porque tinha mais gente na loja prestando atenção, virou um circo. A mulherada toda me olhando como se eu estivesse num zoológico fazendo algo anormal.

Em duas situações bem próximas, os valores da marca estavam sendo questionados pelo público, com quem (até então) havia sempre estabelecido uma relação de amor e adoração. Os funcionários da marca ficaram mal com as críticas e a repercussão. Mas os casos foram motivo de grande reflexão e aprendizado.

O poder da autopublicação que experimentamos com o surgimento da internet, depois com as redes sociais, ampliou a consciência das pessoas e as encorajou a "botar para fora" suas opiniões. Esses casos são a prova disso. Há quem diga que o Facebook virou um grande muro das lamentações. Concordo, mas não acho necessariamente ruim — pelo menos não o que isso representa. Acredito que de fato as pessoas devam se expressar, mesmo que isso gere conflito, pois somente assim é possível promover sensibilização, pensamento, crítica e por fim mudança na consciência (foi o que respondi pessoalmente ao rapaz). Tudo depende da forma como a rede social é usada. O escritor Fábio Chap, por exemplo, usou seu Facebook para falar (maravilhosamente) sobre esse novo momento:

> O mundo deve estar muito chato mesmo pra quem podia zoar a gorda da escola e ela não reagia, não dava nada. O mundo deve estar muito chato mesmo pra quem podia zoar o cabelo da menina só porque não foi com a cara dela, ela não respondia e não dava nada. O mundo deve estar muito chato mesmo pra quem botava apelido nos lábios do aluno mais negro da sala, ele ficava quieto e não dava nada. O mundo deve estar muito chato pra quem podia descontar toda agressividade naqueles poucos gays da escola, eles sentiam medo e não dava nada. [...] Que chatice deve ser o presente das pessoas que no passado tinham passe livre pra cometer o nível de *bullying* que quisessem. Porque toda essa gente que não tinha problemas — ao agir desse modo — agora passa a ter problemas. Agora é chamada a atenção em público, no privado, onde essa gente manifestar esses velhos hábitos [...]. E eu entendo; chamarem sua atenção é uma merda. Ter problemas é algo muito chato mesmo. [...] Aí fica a pergunta: o politicamente correto que te persegue ou seus velhos hábitos que não te largam nem por decreto? Uns dizem que pra essa geração tem faltado senso de humor. Eu digo que o que falta a quem diz isso é senso de amor.

Apesar de ser "chato" acompanhar as reclamações, o debate que se abre é importante. A FARM entendeu que seus valores precisavam ser mais divulgados internamente. Era importante que todos soubessem que aquela atitude não era validada pela organização. E que aquilo serviria de exemplo para algo que jamais deveria acontecer.

Não havia nenhum pensamento racista ou intenção preconceituosa por trás da foto de Iemanjá. Na verdade, ninguém pensou ou questionou a ação internamente até que a história viesse à tona. (Vive no inconsciente de quase muita gente a imagem de uma Iemanjá branca, de longos cabelos negros.) Não havia intenção de desconstruir ou se apropriar de nada. Nem de levantar bandeiras religiosas. Mas, mesmo sem saber, estávamos, sim, levantando uma bandeira. Pois estávamos promovendo uma ideia. E, para fazer isso, é preciso ter conhecimento de causa. Agora, sempre que falarmos de sexo, política, religião, etnias... as pessoas vão se posicionar (contra ou a favor), e é preciso estar preparad@, se aprofundar nos temas que pretendem ser abordados. Temas importantes precisam ser levados com muita seriedade e responsabilidade. Tudo o que fazemos gera uma resposta emocional nas pessoas.

O guru Prem Baba diz que precisamos ir além de qualquer tipo de discriminação, qualquer tipo de separação, por mais sutil que seja, pois cada grupo de almas tem seu papel no processo evolutivo da humanidade. As marcas, assim como muitas pessoas, ainda estão aprendendo a fazer isso (é natural). Muitas vezes pode haver a intenção de promover culturas e integração (sou otimista e sempre acredito na boa intenção). Mas compreendi que é preciso ter muito cuidado com isso. Agir de forma respeitosa. Em toda essa confusão, aprendi uma lição sobre apropriação cultural. Thay Moura explica bem, em um post no heat.am, a questão:

> [...] todas as outras culturas do mundo têm elementos que as caracterizam e que carregam significados importantes para o povo da dita cuja.
>
> Quando um indivíduo X, de uma cultura que carrega uma estética mundialmente aceita — ou empurrada? — decide usar desses elementos, esbarramos na apropriação cultural. E o problema não é uma pessoa pegar elementos de outra cultura e usá-los, porque, afinal, vivemos em um mundo globalizado, a disseminação de informações e elementos é o movimento natural. O problema é quando a única coisa disseminada

são os elementos, sem seus significados. Quando são distorcidos e usados fora de contexto, de forma não só ofensiva mas também vergonhosa para a cultura a qual tais elementos pertencem. O problema é quando uma sociedade que é julgada desagradável e indesejável por elementos que são usados por um negro, mas, quando usados por um branco, se tornam tendência de moda para copiar, porque no branco ficou bonito.

São ignoradas histórias, vivências, problemas sociais e todos os significados que estão por trás de um objeto.

O público exige cada vez mais transparência. Contesta os valores das marcas. Quer respostas imediatas e, quando elas não agradam, não para. Acredito que as marcas tenham esse papel de disseminar e reforçar ideias de pluralidade, de comunhão, mas para isso é preciso ter propriedade para falar, é preciso envolver e conscientizar todos que vão ter contato com a história. Se alguma ideia que você quer promover não faz parte da sua realidade ou então você não tem conhecimento de causa, vale se unir a quem o tem e pode contribuir para que tudo seja construído de forma mais verdadeira.

A partir do aprendizado com o episódio da Iemanjá, no início de 2015, pouco antes de lançar a coleção Black Retrô, criada em homenagem à cultura negra, a FARM se reuniu com um grupo de dezesseis meninas negras — que são engajadas com projetos de valorização da cultura negra, gente que vem transformando dor em ação — para ouvir como elas gostariam de ser representadas. O encontro também tinha o objetivo de apresentar e validar peças, estampas, fotos e tudo o que havia sido criado para a coleção. Se a intenção era reverenciá-las e valorizá-las, nada melhor do que "fazer com elas", e não somente "para elas".

O encontro foi promovido e mediado pela Juliana Luna, do Projetc Tribe, e pela Diane Lima, do NoBrasil, plataformas criativas de fomento, pesquisa e experimentos curatoriais dessa cultura, que conectam pessoas que estão transformando a cena nacional. Algumas meninas convidadas faziam parte do grupo que se posicionou contra a FARM no episódio da Iemanjá. Por isso o encontro, do qual participamos eu, Katia Barros e Mari, começou com certa apreensão, tensão, angústia e também uma nota de tristeza por, mesmo que de maneira não intencional, ter gerado mal-estar em algumas daquelas meninas. A notícia do encontro se espalhou, e Diane se posicionou no site NoBrasil, para que aquelas que não foram (e as que se posicionaram contra o encontro) pudessem entender um pouco do que aconteceu:

> Na reunião, que aconteceu das 9h às 12h30, uma questão predominou [...]: se como mulheres, negras e criativas, pensamos diariamente sobre qual é o nosso papel no mundo e como podemos através da nossa imagem empoderar e inspirar tantas outras, qual seria a melhor forma de propormos transformações semelhantes em uma escala de alcance maior através do conjunto de valores que uma marca pode oferecer e influenciar? Além disso, sabendo da realidade do mercado quando se trata da nossa representatividade e participação em todos os setores da sociedade, quais seriam as nossas possibilidades de negociação? Acreditar que com abertura e diálogo poderíamos plantar uma semente verdadeira e cultivar transformações, ou nos fecharmos? Nessa oportunidade de contribuirmos com o que já se desenha como um marco na história da moda brasileira e capítulo importante na moda afro-brasileira, nós exerceríamos as nossas competências profissionais em uma ação que discutiria algo de fundamental importância como mulheres negras ou não? Nós optamos pelo diálogo.
>
> Cientes da fundamental importância que a moda exerce quando se trata de delimitar espaços de poder através da imagem, decidimos que não haveria momento mais propício do que o convite realizado pela marca [...] para, olhos nos olhos, expressar e discutir algo que a gente vem questionando como plataforma criativa desde o nosso nascimento: qual é a nossa responsabilidade enquanto criadores de significados simbólicos e o nosso compromisso quando materializamos em imagens através da arte e do design contemporâneo os nossos pensamentos? [...] Se nossa missão é inspirar, empoderar e conectar a comunidade criativa brasileira para que possamos ser todos agentes da transformação, como ocupar esses espaços que hoje reivindicamos? É possível ocupá-los sem

a nossa presença? O que significa afinal de contas ocupar espaços, se não a necessidade de sobretudo negociá-los?

Mesmo sabendo que nada disso se trata do ideal, e sim de uma construção, estamos extremamente felizes de agora dizer que fizemos a nossa parte. Apesar de talvez dividirmos opiniões, não há outro sentimento se não orgulho e contentamento com o que conseguimos naquela manhã principalmente por ter sido essa reunião fruto de uma movimentação que nos fez mais fortes como comunidade e que se iniciou através dessa coisa genial chamada internet.

[...]

Sendo assim, por todas as mulheres que dedicaram sua presença naquela manhã, por todo o nó na garganta, por cada choro engolido ao ouvirmos as dezessete histórias de violência e superação e ainda por cada lágrima derramada, o nosso máximo respeito. Criamos as pontes, abrimos o diálogo, e o sentimento é de missão cumprida.

Lembrando ainda que a ausência de registro oficial fotográfico ou de vídeo se dá pela escolha da própria FARM em conjunto com o NoBrasil e o Project Tribe, em não querer transformar o momento em uma estratégia festiva promocional da coleção Black Retrô. Nossa intenção foi aproveitar o momento para proporcionar uma reflexão, transformando o encontro em um ato para ouvir. [...] evoluísse para um novo movimento: o de pensar Como.

O encontro foi extremamente transformador para todos. Começou com um depoimento da Luna, que nos disse:

Talvez vocês nunca entendam o que será dito aqui, porque não são negros. Mas precisam acreditar que, quando um negro disser que foi ofendido e magoado, ele foi. Porque vocês não entendem o que gerações após gerações de nós passamos. Hoje é como se estivéssemos já tão machucados, como se nossa pele estivesse já tão queimada que até mesmo um carinho machuca.

Em seguida algumas meninas contaram um pouco de sua história. E foi muito forte perceber o que elas sentem. Perceber o quanto nosso trabalho (nossas escolhas) tem o poder de ser incrível ou provocar um imenso estrago na vida de alguém. Senti isso quando uma delas contou que viu seu cabelo pela primeira vez ao completar dezoito anos. Desde pequena ela tinha o cabelo alisado pela mãe (que talvez, com uma boa intenção, tenha se esforçado para facilitar a vida da filha, enquadrando-a no que é dito como normal), até que, ao ver o cabelo cacheado da atriz Taís Araújo protagonizando uma novela, ela desejou se libertar. Ao completar dezoito anos, raspou o cabelo que não era dela e deixou seu cabelo verdadeiro crescer livre no mundo. Essa foi apenas a pontinha de uma série de transformações na sua vida. Essa é a força do que a gente cria.

Ao perguntar como elas gostariam de ser representadas, todas foram unânimes:

> Queremos continuidade. Queremos ver modelos e histórias de negros em todas as coleções, e não só nessa. Que elas não sejam apenas adornos de uma passagem. Queremos ver vendedoras negras, e outros padrões de corpo e beleza nas lojas. Queremos respeito e sensação de igualdade ao ser atendidas. Queremos nos sentir parte do todo, e não uma cota.

#Ubuntu (agora eu que digo).

As marcas de beleza estão bem à frente da moda em relação a isso. Em todo o mundo, estão apostando na maior variedade de tons em seus produtos, criando e alimentando um segmento poderoso de mercado (que no Brasil corresponde a 52% da população). A MAC tem uma boa variedade de produtos para os tons de pele negra. A brasileira Quem Disse, Berenice? tem dezoito tons diferentes de bases e pós. E a L'Oréal investe forte no desenvolvimento de produtos e na comunicação de linhas para cabelos cacheados e crespos. Em todas elas, essas são as linhas que mais crescem em vendas no Brasil.

Mas somente a continuidade trará a normalidade (devemos sempre nos lembrar disso). Em junho de 2009, em meio a discussões sobre a cota de modelos negros na moda, Renan Serrano apresentou seu desfile-performance na 25ª Casa de Criadores com *casting* 100% negro. Foi a primeira (e, pelo que me lembre, a única) vez que isso aconteceu no Brasil. A questão ainda é polêmica. E a presença de negros na passarela é mínima, apesar de algumas boas notícias — em 2015, pela primeira vez uma modelo negra desfilou com seu cabelo natural no desfile da Victoria's Secret (o segredo da vitória: o pedido partiu da própria modelo, a angolana sorridente Maria Borges).

No verão de 2012 foi a vez da Osklen, com a coleção Royal Black, se inspirar na cultura afro-brasileira. Na época, o diretor de criação e estilo Oskar Metsavaht disse ao site do *Estadão* que ao comunicar o tema às multimarcas que revendem a marca, os pedidos no Sul e Sudeste do Brasil diminuíram. "É incrível pensar no que isso significa, não? Mas, sinceramente, se há clientes que nem veem a coleção e já não a recebem bem por conta de o tema valorizar o negro brasileiro, eu é que não quero esse tipo de cliente", comentou.

Apesar de superelogiada, a coleção Black Retrô da FARM também não apresentou um bom resultado em vendas.

Cotas

É fato que o preconceito existe. Não só o racial, mas também sexual, de gênero, religioso... O que muitas vezes não nos damos conta é de que estimulamos esse preconceito com nossas escolhas. Como profissionais ou como consumidores, cabe a nós transformar essa cultura. Tanto o Oskar quanto a Katia declararam que, ao pensar no tema das coleções, a intenção era estética, era moda, e não "ativismo". Mas se a moda é um reflexo da sociedade e protagonista de transformações de comportamento, precisamos tomar partido. Dar profundidade ao que fazemos. Pensar genuinamente no outro. Mesmo sem intenção, o que eles fizeram foi maravilhoso.

A produção cultural em geral (propaganda, filmes, novelas...) ainda é extremamente restritiva e reforça estereótipos. Em um levantamento inédito, a agência Heads monitorou todos os comerciais veiculados de 12 a 18 de julho de 2015, na Globo e no Megapix, para mapear como gênero e raça são representados na publicidade.

Algumas das conclusões interessantes apontadas por um artigo de Juliana Wallauer no site b9.com.br:

- As mulheres são protagonistas em apenas 16% dos filmes, contra 25% dos homens. Adicionando a análise de raça a disparidade fica ainda mais gritante, com apenas 1% negros protagonistas no universo masculino e 7% no feminino.
- São apresentados treze estereótipos sexistas (relacionados a acúmulo de papéis, idiotização, histeria, materialismo, profissões, padrões de beleza, de comportamento, papéis de gênero, fragilidade, hipersexualização, objetificação, machismo e submissão).
- Vinte e oito por cento dos personagens reforçam estereótipos negativos de gênero. Mas a maioria desses desvios acontece em relação ao papel da mulher. Comparando os estereótipos observados em ambos os sexos, a maior diferença é o peso significativo que o padrão de beleza representa no grupo feminino, enquanto é irrelevante no masculino. A objetificação também é muito mais impactante entre as mulheres.

O panorama apresentado não traz novidades, apenas materializa uma realidade que todos intuem e percebem, e que contribuiu muito para o preconceito e as diferenças na sociedade. Apesar de não ser negro, posso entender um pouco essa dor. Também cresci sem boas referências para me apoiar, para me inspirar, e durante muito tempo lutei contra a tendência de não me aceitar, de querer ser quem eu não era, para me enquadrar no padrão "correto" de orientação sexual — o dos meninos da escola, da televisão, das bandas (muitos entre eles podiam ser meus parceiros na causa, mas não se assumiam, pois sentiam o mesmo que eu).

Tive uma grata surpresa ao ler na edição de 8 de agosto de 2015, do caderno Ela, uma matéria sobre o lançamento da marca The Paradise. Pensei: "Nossa, realmente o mundo está mudando!". Ela dizia: "O lado comercial da moda dita as regras, o que acaba deixando tudo igual — explica Thomaz Azulay, que saiu da Blue Man para, ao lado do namorado e sócio Patrick, abrir a marca e investir num caminho mais autoral".

Palmas para quem teve a coragem de tratar a relação entre dois homens de forma natural num veículo tradicional de grande alcance. Palmas para o movimento deles de querer ser (autorais) quem são. Isso em grande escala, cada vez mais, transforma a atitude das pessoas. Alimenta nossa capacidade de sonhar e ~~criar~~ revelar esses ~~novos~~ mundos. Isso pode transformar o mundo, nos libertando de padrões de cores, crenças e orientações. Acredito que a moda pode e deve ser veículo dessa transformação.

Poder feminino

Leia este tópico ouvindo "Run the World (Girls)", da Beyoncé.

No encontro com as meninas na FARM, pude perceber que, além da luta contra o preconceito racial, existia uma vontade muito grande de empoderar as mulheres. É uma nova concepção de poder, assumindo formas democráticas, construindo novos mecanismos de responsabilidades coletivas e de tomada de decisões numa posição de igualdade entre homens e mulheres.

Ana Paula Passarelli explica no site Plano Feminino — que tem como propósito fortalecer a figura feminina além dos estereótipos — que o empoderamento não é a causa de uma pessoa, mas tudo o que é feito para fortalecer mais mulheres e chegar à igualdade de gênero. É um desafio às relações culturais patriarcais, ao poder dominante do homem e à manutenção dos privilégios masculinos. Busca ainda garantir às mulheres autonomia no que se refere ao controle de seu corpo, de sua sexualidade, de seu direito de ir e vir.

A primeira notícia sobre essa ~~luta~~ busca é o protesto que deu origem ao Dia da Mulher, como vimos no capítulo 13. Depois disso, muitas tentativas e iniciativas a favor do feminismo tentaram despertar a consciência do mundo para essa questão. Mais recentemente, mostraram que a diferença entre os gêneros é conivente com o abuso físico e psicológico contra a mulher. E que o poder feminino tem a ver com a liberdade de escolha.

O desfile da Chanel de 2014 reacendeu o assunto na moda — onde a luta começou. Na passarela, modelos carregavam placas de protesto contra as guerras e a favor do meio ambiente e dos movimentos feministas. O calendário da Pirelli, que sempre trouxe imagens de mulheres sensualizando, em 2015 pela primeira vez estampou mulheres (bem) vestidas. Em vez de supermodelos, trouxe mulheres que representam papéis importantes na sociedade, como Yoko Ono, Patti Smith, Tavi Gevinson, a empresária americana Mellody Hobson, a artista visual iraniana Shirin Neshat e a atriz chinesa Yao Chen. (Quando começou, nos anos 1960, o corpo da mulher era tabu, e o propósito do calendário era, de alguma forma, empoderá-las. Com o tempo foi ficando gratuito e banal... É muito bom ver esse resgate e adequação de propósito.)

Cantoras pop se declaram feministas — de Beyoncé a Taylor Swift, passando por Anitta e Valesca Popozuda. Houve uma época em que as músicas de amor eram um chororô de mulheres abandonadas e diminuídas por homens. Até que vieram os festivais no Brasil (com toda a liberdade sexual) e a Tropicália (com letras de protesto), e a música começou a mudar. Atualmente contamos com nomes como Karina Buhr e Barbara Eugênia, que cantam e mostram os seios no palco para lutar contra os arquétipos de mulheres submissas e os tabus relacionados ao corpo. Cada uma com seu jeito e seu tom, mas com a coragem de falar sobre *ser* mulher.

Hollywood recebeu (com aplausos de pé) o discurso inflamado de Patricia Arquette, vencedora do Oscar de melhor atriz em 2015, que defendeu a igualdade salário para mulheres e homens. Nas telas, cada vez mais histórias de força, liderança e romance entre mulheres. Com participação de Meryl Streep, *As sufragistas* conta a história da luta feminina pré-Primeira Guerra, quando ativistas inglesas conquistaram o inédito direito ao voto, iniciando a mudança do lugar da mulher no mundo. O filme *Carol* conta a delicada história de amor entre duas mulheres nos anos 1940, interpretadas pelas maravilhosas Cate Blanchett e Rooney Mara. *Amor por direito*, protagonizado por Julianne Moore e Ellen Page, conta uma história real de luta pelo reconhecimento legal da relação entre duas mulheres. Com Jennifer Lawrence interpretando uma mulher que assume os negócios da família, *Joy: o nome do sucesso* foi tido como a versão feminina de *O poderoso chefão*.

Além disso, vivenciamos momentos históricos no cotidiano brasileiro, como a escolha do tema "A persistência da violência contra a mulher na sociedade brasileira" para a redação do Exame Nacional do Ensino Médio (Enem), que reacendeu a discussão sobre o assunto. Vimos protestos maciços contra a aprovação do Projeto de Lei 5069/13, que modifica a lei de atendimento às vítimas de violência sexual e criminaliza propaganda, fornecimento e indução ao aborto e métodos abortivos. E a retomada do ativismo organizado.

Na internet, presenciamos movimentos de poder através de vozes que propuseram reflexões sobre violência, sociedade e diversidade, provando que o empoderamento feminino vai bem além de questões igualitárias de salário ou espaço nas organizações. Ficou claro que a causa representa o desejo de muitas mulheres hoje. As campanhas colaborativas Chega de Fiu Fiu e #meuprimeiroassedio, lançadas pelo Think Olga, mostraram que o assédio sexual não tem só a ver com estupro, mas também com o pai da amiga que faz um carinho "diferente", o colega do colégio que força "só um beijinho no pintinho", o motorista de ônibus que passa a mão de leve no cabelo ou no peito, o vizinho que tira fotos sensuais da menina. Esses atos representam uma ideia errada do poder do homem sobre o corpo da mulher. E, por mais que tudo isso tenha caído numa normalidade (negativa), modifica para sempre a vida de muitas pessoas. Como disse a redatora Isis no blog adoro!:

> O surgimento de páginas como Lugar de Mulher, Moça, Você É Machista!, As Minas na História, Arquivos Feministas, Não me Khalo e Empodere Duas Mulheres também lança luz às questões pelas quais a mulher passa, e todos os assuntos se resumem em: libertação da mulher e a necessidade de uma mudança estrutural e cultural na nossa sociedade diante das discussões de gênero.

Por falar em blog, não podemos deixar de mencionar Carla Lemos, que começou a levar esse conteúdo para o Modices. E a *vlogger*

Jout Jout com seus minivídeos. Não é a primeira vez que o movimento passa por um boom midiático, e provavelmente não será a última. Mas é definitivamente uma nova chance de transformação, se ele for realmente compreendido como algo além de moda.

Em dezembro de 2015, a revista *ELLE Brasil* lançou uma edição especial sobre moda e feminismo. Isso dividiu opiniões. Na carta de abertura, a editora Susana Barbosa falou do resgate de consciência sobre o feminismo e da necessidade da coerência em discursos. Mas teria coerência uma publicação que sempre ditou regras e padrões entrar nessa seara?

> Historicamente, revistas de moda são, sim, uma das grandes responsáveis pela "objetificação" da mulher por impor padrões de corpo, pele, cabelo, por fechar os olhos (ou as páginas, melhor dizendo) à diversidade. Não podemos negar que por aqui também caímos nessa armadilha. E temos nos policiado [...].

As quatro capas da edição traziam modelos bem magras (olha aí a armadilha!), acompanhadas de frases feministas: "Meu corpo, minhas regras", "Vestida ou pelada, quero ser respeitada", "Meu decote não dá direitos" e "Minha roupa não é um convite". No interior, matérias sobre o tema e um manifesto escrito de forma colaborativa.

Paula Grassi argumentou no blog da Marcha Mundial pelas Mulheres:

> A permanência é o corpo magro, jovem, particularmente branco (embora haja a presença de uma modelo negra) e vestido de acordo com a moda. Este imaginário ético e estético dos corpos atribui critérios de beleza, moda e educação. Qualifica por um lado como bonitas, limpas e bem-vestidas as mulheres brancas com características ocidentais. Qualifica por outro como feias, sujas e mal-vestidas as outras mulheres. Tal imaginário, eurocêntrico e estadunidense, portanto colonialista, penaliza cotidianamente os corpos especialmente das mulheres negras, mulheres indígenas, mulheres gordas, mulheres idosas e tantas outras.

> Transforma a mulher em objeto de consumo para a sociedade, especialmente para homens. E por meio da publicidade orienta as "tendências" das formas de se vestir, de se embelezar, como se comportar com o namorado, seduzindo as mulheres para a compra de produtos que as tornam belas e modernas.

Apesar da crença manifestada de que a revista estaria transformando o feminismo em artigo de consumo, eu particularmente sinto como válida toda e qualquer tentativa de incentivar e participar de conversas. A revista entender seu potencial de "antídoto" é uma grande evolução. A coerência deve ser perseguida sempre, e talvez esse tenha sido de fato um dos maiores legados da edição. Ela me fez pensar que não só as publicações, mas toda a lógica da moda vivem sob ameaça diária de cair em suas próprias armadilhas. A "tendência" (como tem sido praticada) é a favor da liberdade das mulheres? Se grande parte do público consumidor das marcas de moda é de mulheres e grande parte das pessoas que trabalham na moda também, não faz muito sentido que elas sejam apoiadas em suas causas? E todas estão gritando por liberdade.

É preciso começar por algum lado. Mas talvez pior do que não fazer seja fazer como se não estivesse vendo todo esse movimento. Foi o que aconteceu com marcas de beleza que mobilizaram revoltas nas redes sociais. Em março de 2015, a Risqué lançou uma coleção de esmaltes chamada Homens Que Amamos, com nomes de cores como "André fez o jantar", "Guto fez o pedido" e "João disse eu te amo", e foi criticada por enaltecer gestos que (quase) sugerem que o normal seria a mulher estar a serviço do homem.

Mesmo depois dessa polêmica, em outubro de 2015, a Lola Cosmetics lançou um removedor de maquiagem com o infeliz nome "Boa-noite Cinderela" e um batom com o nome horroroso de "Abusa de mim". Não precisa nem explicar a indignação das mulheres, não é mesmo? Felizmente, a marca reconheceu o erro, pediu desculpas, tirou os produtos de circulação e se comprometeu a analisar todos os nomes dos produtos existentes, de acordo com o comunicado oficial emitido.

Em 1968 (tido como o ano da revolução feminina), durante o concurso Miss América, centenas de mulheres jogaram sutiãs, produtos de beleza, sapatos e revistas femininas em latas de lixo e atearam fogo para protestar contra os padrões de beleza da época. O movimento, que ficou conhecido como a "queima dos sutiãs", foi um passo importante dado pelas mulheres. Ninguém viu? Em uma palestra minha no IED, Carla Lemos questionou:

> Por que as campanhas de moda continuam usando os mesmos padrões? Por que não são usadas para elevar a autoestima das mulheres? Por que continuam oprimindo? Usando modelos supermagras, fazendo tudo para agradar os homens. A maioria dos catálogos de lingerie e biquíni que vejo parecem revistas masculinas. A gente se acostumou a ver o mundo por uma visão heterossexual masculina.

Carla acha que uma das explicações é o fato de a moda — apesar de ser feita 95% por mulheres — ainda ser controlada por homens. E isso tem reflexos inúmeros, como algumas atitudes opressoras. Ela me disse:

> Por muito tempo a moda foi usada como sistema de controle; lá no século XIX era o espartilho. Ele era tão apertado que fazia a mulher se sentir fraca, criando personalidades mais passivas — porque o oxigênio não chegava ao cérebro. E as mulheres faziam o quê? Eram submissas, aceitavam tudo. Não podemos continuar aceitando.

Ao longo da história mulheres quiseram ser vistas e entendidas como indivíduos que pensavam, escolhiam e decidiam de acordo com valores próprios e uma percepção real do mundo.

Acredito que as marcas que sempre tiveram como propósito deixar as mulheres mais bonitas agora precisam se preocupar com algo mais: com o que passa pela cabeça delas. Empoderar a mulher significa entender seus momentos, não só seus sonhos e desejos, mas também seus dramas e dificuldades. Isso vai desde pensar na vida real da pessoa, no que ela precisa, em onde vai usar a roupa, até em como deve ser — em vez de criar vestidos que ficam repuxando, que não cabem com sutiã, que amarrotam com bolsa de ombro, que não têm bolso para o iPhone (como Carla sempre fala), além de questões mais profundas. Empoderar não somente nas campanhas e no discurso, mas também nos modelos de negócios.

Países de extrema pobreza já entenderam que podem dar nova vida à economia através do empoderamento das mulheres (que antes eram marginalizadas). São várias as iniciativas em andamento. Negócios sociais lindos de ver. A Sseko, desde 2009, funciona em Uganda, fazendo calçados, bolsas e acessórios com o propósito de dar emprego a mulheres que não têm outra oportunidade e criar bolsas de estudo para as que querem fazer ensino superior. A Raven + Lily, criada em 2011, está presente em Etiópia, Índia, Camboja, Quênia e Estados Unidos, com o propósito de produzir rendimentos sustentáveis para mulheres marginalizadas pela sociedade (muitas resgatadas do comércio sexual e da prostituição). Faz roupas, joias e acessórios. A Soko, criada em 2012, tem como propósito empoderar as mulheres de países em desenvolvimento e ligá-las ao mercado. A marca produz joias, sem nenhum intermediário envolvido, e faz parceria com entidades sem fins lucrativos para capacitação e desenvolvimento.

Gina Rodriguez é a maravilhosa atriz latina de *Jane, The Virgin*, seriado gringo divertidinho e com mensagem superfeminista. A atriz é engajada, ativista e embaixadora da marca de lingerie Naja, que se propõe a criar peças para mulheres de todos os tamanhos e formas. A produção é toda feita na Colômbia, país de origem da criadora da marca, Catalina Girald, e dá preferência à contratação de mães solteiras de comunidades pobres — com horários de trabalho flexíveis —, contribuindo para que mais crianças tenham educação, livros, alimentação e uniforme escolar. Como se não bastasse, a marca ainda tem a preocupação de que as peças não tenham componentes cancerígenos. O algodão utilizado é tipo pima e colhido à mão. Os tecidos que dão acabamento possuem uma proteção contra contaminação por microrganismos, como o náilon, reciclado de redes de pesca (em alternativa ao poliéster). Do início ao fim, é uma marca que se preocupa com as mulheres.

Além de criar roupas a favor do meio ambiente, Stella McCartney se preocupa muito com as pessoas, como podemos notar nas ações que promove. Uma delas foi a criação da linha de sutiã para mulheres que passaram por mastectomia. A peça criada para esse momento tão importante e difícil é para ela um tributo às sobreviventes. (Stella perdeu a mãe, Linda McCartney, em 1998, após uma longa luta contra o câncer de mama — uma das manifestações mais frequentes da doença entre as mulheres.) Além de fazer bem a quem usava, parte da renda foi revertida para fundações de apoio e pesquisa relacionadas à doença, gerando impacto positivo. É o sutiã reescrevendo a história...

Empoderar é cuidar das mulheres. Física e mentalmente. Ajudar a curar. Celebrar quem elas são. Respeitar. Seus corpos, suas diferenças, suas causas, suas vontades e até suas fragilidades. Agora pense: quais marcas estão realmente fazendo isso? Como pode ter sentido para sua marca atuar nesse empoderamento? Caso as mulheres não sejam seu público final, tenho certeza de que muitas delas são responsáveis por sua marca acontecer. Pense nelas.

Atrás de letras e números

Nina Ribeiro, editora executiva do Modices, mandou o recado num post sobre a crise de 2015:

> Entenda que suas clientes são gordas, são negras, são empresárias, são altas, são velhas — e se você ainda está tentando vender para uma cliente ideal que você acha que todas as mulheres desejam ser, você está à beira de um choque de realidade. É impressionante como poucas marcas conseguiram captar essa ideia. Basta uma ida ao shopping para ter a sensação (clara) de que nada daquilo que está nas vitrines e nas araras nos representa. [...] as marcas simplesmente não estão acompanhando a nossa evolução. "Para quem são essas roupas?" — foi a pergunta leve-

mente indignada de uma de nós dentro de uma loja, que foi jogada em um grupo no WhatsApp e desencadeou um monte de mensagens que diziam "Há muito tempo não compro nada", "Só tenho achado roupas legais em marcas independentes", "Tudo tem me vestido muito mal, será que sou eu?", "Tenho preferido gastar meu dinheiro com comida e decoração". [...] Não se engane, dono de marca de moda, não adianta facilitar o pagamento. Pode parar de achar que a sua cliente não está comprando suas roupas porque está sem dinheiro. Ela só não quer mais comprar de você.

Estamos acostumados a pensar muito nos efeitos visuais da moda, nas peças, nas campanhas e nos *lookbooks*, mas não nos efeitos psicológicos. O discurso que mais se ouve por aí é de que cada ser humano é diferente e a gente tem que valorizar essas diferenças. Na prática, o que vale é: "Certo, você pode ser diferente, desde que caiba na nossa medida". A numeração (de tamanho) e as modelagens são ferramentas de bastante opressão, que ajudam a perpetuar os padrões nocivos impostos pela moda. E mais ainda no Brasil, onde somente as medidas P, M e G são usadas na maioria esmagadora das marcas. Carla Lemos é uma que defende a variedade na grade das marcas. Ela me disse:

> Se você não se encaixar, você chora, você não tem direito de usar roupa legal, você não tem direito a ter estilo, você não tem direito a conhecer seu próprio corpo. Eu nunca levei isso muito a sério, até que fui ajudar uma amiga a comprar roupa para o aniversário dela. Quando eu gostava da peça, perguntava "Tem G?", e as vendedoras abriam um sorrisinho, dizendo "Sim, mas acho que não cabe nela", e eu via o constrangimento da minha amiga. Até que comecei a ficar constrangida também. A moda pode ser tão feliz. Fazer compras é um momento de felicidade, é um momento de alegria, toda mulher se sente feliz comprando uma coisa nova. Mas, se você chega para comprar uma coisa legal e a roupa não entra, a roupa aperta, a roupa isso, aquilo, acabou, destruiu o sonho. A pessoa fica triste, amargurada. Como uma coisa que é feita para mulheres ainda as submete a esse sofrimento?

A ModCloth é uma loja on-line que tem uma variedade linda, trabalhando com *plus size* desde 2010. Em 2015 integrou todos os tamanhos, abolindo a seção "*plus*". A marca acredita que mulheres de todos os tipos comprem juntas, no mesmo lugar, e por isso não vê mais sentido em segmentar. "Por que todas nós não podemos comprar juntas?", a ModCloth disse no post que explicava a "aposentadoria" da categoria. Para ajudar, ela ainda oferece o serviço de *stylist* on-line.

Não basta ter roupas de tamanhos maiores, é preciso (assumir) comunicar. Para isso suas campanhas têm modelos que representam todos os tamanhos oferecidos. Aí percebemos como as roupas são feitas com inteligência para vestir bem corpos tão diferentes. E veste bem de verdade, é só ver nas fotos das clientes, na página dos produtos: um monte de mulher feliz da vida usando sua roupa bonita e com a autoestima a mil. As clientes se sentem tão recompensadas que participam ativamente, com *reviews* e envio de fotos.

Portanto, uma coisa importante é entender que por trás de letras e números, todo ser humano é digno de respeito e atenção. O atendimento respeitoso, a educação e a postura gentil, tanto de vendedoras quanto das marcas, não podem ser esquecidos. Somos todos um. Independente de padrões, letras e números.

A questão do padrão não é só sobre a etnia e o tamanho das peças. Hoje recebemos mais imagens de belezas inatingíveis em um dia do que nossos ancestrais recebiam durante a vida toda. Antes mesmo de chegar na loja e tentar provar uma peça, a comunicação é a primeira a gerar esse mal-estar. Quando eu estava escrevendo este capítulo, recebi o seguinte e-mail:

> Sou cliente da FARM há muito tempo. Sou também mãe de uma menina de dezesseis anos que ama a marca assim como eu. Mas lamentavelmente estou indignada com esta foto que anexei aqui. Vocês realmente acham que isso é padrão de beleza e que vocês podem usar uma imagem de uma menina como essa, que ela passa um padrão saudável? Desculpem, vocês têm uma responsabilidade muito grande como formadores de opinião. Ela é absoluta e horrivelmente magra, padrão anoréxico.

Muitas meninas olham essa foto e consideram-na um desejo, um ideal. Minha filha teve anorexia durante um ano e meio, dos quais passou três meses e dez dias internada num hospital. Marcas como vocês e a mídia também são responsáveis por isso. É um padrão IMPOSSÍVEL e INVIÁVEL. Essas meninas se espelham, sim, no padrão que vocês estabelecem. Espero realmente que vocês pensem e repensem seus padrões. Beleza é saúde. Mesmo que essa menina seja saudável, as outras que tentarão seguir esse padrão não serão. Vocês não sabem como é sofrido um distúrbio alimentar. Ajudem a transformar um problema seríssimo de saúde como esse. Vocês podem.

Até começar a trabalhar com moda, nunca tinha ouvido falar em anorexia. Logo na primeira semana de trabalho, conheci duas estilistas que haviam superado a doença, mas que como sequela mantiveram o vício por exercícios físicos exaustivos e o sentimento de culpa toda vez que comiam — e isso com a "cultura da moda" sempre ali, rondando, como a tentação que poderia levar à recaída.

Tampouco tinha ouvido falar de meninas de vinte e poucos anos que usavam cremes antirrugas. Ou de algumas que já fazem botox... Os padrões que criamos são contra não só quem compra a moda, mas também quem a faz. Que espécie de autoboicote é esse, no qual prejudicamos pessoas de que dependemos profundamente?

Li um depoimento que despertou minha atenção na *timeline* do Facebook, de mais uma vítima da moda, Roberta Fernandes:

[...] ainda me lembro cenograficamente da sala de espera. pessoas magras, tristes. era tipo hospital e ali tinha cheiro de tristeza. não era de morte. eu devia estar com 16/17 anos e cheguei ali após a minha dermatologista suplicar a minha mãe que me levasse ao médico. 1,63 e, naquele dia, 39 kg. no dia da consulta [...] desmaiei na rua. antes, pouco antes, havia levantado de madrugada para fazer xixi e acordei com minha mãe me levantando, vários cacos no chão. eu havia desmaiado próximo à pia, derrubei tudo [...]. eu era pálida, triste, vazia. [...] desgostei de mim quando eu nem sabia quem eu era. [...] tomei mil remédios que me amortecessem do dia a dia, busquei identidades em tudo quanto era canto. disse que era x, depois y, depois z, depois tantos depois que era fácil me apegar a algo e falar: tó, sou eu. isso aqui sou eu. recuperei os quilos, mas não a alegria, essa me pedia verdade, e eu não queria encarar a verdade. [...] aos poucos, fui encontrando alguns sinais que levavam pra dentro de mim, algo espiritual, mas superficial, pelo meu próprio estado de ânimo. fui entendendo que a única pessoa que eu poderia ser no mundo era eu mesma. mas entender isso e colocar em prática... meu deus. [...] agora, nesse momento [...] quilos de textos sobre empoderamento e mais quilos de textos com regras sobre como agir aqui acolá. olha, na minha humilde opinião, do que vivi entre os 39 kg aos 53 kg atuais, o único empoderamento que deve ser incentivado é o da busca por quem cada um é [...].

Roberta me disse que, antes de começar o processo bulímico, era ansiosa e tinha compulsão por comida. Depois veio uma dieta maluca que a levou ao estado anoréxico. Seu sonho era trabalhar com moda. Ela ainda não sabia muito bem com o que, mas tinha certeza de que não podia ser gorda. Hoje, com 32 anos, ainda tenta parar com os antidepressivos. Mas tem medo, pois sente que os distúrbios alimentares nunca irão embora.

Na década de 1990, um grande incidente trouxe pela primeira vez o foco à questão da "saúde da moda" no Brasil. Claudia Liz, a modelo brasileira mais respeitada da época — eleita uma das mulheres mais bonitas do país, capa da *Playboy*, estrela de desfiles da Chanel e de Jean Paul Gaultier —, sofreu complicações seríssimas numa cirurgia de lipoaspiração. Ficou em coma, à beira da more. Em seguida, teve síndrome do pânico e abandonou a carreira. Eu me lembro de umas reportagens da época, quando ela disse que tomava um terço de um pacote de sopa com água quente antes de dormir, e ainda assim era considerada acima do peso.

Hoje esse cenário mudou bastante, pelo menos nas agências de modelo maiores, onde existe acompanhamento médico e psicológico. Mas quem determina o padrão é o mercado. E quem contrata (na maioria das vezes) continua buscando apenas "cabides", de acordo com o padrão europeu — o que principalmente no Brasil nunca teve sentido. Assim, nos acostumamos a chamar as pessoas de gordas, reclamar da grossura das pernas, da altura, do cabelo, como se fossem "coisas". Esse sentimento vai impresso em cada campanha, em cada desfile em que as escolhas são feitas por profissionais com essa mentalidade.

Cofundadora do projeto All Walks Beyond the Catwalk, Caryn Franklin acredita que, como uma indústria a favor das pessoas, a moda deveria promover a exposição de corpos sustentáveis, que espelhassem a beleza de vários tipos de seres humanos. Ela atende marcas como Stella McCartney e Vivienne Westwood e é responsável (de forma voluntária) pelo *casting* dos desfiles dos alunos da London College of Fashion, para conscientizar a nova geração sobre a responsabilidade de suas escolhas. Em seu portfólio, há modelos de todos os sexos, tamanhos, cores, estilos... uma verdadeira celebração da diversidade e da individualidade.

Caryn também é contra os retoques de Photoshop. "Nos acostumamos a isso também", disse no livro *Naked Fashion*. As capas de revista e a publicidade fazem retoques a todo momento e ninguém se importa mais. Ganhamos aplicativos que manipulam nossas fotos para o Instagram e vemos isso com a maior naturalidade. Dessa forma contribuímos para a grande ilusão da perfeição. Nós nos acostumamos com essa falsa realidade que representa um desserviço. Hoje consigo entender que moda pode, sim, inspirar, estimular, fazer sonhar, desde que proponha algo minimamente atingível, que represente uma melhor versão do que podemos ser, e não estimule algo que nunca seremos.

A marca masculina Dressmann, da Noruega, quis agradar todos os tipos de homens. E quem não quer? Mas ela leva isso realmente a sério. Em setembro de 2015, lançou a campanha #JustTheWayYouAre [Do jeito que você é] para promover suas cuecas, e recrutou como modelos homens magros, acima do peso, mais velhos, musculosos, negros... Suas vendas tiveram um incremento de 30% em comparação com o ano anterior. O resultado financeiro é consequência do empoderamento promovido pela marca. Todos têm a chance de fazer isso. "Quando eu realmente me tornei dona do meu corpo, percebi que tinha um grande propósito como mulher: desafiar os preconceitos da beleza feminina", disse Ashley Graham, modelo *plus size*, designer, em sua palestra para o TEDx.

Em maio de 2015, para comemorar o aniversário de 27 anos da *ELLE Brasil*, foi usada uma espécie de papel laminado na capa da edição da revista, que falava sobre diversidade e autoestima, para que todos pudessem se sentir (espelhados) estampados nela. Para a versão on-line, elegeram a blogueira *plus size* Juliana Romano — em contraste com a capa da edição de quarenta anos da *Vogue* (no mesmo mês), com Gisele Bündchen nua e esguia. No mês seguinte, depois de mais de 4 mil fotos espontâneas postadas com a *hashtag* #VocêNaCapa, a revista lançou três capas sequenciais impressas com Nina, Christel e Deise, mulheres reais, com diferentes tipos de corpo. No Instagram oficial @ellebrasil, a publicação explicou:

> Elas não são modelos, mas fazem parte de uma renovação da moda em que acreditamos. E isso não significa que nunca mais haverá tops na nossa capa. A moda não precisa de regras, fronteiras, mas sim de atitude. Chegou a hora de todos finalmente fazerem parte dela. Estamos felizes de dar mais um passo rumo à democratização da moda.

Enquanto boa parte da imprensa de moda hoje, especialmente no Brasil, virou uma grande coluna social, focada em quem é quem, quem sentou na primeira fila de qual desfile (como brinca Cris, do Oficina de Estilo), é admirável ver uma publicação, do seu jeito, promovendo uma real discussão e transformação. "Tem muita gente focando em pessoas de um jeito ruim, mais como exemplo ou como parâmetro de comparação do que de sentido, significado, personalização e singularização", me disse Cris.

Pluralidade

A questão do padrão ainda vai além. Quem já viu modelo de óculos em capa de revista? Ou mesmo vendedoras de loja? Essa é mais uma questão que a moda muitas vezes ignora. Assim como são esquecid@s @s cadeirantes — desde a infraestrutura das lojas até as roupas que não são pensad@s para el@s — ou pessoas com outras deficiências (acho que a primeira vez que vi um cadeirante "como modelo" foi no *lookbook* do inverno 2015 da Reserva, que ilustrava uma coleção sobre a diversidade). Se pensarmos nisso, taí mais uma grande parcela de "invisíveis" da moda.

Para chamar a atenção da indústria de bonecas e brinquedos, buscando representar a diversidade de crianças de maneira mais realista, surgiu o movimento Toy Like Me, em 2015. Promovido por pais com a intenção de melhorar a autoestima dos filhos com deficiência, ela estimulava que as pessoas fizessem adaptações em bonecos (criando bengalas, óculos, aparelhos auditivos...) para que a característica das crianças estivesse representada no brinquedo. A campanha, com fotos postadas com a *hashtag* #toylikeme, viralizou (no bom sentido) e virou página no Facebook, até que a marca inglesa Makie aderiu ao movimento, criando os "acessórios" em impressora 3-D para customizar bonecas de linha.

Em janeiro de 2016, a Lego apresentou na feira de brinquedos de Nuremberg, na Alemanha, seus primeiros bonecos em cadeira de rodas. Na mesma feira, a Mattel, fabricante da Barbie, anunciou a expansão da linha Fashionistas, com a inclusão de três novos tipos de corpo — baixa, alta e curvilínea —, além de uma variedade de tons de pele e estilos de cabelo. Após cinco décadas inspirando um corpo com medidas irreais (que não sustentariam uma pessoa em pé), a Barbie mudou e disse na capa da revista *Time* de fevereiro de 2016: "Agora podemos parar de falar do meu corpo?". Essas são provas do quanto o que fazemos pode ser a causa ou a solução do cenário cultural em que vivemos.

Na moda, vimos em 2015 algumas modelos com deficiência em campanhas e desfiles. A australiana Madeline Stuart tem dezoito anos e síndrome de Down. Em seu site, se apresenta como a primeira modelo com Down. Ela entrou no mundo da moda quando foi convidada para desfilar na New York Fashion Week pela marca FTL Moda. Madeline, que estava acima do peso, então decidiu mudar sua alimentação e seu estilo de vida. Ela começou a praticar esportes, a dançar e se tornou líder de torcida. Em menos de um ano, participou de duas campanhas publicitárias. "Eu sou uma modelo e espero que meu trabalho ajude a mudar a forma como a sociedade enxerga as pessoas com deficiência. A visibilidade cria consciência, aceitação e inclusão", ela disse em seu Facebook.

Também na semana de moda de Nova York, a marca Desigual apresentou a modelo canadense Winnie Harlow (participante do programa *America's Next Top Model*), que tem vitiligo. Em nota oficial, a Desigual disse: "Temos tudo a ver com a diversidade, isso sempre foi exaltado pela marca. Para nós as diferenças são o tempero da vida, o que faz este mundo girar e ser tão maravilhoso. E, felizmente, todos nós somos diferentes. Temos que celebrar e valorizar o original".

A moda tenta tanto forçar a barra para ser cool que muitas vezes acaba fazendo coisas que passam bem longe disso. Precisamos despertar para essa questão. A violência cultural que criamos danifica as bases da sociedade, que não tem grana para ter uma bolsa, a cor ou o cabelo da estação ou a medida disponível, transformando muita gente em (literalmente) vítima. Cabe a quem a faz mudar isso.

A morte da idade

O que significa ser jovem hoje?

O post do Ponto Eletrônico, "Morte da idade declarada pela moda", de Eduardo Biz, editor-chefe do blog, pesquisador de tendências e fundador da Artikin, uma *startup* de curadoria cultural e criação de conteúdo, pode fazer você rever seus conceitos:

> Teorias geracionais ajudaram a entender melhor as últimas décadas, mas estudos recentes apontam que a juventude não etária demanda emancipação. Hoje, a rapidez das mudanças no comportamento humano torna confuso o conceito de geração e dificulta estabelecer os cortes de sua linha do tempo.

O ser humano nunca viveu tanto. Todos sentem necessidade de se adaptar às novas maneiras de viver, conectar, relacionar.

Até pouco tempo, a moda sempre enalteceu a juventude como sinônimo absoluto de pouca idade. A indústria dos cosméticos sempre se dirigiu às rugas como inimigas, ao passo que modelos escandalosamente novas costumavam ser coqueluches disputadas entre as principais grifes.

Porém observa-se nos últimos anos o movimento Unfashion, que reavalia alguns estereótipos da moda e propõe uma autotransgressão em seu sistema. A juventude tem deixado de ser uma inspiração inquestionável, excluindo a idade da pauta contemporânea.

Há dez anos, a Dove foi pioneira no assunto quando lançou a "Campanha Pela Real Beleza". De lá pra cá, outras marcas passaram a prestar atenção nas "pessoas reais", e entre elas também estão os mais velhos.

Mais do que uma tentativa de inclusão, existe por trás deste fenômeno uma questão mercadológica: este consumidor existe, e há dinheiro para ser feito [o faturamento da Dove saltou de 2,5 bilhões de dólares para 4]. A população idosa — hoje a mais numerosa da história — tem mais saúde e dinheiro do que outros grupos mais jovens. A mais populosa das gerações, os *baby boomers*, tem hoje entre 48 e 66 anos. E eles não vão parar de envelhecer. [...] Enquanto algumas dessas mulheres nos desafiam a acreditar na idade que têm, outras se orgulham por terem passado longe do botox.

Então, pelo mundo todo, mulheres acima dos quarenta, cinquenta e sessenta entraram na conversa para mostrar que também entendem de moda. Poderia ter sido diferente, mas a moda, olhando para o mundo e sendo moda, abraçou a causa. Em 2012, Ari Seth Cohen, do blog Advanced Style, foi convidado para fazer o *casting* de uma campanha da Lanvin. E modelos de alta idade começaram a pipocar. É o caso de Daphne Selfe, de 85 anos, e de Joan Didion, que aos 81 anos estrelou a campanha da Celine. Joni Mitchell, com 71, fez Saint Laurent. Jacky O'Shaughnessy, com 63, fez American Apparel. Jacquie Tajah Murdock, 82, fez Lanvin.

Sem contar com Jane Fonda, aos 77 anos, e Helen Mirren, aos setenta, que assinaram com a L'Oréal. Por aqui, Constanza Pascolato, em 2015 (ao lado de Lea T e Valeska Popozuda), estampou a campanha da Morena Rosa. Iris Apfel, que em 2015 completou 94 anos, recebeu em 2010 o prêmio de referência de estilo global no WGSN Global Fashion Awards, e hoje é uma das que mais levanta a bandeira da causa. Ela sempre cita a máxima de Coco Chanel: "Você pode ser maravilhosa aos trinta, charmosa aos quarenta e irresistível para o resto da vida!". Mas será mesmo que a moda vai repensar o prazo de validade de seus *castings* e públicos? Em seu post no Ponto Eletrônico, Eduardo complementa:

> Mesmo que muitas marcas estejam estabelecendo novos vínculos com os seniores, o mercado de moda ainda é muito dependente da associação entre juventude e pouca idade. A mudança desta mentalidade corre a passos lentos, mas o crescente número de exemplos é motivador. A influência que eles exercem é inegável.

O relatório da Box1824, "Youth mode", que garante a morte da idade, explicou mais:

> Por muito tempo, a idade esteve amarrada a uma série de expectativas sociais. [...] Pense no Kevin Spacey em *Beleza americana*: um marombeiro que fuma maconha na crise da meia-idade. Esse é um modelo *baby boomer* de rejuvenescimento. É voltar a um estágio em que o colarinho branco ainda não havia sugado sua vida e transformado você em um robô corporativo. Obviamente, tudo deu errado para esse personagem. Estar em *youth mode* não significa reviver perpetuamente sua própria juventude, e sim estar presente e jovem em qualquer idade. Juventude não é um processo, envelhecer é. Em *youth mode*, você é infinito.
>
> Juventude não é liberdade em um sentido político. É uma emancipação do tédio, do previsível, da tradição. É atingir um potencial máximo: a habilidade de ser a pessoa que você quer ser. Trata-se da liberdade de escolher como se relacionar; de experimentar coisas novas; de cometer erros. A juventude entende que toda liberdade tem limites e que ser adaptável é a única forma de ser livre.

Rony Rodrigues, um dos fundadores da Box1824, me contou que para fazer essa pesquisa a agência conversou com pessoas de diferentes idades, perguntando o que era ser jovem para elas. Então se percebeu que, pelos conceitos desenhados e pelo comportamento das pessoas hoje, alguém de 25 anos pode ser mais velh@ que alguém de 45. E chegaram à conclusão de que não existe mais idade como se pensava. O perfil "jovem" continua existindo, mas ele pode estar desvinculado de um número. "Isso pode ser visto no consumo. É comum mulheres de quarenta anos consumindo moda para meninas de dezoito anos, e meninas de dezoito anos consumindo cosméticos para mulheres de quarenta", ele me disse.

O nome Box1824 nasceu da crença de que grande parte do comportamento da sociedade vinha da faixa etária de dezoito a 24 anos, que se tornava aspiracional tanto para quem é mais novo quanto para quem é mais velho. Não é incrível que alguém que um dia acreditou tanto nisso a ponto de dar esse nome à empresa hoje esteja vendo as coisas de um jeito diferente?

Vivi essa transformação do mercado na prática. Desde que entrei na FARM e a jovem de vinte e poucos anos era perseguida incansavelmente como público-alvo — e tudo tinha que ser muito jovem, da comunicação ao tamanho das peças e tipos de produto — até chegar em março de 2016 e ver uma coleção lançada em homenagem às avós. A FARM assumiu que esse também é um público da marca. O que mudou não foi o *target*, mas o entendimento de que o comportamento e a adequação do público passa mais por critérios de comportamento do que pelo RG.

(sem) gênero

Feche os olhos e imagine um homem. Agora, uma mulher. O binário foi o modelo institucionalizado em nossa cultura para definir gênero e, sob a égide da religião, das instituições e das relações sociais tradicionais, validamos e reforçamos ao longo do tempo essa construção. O terreno sólido do natural nos ensinou a pensar de forma polarizada, onde a oposição radical entre dois lados definia identidade. O certo e o errado, o natural e o artificial, o sim e o não. Eu sou o que sou porque não sou o outro. Simples, fácil e lógico. E mais importante: seguro.

Isso é o que Bruna Baffa nos faz pensar no post "Transgender", no Ponto Eletrônico, de 8 de dezembro de 2015. Mas será que isso ainda tem sentido hoje? A tentativa do rapaz de comprar o casaco na FARM não saiu da minha cabeça. Por que tamanha curiosidade e espanto por parte de vendedora, conforme apontou o rapaz? Em 2015? Durante muitas semanas conversamos sobre isso internamente, e recebemos um feedback da adidas de que muitos meninos estavam comprando a coleção com nossas estampas e que deveríamos pensar a cada estação numa estampa que pudesse ser mais "unissex" e alterar algumas modelagens, para não restringir a compra. Seria um sinal de mudança?

Enquanto isso, uma pessoa maravilhosa lançou no Facebook: "2015: Não era para estarmos vestindo prateado, igual aos Jetsons?" ☺. Coco Chanel, que na década de 1920 criou roupas para mulheres a partir do guarda-roupa masculino (como a calça feminina inspirada na dos marinheiros), com certeza arriscaria que as peças de hoje poderiam até não ser prateadas, mas não teriam mais gênero. Infelizmente ainda somos muito caretas, e ainda há quem pense que azul é para menino e rosa é para menina. Mas basta olhar ao redor e ver que a identidade do que era considerado masculino e feminino mudou. Está no ar a poeira cósmica da explosão das diferenças.

Algumas marcas de beleza já estão valorizando a diversidade de gêneros e orientações sexuais, oferecendo opções para tod@s, sem preconceito. Com linhas de produtos especialmente para homens — como Nivea, Leite de Rosas e Granado. Com apoio às drags, como na colaboração entre a MAC e RuPaul. E o anúncio do Boticário de Dia dos Namorados, em 2015, quem não lembra? Sobre ele, o deputado Jean Wyllys (PSOL-RJ), único homossexual assumido do Congresso Nacional, comentou no Facebook:

> [...] fez soar [...] os acordes do mundo que queremos: o mundo onde as pessoas sejam respeitadas, tenham dignidade, visibilidade e possam amar livremente, independentemente de sua orientação sexual, identidade de gênero, cor da pele, etnia, classe social e crença ou não crença em religião; o mundo em que as representações das diferentes expressões do amor e do afeto numa peça publicitária não encontrem resistências por parte de fanáticos religiosos, ignorantes motivados e fascistas diligentes.

Em 2012, Kanye West usou um kilt Givenchy e camisas-longas-quase-vestidos em shows e aparições públicas. Em 2014, a cantora Conchita Wurst venceu o prêmio Eurovision na Áustria, conquistando fama mundial — pela voz e pela aparência que combinava barba com longos cabelos, sobrancelha feita e maquiagem feminina. Micky Blanco é outro exemplo de liberdade de gênero na música. Não se importa de ser chamad@ de "ele" ou "ela" e usa tanto roupas "de mulher" como "de homem". No Brasil, Liniker usa batom e turbante para cantar. "Isso não me distancia de nada. Por que colocar uma calça jeans e uma camiseta e mostrar meu trabalho só com a voz? Meu corpo é um corpo político", ele disse ao *El País*.

As publicações internacionais também vêm fortalecendo a quebra do modelo binário. Em 2015 a revista feminina *Vanity Fair* estampou, numa de suas capas, Caitlyn Jenner (transexual, ex-atleta olímpico e padrasto das irmãs Kardashian). Depois foi a vez da transexual Laverne Cox (da série *Orange Is the New Black*) na *Time*. O primeiro-ministro canadense Justin Trudeau, de 43 anos, tomou posse em Ottawa no dia 4 de novembro de 2015 e apresentou um gabinete igualitário em gênero formado por trinta ministr@s (ele é filho do primeiro-ministro Pierre Trudeau, que liderou o país de 1969 a 1984 com leis avançadas sobre o aborto, o divórcio e a homossexualidade).

Na moda, há alguns anos, os desfiles masculinos têm apresentado mais novidade e inspirado mais que os femininos. A influência da moda masculina na feminina — e vice-versa — hoje é mais que uma tendência, e não deve ser ignorada. É importante sentir o que isso representa. Nas últimas décadas, o público feminino passou a adotar uma série de roupas do guarda-roupa masculino — como a *t-shirt*, a calça *boyfriend*, o sapato oxford, o blazer, e por aí vai. Em algum momento esses looks chocaram à beça. Hoje os meninos começam a experimentar mais também.

Há algumas estações é isso que temos visto nas passarelas. Estilistas e marcas questionando arquétipos e a posição do homem pós-moderno, como Astrid Andersen, Ami Paris e Juun J. A revista *Dazed* chegou a questionar na edição de julho de 2015 se a divisão de gênero nas semanas de moda ainda teria sentido. J. W. Anderson, reconhecido como um dos melhores estilistas da atualidade, redefine a cada coleção o conceito de masculinidade diante dos nossos olhos. Em junho de 2014, Craig Green também seguiu a onda, com formas e volumes experimentais, que trazem uma dimensão mais conceitual para o masculino, bem longe de moldes preestabelecidos. Já a Acne Studio apresentou suéteres estampados que gritam "igualdade de gênero".

Yohji Yamamoto e Comme Des Garçons já desafiam a relação masculino/feminino há bastante tempo. E na primavera-verão 2014, Saint Laurent e Hermès entraram na onda. Até a Gucci, que vendia a imagem de um homem sensual, numa alfaiataria justa, que valorizava o corpo, afrouxou (sem trocadilho) na estreia de Alessandro Michele à frente da criação da marca (início de 2015), com modelos em roupas em que o masculino e o feminino andavam juntos. E a moda chegou no *fast-fashion* e nas lojas multimarcas, como a TopShop e a Selfridges, que em 2015 inaugurou uma seção inteira dedicada a peças e marcas sem gênero.

No início de 2015 fui a Maringá dar uma palestra na faculdade Unicesumar. No final, entre os alunos que vieram comentar e tirar dúvidas estava Rodrigo Zanini, 22 anos, bonito, negro, alto, tipo modelo. A cabeça raspada, a voz firme e a atitude determinada faziam um contraponto (no mínimo) interessante com a forma como estava vestid@: sapato alto de camurça, short feminino estampado, blusa de alcinha e bolsa de mão. Rodrigo é estudante e estilista da marca Morena Rosa e veste-se frequentemente com roupas femininas.

Após algumas perguntas e colocações inteligentes, tive que parabenizá-lo (e gostaria também de parabenizar a Morena Rosa). Fiquei fascinado pela sua imagem. Mais do que isso, fiquei admirado com a naturalidade com que ele transitava pelos corredores da faculdade, sem despertar olhares maldosos ou de julgamento. A reação das pessoas foi muito significativa para mim.

Cada vez mais veremos a moda abraçar essas causas, que assim como vimos nas páginas anteriores envolve símbolos, sociedade e luta por igualdade, questionando a cultura já enraizada há muito tempo. A era pós-gênero ganha força no mercado da moda, com marcas de não categorização e separação das peças por gênero — movimento mais conhecido como "unissex" e "agender". A expectativa é que a proposta seja incorporada pelos consumidores da nova geração, motivados a se orgulhar da sua identidade e apoiados pela força do ser autêntico.

Aqui no Brasil, o movimento conta com as marcas BEN, de Leandro Benites, e Trendt, de Renan Serrano, ambas em São Paulo; Beira, de Lívia Campos, e Handred, de Andre Namitala, no Rio; e Cacau Francisco, de Fortaleza. Todas, com design bem contemporâneo, trazem peças que vestem bem "meninos e meninas". A vontade de ~~ser livre~~ não classificar é tanta que alguns preferem nem ser chamados de unissex. Cacau diz que esse nome por si só subentende a presença do binômio masculino e feminino, e sua intenção é fazer uma roupa híbrida, para pessoas livres, que vivem o agora e não se preocupam com essa visão que a sociedade tem sobre o que é masculino e o que é feminino. Lívia prefere chamar de "plurissex", por questões que vão além do sexo.

Lá fora, o casal Tiffe Fermaint e Keith Walker se questionaram sobre a definição de cores para as roupas de meninos e meninas quando engravidaram d@ pequen@ Violet. Em 2013 lançaram a marca Baby Teith, com o objetivo de criar roupas infantis sem marcação de gênero. O casal acredita que é importante que as crianças saibam que os estereótipos de gênero estão ultrapassados e que elas têm o direito de escolher o que vestir, sem seguir nenhum padrão preestabelecido.

No Brasil, pais que também pensam dessa forma têm a loja Marré Deci, criada por Marina Ribeiro. Com leveza, silks e estampas divertidas, a marca fala do respeito às escolhas de cor, da valorização do conhecimento, da fuga dos estereótipos e dos preconceitos de gênero. Os best-sellers são: "Princesa, não! Pode me chamar de presidente" e "Eu brinco com o que eu quiser" (com imagens de boneca, pião, caminhão e panelinhas). Ambas as marcas são sementes de um mundo onde crianças são empoderadas para se tornar livres de rótulos.

Em novembro de 2015, pela primeira vez, um comercial da Barbie trouxe um menino brincando com a boneca entre as meninas. Era a campanha da edição especial Moschino, assinada por Jeremy Scott, que contava com uma boneca branca e uma negra, e esgotou em menos de uma hora no site Net-a-Porter. A Melissa lançou no mesmo mês a "melissinha" sem gênero, com numeração até 44. São vários modelos e cores diferentes, para quem quiser usar.

"Menino ou menina?" Quem nunca fez essa pergunta após o anúncio de uma gravidez? Só que se a criança não se adaptar ao que é tido como normalidade para o rótulo da resposta, provavelmente passará o resto da vida ouvindo essa pergunta (por dentro e por fora).

A revista *Galileu* de novembro de 2015 trouxe a matéria "Gênero: Tudo o que você sabe está errado". Nela, são apresentadas histórias de meninos e meninas que não querem mais saber da classificação homem × mulher ou gay × hétero. Eis um caso retratado nela:

> Valentim nasceu em Colorado, interior do Paraná. Desde pequeno seu comportamento fugia do padrão esperado para um menino: gostava de brincar com bonecas, preferia andar com garotas e às vezes vestia roupas da tia. Não pegou muito bem na família. Era comum Valentim ouvir "vira homem" e "viadinho" durante a infância. O assédio machucava, mas, pior que isso, o deixava confuso. Como poderia ser gay, se também se sentia atraído por meninas? Como só tinha referências de homo e heterossexualidade, acabou se definindo como gay. Até que o modelo transgênero Andrej Pejic veio ao Brasil para o desfile da Ausländer e foi entrevistado por uma rede de TV aberta. Foi quando entendeu o que é

gênero e a diferença entre este e orientação sexual. Descobriu sua identidade: não binário e bissexual.

Uma pesquisa de 2015 do instituto norte-americano YouGov revelou que 46% dos jovens entre dezoito e 24 anos se definem heterossexuais, enquanto 6% se dizem homossexuais. Isso significa que 48% estão fora desse espectro.

Oriole Cullen, curadora do Victoria and Albert Museum de Londres, disse numa entrevista à BBC Culture que isso é reflexo do mundo atual:

> Tem muito a ver com uma nova geração querendo derrubar fronteiras, mas também é um reflexo de onde estamos hoje. [...] Há um interesse renovado no feminismo e isso alimenta a moda. Há mais interesse também pela comunidade trans. E a sexualidade não é mais um assunto tão tabu quanto antes.

Mas para essa moda pegar uma das barreiras que precisa ser vencida é a associação com a sexualidade, que diz respeito às preferências sexuais, quando o assunto é sexo e identidade de gênero. O que juntamos na mesma sacola, na verdade são três coisas diferentes. Sexo biológico é referente ao órgão sexual do corpo humano. O gênero é um rótulo, regulado por instituições sociais, como forma de categorizar indivíduos, suas atividades e roupas. Orientação sexual tem a ver com o tipo de atração sexual que a pessoa sente. Logo, usar saia não faz de uma mulher "mais" heterossexual nem de um homem homossexual.

Na matéria da *Galileu*, Valentim diz: "Não nasci num corpo errado, é a sociedade que tem uma leitura errada dele". Felizmente, alguns movimentos apontam para uma transformação dessa leitura. A FLAG, holding de agências *full service* de São Paulo que se propõe a fazer trabalhos disruptivos declarou que não considera mais "masculino" ou "feminino" nos *targets* de suas ações. Outro dia fui responder a uma pesquisa do Google e entre as opções de gênero tinha "neutro", para aqueles que não se enquadram ou não querem se definir. E você já deve ter visto por aí (e aqui) a onda, principalmente nos blogs, de uma mudança linguística nas estruturas das palavras, fazendo uso de x ou @ no lugar de "o" ou "a" quando não há intenção de sugestionar gênero definido. Escolhi usar o @, que me sugere um "o" e um "a" juntos.

Voltando a falar (rapidamente) sobre sexualidade, de quebra, todas essas iniciativas ajudam a minimizar o preconceito quanto à orientação sexual, que ainda é muito presente hoje. Testemunhamos casos diariamente no mundo todo.

A mesma matéria da *Galileu* conta o caso de Alex, morador de oito anos da periferia do Rio de Janeiro que gostava de dança do ventre e de lavar louça. Seu jeito afeminado — que poderia não ser sinal de homossexualidade — tirava seu pai, Alex (também), do sério. Numa das recorrentes surras com a intenção de "dar jeito" no menino, que se recusou a cortar os cabelos longos, Alex morreu com fígado perfurado e hemorragia interna. Pagou com a vida por não se adequar às formas impostas pela sociedade.

Mais uma prova do quanto as formas que a sociedade cria não são a favor da vida. Então voltamos ao início do tudo: o quanto a moda tem a chance de veicular imagens que possam trazer a liberdade à normalidade. Da mesma forma que vimos a influência de Andrej na vida de Valentin, certamente Riccardo Tisci e Alexandre Herchcovitch fizeram um grande bem à vida de muit@s, apostando n@ modelo transexual Lea T.

Talvez se víssemos mais imagens de garotos pequenos com cabelo comprido, Alex não teria morrido. Talvez se as marcas masculinas assumissem mais seu público gay, teriam mais público. Mas essas mudanças não dependem somente do mercado de roupas. São mudanças de cultura, da sociedade. É preciso aceitar que meninas e meninos têm talentos que não são determinados pelo gênero. Quando isso acontecer, a moda de fato terá adentrado uma nova era.

Todos esses movimentos pelo empoderamento das mulheres e pela igualdade de gêneros têm uma grande importância para a nova era, que a moda pode ajudar a promover. Toda a humanidade tem valores masculinos e femininos na formação da sua identidade —

independentemente de gênero ou preferência sexual. Mais uma vez, o modelo binário organizou (até hoje) que cabia às mulheres os valores femininos e aos homens os masculinos. Mas homem também chora, não é verdade?

O feminino representa, entre tantas coisas, a aceitação e a receptividade. Quando distorcido se transforma em submissão. O masculino é ação e realização (paradigma da era de Peixes). Quando distorcido se transforma em violência, em destruição. Até hoje, grande parte dos movimentos feministas tem trabalhado para libertar o "masculino" das mulheres, em busca de poder, força, igualdade... A moda também (é isso que faz quando coloca calças e ternos nelas). Colocar a mulher no mesmo lugar do homem sem dúvida é uma importante forma de equilibrar, pois a harmonização com o masculino evoca a harmonização com o feminino também. Mas não podemos esquecer (o momento pede que libertemos) o feminino nas mulheres e nos homens (a era de Aquário favorece isso).

A tradição racionalista foi disseminada desde sempre nas escolas. O lado esquerdo do cérebro, que representa valores masculinos — como a razão, o raciocínio lógico, a análise, a memória, o verbal, o quantitativo —, é a base de muitos sistemas educacionais. Isso fez com que durante séculos nosso lado direito do cérebro — o feminino — atrofiasse. É nele que mora a criatividade, a paixão, a informalidade, a leitura de imagens, as analogias, a intuição... Essas características são encontradas em homens que usam mais o lado direito (canhotos, por exemplo) e em todos os tipos de mulheres, pois durante várias gerações elas foram excluídas dos processos de formação, liderança e poder, de modo que seus programas mentais são diferentes dos de muitos homens (olha como tudo pode ter um lado bom). E, claro, de acordo com formação, referências e experiências, alguns homens conseguiram desenvolver esse outro lado também — independentemente do gênero ou da orientação sexual. Assim como há mulheres que têm mais afinidade com valores masculinos.

Hoje precisamos de valores femininos para quebrar a lógica racionalista antropocêntrica e tirana à qual nos habituamos. Esse é o caminho para nos abrir a muitas das transformações que precisam ocorrer. O empoderamento feminino não pode esquecer valores como interioridade, espiritualidade, frugalidade, simplicidade, ecologia, criatividade, fraternidade, igualdade, qualidade de vida, sensibilidade, boa saúde e durabilidade. O primeiro trabalho é buscar essas potencialidades que estão escondidas em nós, desvinculando-as de sexo ou gênero. Temos que melhorar nossa relação com o feminino, que anda muito ruim (e todos os movimentos que vimos aqui comprovam isso). Prem Baba diz que uma das formas de ver como a sociedade se relaciona com o feminino é olhando para a natureza (e vice-versa).

Nosso corpo é uma manifestação do feminino, assim como a natureza. As águas que representam as emoções e os sentimentos também são femininas. O desequilíbrio que estamos vivendo hoje na natureza revela que maltratamos severamente o feminino. A poluição das águas, o desmatamento, o excesso de consumo, o lixo que produzimos — tudo isso é desrespeito ao feminino. Ou seja, o que estamos (promovendo) vendo acontecer com o meio ambiente é um reflexo de como tratamos o feminino que está dentro de nós e o feminino que está ao nosso lado. Sacou então que uma das formas de salvar o planeta é se harmonizar com o feminino?

Para isso precisamos pensar: Como é estamos está em relação ao feminino? Em relação às nossas mães? Às mulheres que estão ao nosso lado? Às mulheres que estão dentro de nós? À aceitação? À receptividade? À doçura? Ao acolhimento?

Acredito que este capítulo tenha mexido bastante com você. Muita energia foi movimentada por conflitos, sofrimento, e novos paradigmas, ideias e esperanças. Antes de continuar, convido você a fechar os olhos, respirar fundo e fazer um minuto de silêncio. Pode colocar alguma intenção ou simplesmente deixar vir o que mais lhe sensibilizou.

Se curtir, incorpore essa prática no seu dia a dia. Quantas vezes sentir vontade. Um minuto de silêncio tem muito poder. Ele traz a lembrança da nossa presença. Fazê-lo antes de atividades importantes ajuda a abrir clareiras, a ter foco, a tomar decisões. Na hora de acordar, alinha o corpo. Na hora de dormir, prepara a alma para sonhar. Antes de se alimentar, prepara o organismo. E por aí vai.

QUARTA PARTE

O quê?

AGIR LOCALMENTE,
PENSAR GLOBALMENTE,

SENTIR
COSMICAMENTE.

16. Visão de presente

Vivemos um momento extraordinário. Temos mais informação, conhecimento e poder do que nossos ancestrais poderiam sonhar. Podemos fazer o que quisermos. Mas também vivemos a destruição e a crise de forma avassaladora, em proporções inimagináveis. O lado bom é que já existem muitas marcas, pessoas e grupos promovendo a transição da sociedade industrial (que tanto criticamos) para uma sociedade de sustentação da vida e a favor da nossa descendência.

Quando lá na frente estudarem este momento que estamos vivendo, falarão de um período histórico. De uma época revolucionária. De uma grande virada. Do início de uma era. Com o mundo, a moda também vai se transformar. Sua nova era será marcada por duas grandes revoluções industriais, que transformarão as fábricas, a sociedade e as pessoas. Enquanto você lê este capítulo, estamos na eminência — ou já no início, como veremos aqui — da primeira delas, uma nova revolução industrial, que se faz necessária para adequar nossos sistemas de produção e o que fazemos à nova realidade de recursos e necessidades planetárias.

Enquanto a revolução agrícola durou séculos, a revolução industrial durou gerações e a revolução digital durou um par de décadas, essa revolução precisará ser extremamente rápida (e, para quem não a compreender, ela será fatal). Vai transformar a maneira "como" fazemos e "o que" fazemos, alterando hábitos, modelos mentais e valores gerados na primeira revolução industrial. Assim dará origem a um novo mundo industrial (que já começou/está começando a nascer), à nova era, que vem ao encontro de novos hábitos e costumes do mundo que começa a ser esboçado.

A indústria da moda vai precisar se transformar para acompanhar as mudanças e as necessidades desse novo mundo, onde há escassez de água e de outros recursos, desperdício, aumento da população, crises econômicas e a constante evolução ~~do comportamento~~ da consciência do consumidor. Seu "fazer" precisará estar cada vez mais a serviço das cicatrizes ambientais e das mudanças e feridas sociais (que vimos há pouco). Essa será a nova vantagem competitiva entre as marcas.

Amparados pela ciência e pela tecnologia, na nova era industrial da moda, viveremos ciclos de inovação, nos quais a tecnologia e a sustentabilidade andarão juntas. Esse é o futuro, que precisa ser cada vez mais presente, da moda. Exemplo: na COP21 de 2015, a Conferência Mundial do Clima, realizada em Paris, a adidas, em parceria com a Parley for the Oceans, criou um tênis impresso em 3-D usando plástico encontrado no mar. Mas pense também em roupas feitas para ser reutilizadas, biodegradáveis ou que se autorregeneram, não sujam ou molham, multifuncionais, que captam energia solar e cinética para alimentar dispositivos eletrônicos, monitorar o clima externo, a saúde e os exercícios de quem usa (isso já existe, veremos mais nas próximas páginas). Para fazer tudo isso, novas profissões surgirão, conectando cada vez mais as disciplinas de moda, design, ciência, tecnologia e arquitetura, o que vai inaugurar a era das profissões de moda.

A BioCouture, por exemplo, criada pela designer Suzanne Lee, está revolucionando as matérias-primas recicláveis e sustentáveis. Ela vai além do reaproveitamento de produtos sintéticos descartados, desenvolvendo em laboratório tecidos a partir de resíduos de alimentos e bactérias. A nanotecnologia também está participando dessa revolução, com roupas que mudam de cor, estampa e forma, permitindo ao consumidor mudar sem precisar adquirir novas peças. Vamos entender a força da moda como ferramenta de transmissão de sentimento e empatia.

A internet das coisas está integrando cada vez mais o mundo físico ao digital, conectando itens e objetos usados no nosso cotidiano à rede mundial de computadores. Roupas, acessórios e utensílios domésticos estão ganhando sensores inteligentes que através da captura de dados comportamentais dos seres humanos podem gerar informações sobre o estado emocional e de saúde deles. Poderemos ainda ver surgir uma plataforma computadorizada afetiva na qual roupas podem se conectar entre si.

Michio Kaku, professor de física teórica da CUNY e autor do best-seller *The Future of the Mind*, diz em seu livro que nos próximos dez anos veremos a transição gradativa da internet para a *brain-net* [rede cerebral], em que pensamentos, emoções, sentimentos e memórias poderão ser transmitidos instantaneamente para todo o planeta. Isso pode revolucionar a comunicação e as indústrias do entretenimento e da moda. Os filmes do futuro serão capazes de transmitir emoções e sentimentos. Adolescentes vão vibrar com as mídias sociais que enviarão para seus amigos as sensações do baile de formatura ou do primeiro encontro. Historiadores e escritores serão capazes de registrar eventos e textos não apenas digitalmente, mas também emocionalmente. Roupas ganharão vida. Acessórios como colares e pulseiras também vão passar a transmitir sentimentos.

A personalização em massa vai (evitar o desperdício do sistema atual) apoiar o *ser*, contribuindo para novos modelos de negócio, que vão romper com os existentes e em que os clientes participarão da criação de forma ativa, como mais um tipo de empoderamento. A economia sob demanda tem sido apontada por muitos economistas como o único modelo de expansão saudável da economia vigente. Marcas focadas na transparência, na ética e no empoderamento da sociedade serão priorizadas cada vez mais pelos consumidores. Jovens empreendedores com espírito diferente e movimentos como hacker e *maker* ajudarão a despertar a vontade em massa pela tecnologia, acelerando o grau de aceitação das novidades pela sociedade.

Cada vez menos haverá espaço para marcas que não inovam e apenas reproduzem produtos encontrados em qualquer lugar. Preço vai ser importante para as pessoas? Sim, acredito que cada vez mais, pois elas estarão mais conscientes e talvez ganhando menos (num primeiro momento, começando, recomeçando ou em transição para fazeres em que acreditam) e gastando apenas com o essencial. Só que apenas o baixo preço não será mais vantagem. Será preciso ter preço e propósito. Estamos falando de um futuro que já se manifesta, no qual cada marca vai ter que encontrar seu lugar fazendo o que tiver mais a ver com seu propósito.

E antes que a nova era se estabeleça (prepare-se), uma revolução (que também já começou/está começando) vai abrir caminho através da robótica e das impressoras 3-D e 4-D, que vão contribuir para mais uma (supernova) revolução industrial na história da humanidade. Ela será marcada principalmente pela descentralização da produção, que deixará de ser exclusiva do "chão de fábrica" para fazer parte da vida das pessoas. Estima-se que até 2020 o mercado de impressão 3-D tenha um aumento de 4,5 bilhões de dólares (em 2015) para 17,2 bilhões. Até lá, essas impressoras serão tão comuns e baratas quanto qualquer aparelho eletrônico.

A tecnologia dos *wearables* já não é novidade e tem sido utilizada para criar relógios, anéis, colares, tecidos, roupas, sapatos e bolsas inteligentes. Tudo isso já está no mundo — e em maio de 2015 San Francisco sediou a primeira Silicon Valley Fashion Week? (lá mesmo, no vale). Numa passarela experimental, drones substituíram modelos, desfilando roupas e outras novidades tecnológicas. O CEO do Institute for Global Futures e autor dos livros *Future Smart* e *The Extreme Future*, James Canton, acredita que a inteligência artificial (IA) ultrapassará a inteligência dos seres humanos e será incorporada em automóveis, robôs, casas e hospitais. Teremos uma economia IA. Os seres humanos e os robôs se fundirão — digital e fisicamente.

Em breve veremos milhares de empregos serem substituídos por robôs, como na revolução agrícola as máquinas substituíram os trabalhadores rurais. Cortadores de tecido, carregadores, atendentes, recepcionistas e até produtores de conteúdo. O jornal *Valor Econômico* de 18 de janeiro de 2016 estimou a perda líquida de 5 milhões de empregos até 2020. Na verdade, já estamos em transição para esse futuro. Já existem livros e sites escritos por robôs, carros montados sem a participação de humanos e inúmeras equipes de projetos colaborando em escala global na criação e na prototipagem desses "novos profissionais". Os sistemas e conceitos de educação vão mudar totalmente, porque os robôs servirão para resolver problemas matemáticos e físicos. Disciplinas sobre relações humanas, controle de ansiedade (respiração) e meditação deixarão de ser luxo em escolas para se tornar uma necessidade.

No início de 2016 começou a ser comercializado o primeiro robô social, criado pela equipe de Cynthia Breazeal (que passou os últimos anos trabalhando em robôs pessoais), do Laboratório de Mídia do Instituto Tecnológico de Massachusetts, o MIT, e viabilizado por *crowdfunding*. Com o conceito de "robô familiar", Jibo (veja em jibo.com) lembra Rosie, o robô de *Os Jetsons* que fazia o trabalho de casa. E tem um pouco da Siri, do iPhone. Mas Jibo vai além. Com cerca de trinta centímetros e três quilos, @ pequen@ garot@ pode fazer companhia para idosos, contar histórias e estudar com as crianças, tirar fotos, falar sobre o tempo, pesquisar receitas, fazer ligações e até cantar. Depois das tentativas com o cão robótico Aibo, da Sony, ou o Roomba, da iRobot, parece que dessa vez a moda realmente vai pegar.

As impressoras 3-D já fazem parte da vida de muitas pessoas, seja em empreendimentos próprios ou outros avanços que estão transformando cidades — por aqui, no fim de 2015, foi viabilizada através de financiamento coletivo a Protomak, primeira impressora 3-D brasileira. As bioimpressões estão produzindo órgãos humanos para moldes de estudos e até reparos de peles, ossos, nervos e cartilagens. Em agosto de 2015, um cidadão norte-americano teve 75% de seu crânio substituído por uma prótese criada por uma impressora 3-D. Elas também já são capazes de imprimir comida, remédios, vacinas, casas, e até uma ponte inteira começou a ser construída na Holanda em setembro de 2015, com um modelo de máquina diferente, gigante e "fora da caixa". Notícias mais recentes falam sobre o uso para a produção de... robôs (como não?). Basta *googlar* para ver essas maravilhas.

A moda será bastante transformada pelas impressoras, que ajudarão a produzir moldes, tecidos e até peças — como já se faz por aí. A Noiga, de Curitiba, é uma marca de acessórios que faz pulseiras, anéis e colares sob demanda, em impressoras 3-D. Isso é apenas o começo. Até 2030 a expectativa é que novos desenvolvimentos científicos de compostos multifuncionais que combinam a nanotecnologia e a eletrônica molecular possam fazer muito mais através dessa impressão. Logo veremos mudanças na velocidade de impressão, no desenvolvimento de cartuchos biodegradáveis e recicláveis ou reciclados e muito mais. Tudo para tornar essa tecnologia a favor da vida.

A impressão 4-D também já é realidade. De uma impressora 3-D, cientistas do MIT desenvolveram essa tecnologia de impressão que é capaz de gerar objetos tridimensionais que podem ter sua forma alterada. O estúdio de design Nervous System, fundado em 2007 por Jessica Rosenkrantz e Jesse Louis-Rosenberg, ex-alunos do MIT, lançou no fim de 2015 a primeira coleção de joias 4-D, com colares maleáveis. Isso representa um dos avanços que as impressoras sofrerão. Cada vez mais elas vão contribuir para a fabricação de tecidos inteligentes, roupas que mudam de forma de acordo com o corpo e as condições meteorológicas.

Mas a grande revolução acontecerá quando as pessoas tiverem suas próprias máquinas em casa e passarem a imprimir tudo, inclusive roupas, com a mesma facilidade que hoje imprimimos fotos (o que um dia já dependeu de uma indústria inteira que produzia filmes e revelação). Quando isso acontecer, o que será das marcas? E das fábricas? E da moda? E dos profissionais da área? O que será do nosso tempo?

A moda deverá cada vez mais reproduzir a vida (e todos esses sentimentos). Pensar no que já existe não será suficiente. Será preciso inovar em produtos, serviços e comportamentos. Basta olhar para os *millennials* e ver que seus valores são totalmente diferentes dos praticados pela sociedade industrial atual. Percebo isso claramente em sala de aula, através da manifestação de desejos e vontades dos alunos. Em um encontro com o comitê científico no IED em São Paulo, no fim de 2015, Helena Pimenta, coordenadora da graduação de moda, apresentou alguns trabalhos de alunos e questionou: como o mercado está se preparando para receber esses jovens? As grandes marcas, estabelecidas no mercado, estão preparadas para tratar desses temas?

Entre os trabalhos, podemos destacar o de Leticia Zica, que propôs uma coleção para mulheres cegas, na qual a peça se transformava numa experiência sensorial (a apresentação do trabalho final à turma ocorreu com todos de olhos vendados, para que pudessem se colocar no lugar de quem usaria a peça). Luiza Tonelli tratou do gênero binário e da quebra do segmento (segundo Helena, os alunos de hoje têm mais dificuldade de criar coleções exclusivamente para homens ou mulheres, e a roupa híbrida é natural para muitos deles). Murilo Tadashi apresentou um trabalho sobre o *upcycling* de jeans, contando com a colaboração de várias pessoas para realizar as peças. Em todos os trabalhos era fácil perceber um desejo de olhar para o mundo, questionar e refletir — bem além da roupa.

Muitas perguntas ainda estão sem resposta. A única certeza é que é preciso que nossas ações provenham da liberdade para construir o novo. Que estejam conectadas com nossa responsabilidade de ser a favor da vida. E também, como diz o consultor de liderança e gerenciamento Simon Sinek, ter certeza de que, quando estamos alinhados com nosso propósito, podemos fazer qualquer coisa. Por isso, antes de pensar no que vamos fazer, precisamos pensar no porquê e no como. Olhar para dentro. Olhar para o mundo. Assim conseguiremos adaptar o que fazemos às novas demandas.

A "moda", que está sentindo de perto essa necessidade de transformação e ainda não sabe o que fazer, aposta em ações de *crowdsourcing* para chegar à luz. Foi o caso da C&A Foundation, que se juntou ao Changemakers da Ashoka, para lançar em 16 de setembro de 2015 o concurso "Tecendo a mudança: Inovações para uma indústria têxtil sustentável". Foi um desafio on-line (para pessoas, organizações e instituições) que buscou inovações para criar uma indústria mais justa. Três vencedores receberam prêmios que somaram 100 mil euros. A iniciativa reconheceu soluções inovadoras em sustentabilidade para cadeias de fornecimento, que impactam positivamente a indústria da moda. Neste trecho do documento de inscrição, notamos que as questões são as mesmas que rodeiam toda a indústria, na qual moram as necessidades de mudança:

> Estamos interessados em ideias novas para melhorias nos produtos e processos da cadeia produtiva têxtil, incluindo (mas não limitado a) aquelas que:
>
> - abordem as condições de trabalho e os direitos humanos dos trabalhadores da indústria da moda;
> - apresentem processos inovadores, gestão mais eficiente da cadeia produtiva e o desenvolvimento de matérias-primas mais sustentáveis;
> - incentivem a colaboração entre marcas, empresas envolvidas na cadeia de fornecimento, governos e associações empresariais;
> - promovam transparência e responsabilidade mútua entre partes interessadas;
> - conscientizem os consumidores para que impulsionem mudanças no setor;
> - adaptem modelos e casos de sucesso de outros setores para solucionar os desafios da indústria da moda.

No mesmo ano, a H&M lançou o concurso Global Change Award com 1 milhão de euros em prêmio para quem desenvolvesse uma nova tecnologia capaz de produzir roupas com fibras de algodão 100% recicladas. A ProjectHub e a DuPont Tyvek lançaram o concurso Future Makers para estudantes de moda e design de todo o Brasil apresentarem projetos que utilizavam materiais sustentáveis, versáteis, resistentes e inovadores para transformar a cadeia produtiva. Na ocasião do lançamento, Lucas Foster, fundador e diretor executivo da ProjectHub, disse que

> o momento de ruptura com padrões de consumo e produção ultrapassada é essencial para o desenvolvimento sustentável, e a criatividade é

a principal força motriz dessa ressignificação. Os jovens universitários têm um espírito criativo livre e a ousadia necessária para criar com materiais não convencionais e inovadores. Em um momento em que tudo está sendo questionado e repensado, acreditamos que esses mercados tão importantes não podem ficar fora dessa discussão.

Se olharmos ao redor, veremos que as iniciativas mais inovadoras da indústria automotiva — o carro elétrico da Telsa e o carro autônomo do Google — não surgiram de nenhuma das grandes montadoras. O primeiro projeto de veículo elétrico brasileiro foi criado por uma *startup*, a PodCycle, dentro da Universidade Federal de Santa Catarina. Isso reforça a crença em uma atitude coletiva e compartilhada, e vai totalmente a favor dos novos modelos de relação vigentes desde o surgimento da internet.

Por aí, já tem muita gente querendo empreender na moda da nova era. O site AngelList.com, uma espécie de rede social de *startups*, encerrou 2015 com 4719 marcas, 663 trabalhos cadastrados e 2791 investidores (veja em angel.co/fashion). Pense em manequins que se comunicam com smartphones para falar sobre a roupa que estão usando e até mesmo vender através de aplicativo — esse é o projeto da Iconeme. QR codes nas etiquetas das roupas para dar mais informações sobre a história real por trás sua fabricação — como fez a Fashion Footprint. Aplicativos e sensores que reconhecem clientes, tanto para consultar seu histórico quanto para comunicar ofertas — é o caso da Hoxton Analytics. Espelhos inteligentes, com tecnologia *touch screen* e RFID, que monitoram os itens que os clientes levam para o provador, além de apresentar opções de produtos e soluções que transformam cores e estampas — como o da empresa Memomi. É assim, apoiada nos novos movimentos do mundo, que a moda deve embarcar em sua jornada pelas próximas eras.

Vimos aqui novos valores, novas causas, novos paradigmas. Quais sensibilizaram mais você? Quais têm mais a ver com seu propósito, com sua organização? Pensar nisso pode ajudar a descobrir como empreender nessas próximas revoluções.

PRECISAMOS DE HOMENS QUE SAIBAM

SONHAR COISAS INÉDITAS.

17. Nova revolução industrial

A nova revolução industrial está ganhando impulso graças a incontáveis ações de indivíduos, grupos e marcas que acreditam na oportunidade de criar um novo futuro e têm como propósito tornar a moda positiva para o planeta. Para tal, estão atuando na revisão de processos de fabricação e matérias-primas, comunicação e modelos de negócio, para que estes entrem em concordância com os requisitos da nova era que estamos começando a viver.

De olho nessa "tendência", hoje já existem semanas de moda e feiras totalmente dedicadas à sustentabilidade. Em Berlim acontece o Ethical Fashion Show. Em Vancouver, no Canadá, e em Hutt City, na Nova Zelândia, acontece o Eco Fashion Week (EFW), que completou nove edições em 2015 com o propósito de informar e inspirar a moda consciente de espírito e igualmente sustentável, que harmoniza beleza e meio ambiente. Em Nova York, desde 2012, a Mercedes-Benz Fashion Week agrega a seu *lineup* marcas "sustentáveis". No Brasil, o Parati Eco Fashion, realizado pelo Instituto Colibri, tem o objetivo de reunir e trocar conhecimentos relacionados ao uso sustentável de materiais. O evento conta com exposições, debates, cursos e pequenas apresentações. Eventos como esses devem evoluir exponencialmente nos próximos anos, provando que a sustentabilidade vai além de modismos.

Mas, como falamos anteriormente, os desafios de hoje não se limitam à questão ambiental. Com isso, os empresários têm questões maiores diante de si. Antes as necessidades eram resolvidas com pequenos ajustes, mas com tantas ameaças (e oportunidades), só nos resta revolucionar — desconstruir, reinventar e transgredir. Este será um momento de questionar premissas produzidas pela primeira revolução industrial, como fica claro na tabela abaixo, que você pode ficar à vontade para completar.

REVOLUÇÃO INDUSTRIAL	NOVA REVOLUÇÃO INDUSTRIAL
Expansão econômica e comercial	Expansão da consciência
Visão fragmentada	Visão holística
Volume	Qualidade
Extrativista	Recicladora
Linear	Sistêmica e cíclica
Energia fóssil	Energia renovável
Fast	*Slow*
Tempo humano	Tempo ecológico
Especialização do fazer	Valorização do ser
Oferta	Produção sob demanda
Antropocêntrica	Rede
Tóxico	Seguro

Competitiva	Colaborativa
"Eles"	"Nós"
Alto impacto ambiental	Baixo impacto ambiental
Produção em massa	Customização em massa
Binária	Múltipla
Centralizada	Distribuída
Material	Imaterial
Mecanicista	Orgânica
Cartesiana	Randômica
Poder sobre	Poder com

A cada revolução industrial são introduzidas novas tecnologias que alteram não somente os meios de produção, mas também o comportamento da sociedade. Vilém Flusser disse certa vez que podemos reconhecer os homens por suas fábricas. E não é à toa que o modelo de produção criado pelas primeiras fábricas deu origem a uma série de modelos mentais e comportamentais (listados na coluna da esquerda) que foram reproduzidos na sociedade — como nas escolas, que uniformizaram e separaram alunos e saberes fazendo as vezes de linhas de montagem. Uma fábrica de pessoas, para trabalhar em fábricas.

Desta vez parece que será diferente. São mudanças externas — proporcionadas pela revolução digital e da consciência — que (já) estão demandando a transformação da indústria e darão origem cada vez mais a novos modelos de negócios, desenvolvimentos de matérias-primas sustentáveis, programas de aprimoramento da produção e novas relações entre pessoas e marcas. Daqui para a frente, a reconfiguração dos sistemas produtivos será reflexo da reconfiguração da sociedade.

A sociedade terá uma nova consciência em relação ao preço que vamos pagar no futuro pela forma "como" estamos fazendo as coisas. E uma maior percepção do sofrimento e dos perigos que causamos ao mundo, o que resultará num poderoso e nutritivo senso de comunidade, liberto de metas e expectativas no curto prazo. Apesar da grande motivação para nos unirmos a fim de curar o mundo, este será um período de gratidão pelo próprio e singular eu. De satisfação de estar vivo. De amor próprio elevado. Do maior sentido de identidade. E do reconhecimento da diversidade de dons de cada um.

A nova revolução industrial será a favor da vida. Da sustentabilidade. Mas, para não gerar (muita) ansiedade e sofrimento, é importante falarmos sobre a impossibilidade de nomear como inteiramente sustentável algo que é feito. Se entendermos o "produto" do design sustentável como algo economicamente viável, ambientalmente positivo em todo ciclo, socialmente justo e culturalmente adequado, veremos que é impossível cumprir toda a tabela. Pelo menos num primeiro momento é utópico cobrar e esperar por isso. Ter essa noção me acalmou.

Por mais contraditória que minha fala pareça, eu me acalmei, pois compreendi que, se não há como ser tudo, todo movimento "pró-sustentabilidade" é válido. Trabalho com marcas que são de uma era em que não havia tanta consciência sobre o que estamos falando aqui, e por isso elas se construíram de outra forma. A noção de que nunca se tornariam “sustentáveis” sempre me desmotivou. Hoje em vez das falhas procuro olhar para as forças, para as possibilidades de ser menos insustentável. De acordo com o propósito de cada uma, com as causas que têm mais a ver com cada organização, existe a chance de ser (mais) a favor da vida.

Em 2015 colaborei com a primeira edição impressa do *Guia Slow LifeStyle*. No lançamento, em Belo Horizonte, reencontrei Ursula Carvalho, que trabalhava no Senac Moda quando lancei meu primeiro livro. Ela saiu de lá para, com sua tia Vivan Vidal Carvalho, relançar a marca Tiê Eco Fashion, que utiliza materiais reciclados e matéria-prima ecológica e natural, além de promover o *upcycling* e o reaproveitamento de retalhos da produção de roupas para criar acessórios. Ursula me contou que ao repaginar a marca, para inserir e fortalecer uma “informação de moda” alinhada à sustentabilidade, deparou com muitas barreiras do “fazer” — desde a restrição de matérias-primas fabris e aviamentos até a falta de fornecedores que entendessem essa nova consciência —, mas que não deixou que isso se transformasse num impeditivo. Ela também me disse:

> Queremos fazer peças que tenham um forte apelo estético e sejam o mais respeitosas possível com os recursos da natureza e todo o meio ambiente, as pessoas e quem as faz. Mas às vezes não conseguimos um aviamento que desejamos, e isso não deve inviabilizar o produto. Temos *tags* em todas as peças que explicam sobre os materiais e processos sustentáveis da produção. A transparência é essencial.

Nessa conversa com a Ursula, senti que para perseguir sistemas sustentáveis precisamos começar de algum lugar. Por menor que seja, todo esforço a favor da vida é válido. Aguardar que todas as condições estejam favoráveis ou acessíveis é perseguir sistemas utópicos. Isso só gera mais sofrimento. Hoje, transformar e revolucionar grandes marcas e indústrias é um grande desafio. Mas, como se diz, a necessidade é a mãe da invenção. Não existe outro caminho senão pensar no design hoje (de produtos e serviços) com a intenção de ser o menos insustentável possível. E não perder a esperança.

A Nike é um exemplo de marca que vem conseguindo fazer a transição do velho mundo para a nova era. Diferente de marcas que já surgiram "verdes", as questões ambientais não faziam parte de seus valores na fundação. Para piorar, no início dos anos 1990, ela sofreu boicotes e protestos de consumidores ao ser exposta mundialmente na mídia pelas más condições de trabalho de uma de suas fábricas na Indonésia, que ainda usava mão de obra de menores de dezesseis anos, com carga horária altíssima de trabalho. Em 1996, a revista *Life* publicou uma matéria ilustrada pela foto de um menino paquistanês costurando uma bola de futebol com sua logomarca. Desde então, ela tem tomado medidas para reverter essa imagem.

Mark Parker, presidente executivo da companhia disse ao *Wall Street Journal*, de 22 de abril de 2014, que "a ignorância não é uma bênção. É preciso entender todos os problemas sistêmicos que podem existir dentro do seu parceiro industrial e resolvê-los". No início dos anos 2000, a Nike adotou um código de conduta claro, que pode ser encontrado no seu site (about.nike.com/pages/manufacturing), no qual também é possível ver a relação de todos os fabricantes. Ao mesmo tempo, criou cargos de fiscalização própria em todas as etapas do processo — na fabricação dos produtos, na cadeia de importação e de exportação e na pesquisa e no desenvolvimento de produtos. Em 2014 diminuiu consideravelmente sua presença em Bangladesh (já antes da queda do Rana Plaza), onde tinha produzido em larga escala por mais de vinte anos, para ter mais controle sobre a cadeia, mesmo essa decisão tendo resultado na queda das margens de lucro.

A sustentabilidade se tornou a principal premissa para inovação, indo além das questões sociais. Pense na redução de resíduos e na utilização de produtos e processos tóxicos e no aumento do uso de materiais ecologicamente amigáveis. No fim dos anos 1990, a Nike aboliu o uso de hexafluoreto de enxofre, um gás usado em tênis com amortecimento a ar, que é muito mais danoso que o dióxido de carbono quando o assunto é o aquecimento do planeta. Substituiu também o uso de cola à base de petróleo por cola à base de água para os solados. Em 2009, estimulou a formação de uma coalizão de empresas que defende uma legislação forte de preservação do clima e energia renovável para os Estados Unidos. Em 2013, a Nike foi a quarta maior compradora de algodão orgânico do mundo (H&M, C&A e Puma foram as três primeiras) e a primeira a utilizar poliéster reciclado (seguida por Puma, H&M e G-Star), segundo relatório da Textile Exchange.

Esses são apenas alguns exemplos. Além disso, a Nike vem utilizando o esporte como ~~antídoto~~ poderoso instrumento de mudança cultural, econômica e social, valorizando sua capacidade de criar redes de empreendedores sociais e inovadores comunitários. Um exemplo poderoso é o Grassroot Soccer, na África, um programa comunitário diretamente voltado para uma necessidade social permanente, que promove a conscientização e a educação sobre HIV/aids. Em todos os lugares onde está presente, usa o esporte como catalisador de envolvimento e comunicação para jovens através da adoção e da revitalização de pontos de esportes nas cidades, enquanto promove cursos, oficinas e o desenvolvimento de atletas locais. Em nikeresponsibility.com é possível acompanhar as metas sustentáveis da organização para o futuro.

Ainda há muito a ser feito? Sim. Há quem pense que tudo não passa de estratégia de marketing? Sim. Mas não tem como não considerar positivas as atitudes tomadas. Iniciativas sociais são, na maioria das vezes, as primeiras tomadas pelas marcas que buscam a transição. Isso porque é o que mais depende de quem faz.

Lidar com as demandas ambientais hoje ainda é o mais complicado para as marcas antigas. São raras (e caras) as fábricas que já produzem de forma mais sustentável, assim como a oferta de matéria-prima. Mas isso também está mudando. Lançado em 2014 pelo Cradle to Cradle Products Innovation Institute, o movimento Fashion Positive tem como propósito criar um impacto positivo através da inovação na cadeia de abastecimento. Começando pelo bolso, que na maioria das vezes é a maior barreira, fornece empréstimos a taxas de juros baixos para os fornecedores poderem experimentar/criar materiais, processos e produtos mais sustentáveis. A iniciativa já está colaborando com marcas como Stella McCartney e G-Star RAW, mas principalmente com fornecedores, de olho na saúde e no uso de materiais, na energia renovável, na gestão de água e na equidade social.

Em alguns lugares do mundo, as políticas públicas estão atuando como forma de forçar essa revolução, principalmente pelas toneladas de roupas que vão parar nos aterros sanitários todos os anos. Na Finlândia, os resíduos têxteis nos aterros foram proibidos em 1º de janeiro de 2016. No Centro de Pesquisa Técnica VTT da Finlândia, pesquisadores estão trabalhando a milhão, tentando criar novas técnicas de reciclagem de tecido — pois nem todos os existentes nasceram para ser reciclados. Atualmente, o algodão e o poliéster (não reciclados ou biodegradáveis) contribuem para problemas ambientais significativos. A boa notícia é que, no mundo, a demanda por poliéster reciclado de alta qualidade já está superando a oferta, graças à crescente utilização de marcas como Patagonia, Esprit e Armani (os maiores compradores).

O guru Prem Baba diz que existem duas formas de aprendizado e ação: pelo amor ou pela dor. Não é difícil perceber que em breve vamos precisar transformar bastante coisa (pela dor) por conta da mudança de códigos e leis e por escassez. Por que não se prevenir e começar a transformar desde agora? Já estar preparado quando as transformações não forem mais opcionais (como é o caso da Finlândia)?

Roupa viva

A indústria de fio e de tecidos é uma das que mais gera impacto no planeta, logo, é uma das que mais precisa se reinventar, pois é o início de (quase) tudo nessa grande fábrica de fazer moda. A Future Fabrics Expo, feira anual realizada em Londres, surgiu com o propósito de inspirar, motivar e mostrar aos profissionais da moda as oportunidades que surgem com escolhas de tecidos e materiais com impacto ambiental reduzido. Na versão on-line da feira, em futurefabricsvirtualexpo.com, é possível conhecer alguns recursos. Outra iniciativa importante é a Creativity Lifestyle and Sustainable Synergy

(C.L.A.S.S.), uma multiplataforma mundial que apresenta empresas, artigos têxteis e materiais criados utilizando tecnologia sustentável mais inteligente para designers, compradores e a mídia.

Um dos exemplos é a Vardama, fábrica de tecidos de Nova York que desenvolveu a tecnologia hidrofóbica Equa Tek, que trata cada fibra antes da criação do tecido, tornando-o totalmente repelente à água — sem comprometer sua respirabilidade e suavidade. A mesma tecnologia foi utilizada pela marca feminina Elizabeth & Clarke na linha The Unstainable White Shirt. Pense em roupas livres de toxinas prejudiciais à pele e ao meio ambiente, 100% recicláveis e que não sujam, diminuindo o consumo de água e luz (já que não é preciso lavar ou passar).

Nos últimos anos, têm surgido muitas novidades para tornar a moda menos insustentável. Renato Cunha escreveu no Stylo Urbano sobre suas descobertas:

> Provavelmente você já deve ter ouvido falar de tecidos feitos de algodão orgânico, bambu e cânhamo, mas e sobre os tecidos feitos de algas? Soja? Abacaxi? Banana? Pó de café? Urtigas? [...] algumas amostras da mais nova onda de inovação que sai da indústria têxtil, com foco na sustentabilidade:
>
> 1 CRAiLAR é uma fibra de linho que drasticamente reduz o uso de produtos químicos e de água. É um tecido que parece e tem toque quase idêntico ao algodão, enquanto ajuda a evitar o ciclo de dano ambiental que o plantio do algodão tradicional faz. [...]
>
> 2 Qmilk é uma fibra natural e renovável 100% derivada de uma proteína de leite coalhado. (Sim, tal como o leite em sua geladeira.) O resultado é um tecido semelhante a seda, mas bem menos caro [...] é naturalmente antibacteriano e pode regular a temperatura do corpo [...].
>
> 3 O Econyl é um tecido reciclado da Aquafil que utiliza 100% dos resíduos das redes de pesca feitas de náilon. A inovação tem sido amplamente comemorada por aqueles que estão querendo uma opção de náilon reciclado desde que o poliéster reciclado tornou-se disponível anos atrás. [...]

4 S.Cafe é uma nova fibra fabricada de Taiwan que recicla as borras do café. [...] Starbucks é um dos principais fornecedores. Aparentemente o café tem propriedades para mascarar os odores naturais do corpo sem deixar cheiro nas roupas. [...] as borras de café requerem menos energia no processo de fabricar a fibra do tecido [...].

5 EcoCircle é um tecido feito de PET à base de plantas. A nova fibra contém 30% da cana, que substitui 30% do óleo necessário para o poliéster tradicional. [...] o tecido tem um sistema de reciclagem em circuito fechado no final da sua vida útil.

[...]

6 Seacell é uma fibra derivada da polpa de madeira (Liocel) e algas que, de acordo com o seu fabricante Smartfiber AG, tem propriedades protetoras e anti-inflamatórias na pele, estimulando o metabolismo É como se suas roupas estivessem vivas! [...] contém partículas microscópicas de fibras de algas marinhas que ajudam na regeneração celular [...].

7 Lenpur é um tecido biodegradável feito da árvore do pinheiro branco e "oferece o conforto de seda e o toque de cashmere que dá leveza à roupa" [...] devido a suavidade, capacidade de absorção e liberação da umidade.

8 Liocel é uma fibra celulósica extraída da polpa de madeira utilizando processos livres de produtos químicos. Os solventes não tóxicos que são utilizados na sua produção são em seguida reciclados, gerando um processo de fabricação com muito pouco subproduto. [...]

9 Tecido de soja é um tecido sustentável 100% biodegradável pouco conhecido e é feito a partir de resíduos de fabricação de tofu. A proteína de soja é liquefeita e, em seguida, esticada em fibras longas [...] é muito receptivo a corantes naturais [...] é biodegradável.

10 O tecido de urtiga [...] produz uma fibra têxtil excepcionalmente forte, elástica, suave [...]. A urtiga é muitas vezes considerada uma praga, pois cresce em terra, [...] sem a necessidade de pesticidas ou muita água. Quando a urtiga é misturada com o linho, o tecido se torna naturalmente antibacteriano e resistente ao bolor.

Em todas as minhas pesquisas, o que mais me surpreendeu foi

o Fabrican, um tecido que sai de uma latinha de spray (!). A invenção de 2003 do designer espanhol Manel Torres, com colaboração técnica e científica do Imperial College e do Royal College of Art de Londres, é um tecido líquido enlatado que, em contato com o corpo, se solidifica em quinze minutos, sem perder a maleabilidade. É bastante semelhante a um tecido tradicional (parece aquele spray de espuma de carnaval, mas — graças a Deus — não é).

Muitas alternativas de matéria-prima têm surgido do encontro da ciência com a moda. A empresa japonesa Spider trabalhou durante mais de dez anos com uma equipe de dez cientistas para criar uma espécie de fibra de seda de aranha artificial. Essa fibra é cinco vezes mais forte que um fio de aço e mais flexível que o náilon. Em 2015, apresentou o primeiro casaco do mundo com essa inovadora fibra, o Moon Parka, desenvolvido em colaboração com a marca North Face.

Dolores Piscotta é a criadora de outra fibra, que também é bem parecida com o náilon ou a seda, mas é puro leite. Isso mesmo (!). Ela transforma leite desnatado em fio — sem corante, com maior aderência à pele (permite maior respiração), rico em aminoácidos benéficos para quem usa e tão confortável e elegante quanto a seda.

Outra iniciativa famosa veio de Suzanne Lee, fundadora da consultoria BioCouture, que estuda o cultivo de materiais a partir de organismos vivos — de bactérias a fungos e algas. Ela desenvolveu uma base semelhante ao couro, só que de origem vegetal, produzido a partir de uma mistura de chá verde, água, vinagre e kombucha. Depois de fermentar, as bactérias se multiplicam, aumentando seu tamanho até formar uma película pastosa em toda a superfície onde o composto é preparado.

Os testes começaram no banheiro da casa de Suzanne, que criou pequenas porções do material. À medida que o trabalho evoluía, ela começou a entender que aquilo era uma nova forma de pensar a moda, o consumo e a construção das roupas biodegradáveis (todas as sobras podem voltar à natureza, como em uma compostagem).

Suzanne acredita que, no futuro, as bactérias que produzem o material podem ser geneticamente modificadas para agregar propriedades ao "tecido", repelindo a água, ou até mesmo em uma coexistência simbiótica com o corpo. Hoje, elas morrem durante o processo, mas poderiam ser mantidas vivas e trazer benefícios para o consumidor, hidratando a pele e até fornecendo propriedades curativas.

O material resultante dessa fermentação pode ser preparado de duas formas. É possível moldá-lo diretamente no manequim, criando peças sem nenhuma costura, ou trabalhá-lo de maneira tradicional (costurando). Pode ser tingido e passar por diversos processos pelos quais uma roupa normal passaria. Suzanne está experimentando processos de tingimento alternativos, como a oxidação e a coloração com frutas. Além do tingimento, ela faz experiências com corte a laser — a primeira peça que desenvolveu usando essa técnica foi uma saia com uma padronagem inspirada nas bactérias que dão origem ao tecido. Essa peça esteve em exposição na Selfridges, em Londres.

Para incentivar outras iniciativas como essas, a plataforma Descience conecta (cria colaborações) cientistas e designers, proporcionando o surgimento de ideias que serão o ponto de partida para a revolução da indústria. O resultado é apresentado na passarela (em evento próprio), provando que é possível transformar ciência em moda. Já parou para pensar que no futuro as tendências poderão ser ditadas pelos cientistas?

No Brasil, já existem várias iniciativas trabalhando desde o fio, como a Rhodia e a Santaconstancia, com tecelagem, e o Instituto E na pesquisa de novos materiais. As iniciativas nos mostram que hoje é possível, além de necessário, fazer escolhas de matéria-prima com uma profundidade bem maior do que apenas observar a cartela de cores ou a beleza das estampas. A preocupação com os impactos, principalmente os ambientais, já pode ser levada em conta, com preços viáveis, que variam de 0% a 5% em relação aos preços dos materiais do velho mundo.

Presente no Brasil desde 1919, a Rhodia, empresa do Grupo Solvay, ao longo desses anos consolidou-se como referência de indústria química inovadora, engajada na promoção do desenvolvimento sustentável. É dela a patente do primeiro fio de poliamida biodegradável do mundo, o Amni Soul Eco, que desintegra 50% em pouco mais de um ano em contato com a terra (em aterros sanitários), chegando a desaparecer por completo em até três anos. O lançamento — inédito e com tecnologia brasileira — foi feito em 2 de abril de 2014, na passarela de Ronaldo Fraga, no São Paulo Fashion Week. As malhas foram feitas pela tecelagem Santaconstancia, parceira de longa data da Rodhia.

Fundada em 1948, a Santaconstancia é a mais tradicional tecelagem brasileira, que desde o início teve como uma das principais e constantes preocupações a busca pela mais avançada tecnologia para produzir inovações arrojadas de acordo com seu tempo. Uma empresa familiar (da jornalista de moda Costanza Pascolato) que segue até hoje com o propósito de contribuir para as mudanças necessárias ao novo contexto mundial. Confiança, bem-estar individual e coletivo, consumo consciente e respeito ambiental são valores fundamentais, associados a resultados econômicos.

Segundo o site da empresa, ela transforma o fio cru em tecido acabado, tingindo e estampando, e se preocupa com a seleção da sua matéria-prima e os processos de produção para criar e fornecer da forma mais sustentável possível tecidos e serviços. É certificada com o selo Oeko-Tex®100 — Classe I, que atesta a inexistência de produtos tóxicos para a pele humana. A Santaconstancia também diz trabalhar com o conceito CO_2control, oferecendo tecidos, malhas e serviços mais amigáveis ao meio ambiente, desenvolvidos em colaboração com fornecedores e clientes. Conforme informam no site, os primeiros programas lançados apresentam conceitos pioneiros e inéditos no Brasil, tais como:

* Náilon biodegradável Amni Soul Eco®: um desenvolvimento brasileiro da Rhodia-Solvay. Neste caso, a Santaconstancia foi pioneira mundial a lançar malhas e tecidos com esta inédita tecnologia.

* Fibra de poliéster compostável Apexa® da DuPont®: desenvolvida em parceria com a empresa Ichimura Sangyo do Japão. Esta tecnologia possibilita, sob condições adequadas, transformar os resíduos em adubo.

* Fibras celulósicas Micromodal® e Tencel®: da empresa Lenzing, internacionalmente reconhecida por suas certificações ambientais, como o European Eco-Label. Ela extrai a fibra de árvores plantadas e reflorestadas especialmente com este fim, em ciclo fechado e com programa de carbono zero.

* Pima Rustic: algodão com 51% em linho totalmente rastreado e proveniente de uma agricultura de proximidade localizável. Sua produção respeita o meio ambiente, sendo cultivado sem irrigação nem organismos modificados geneticamente (OMG).

Outra iniciativa brasileira a favor da sustentabilidade é o Instituto E. Criado por Oskar Metsavaht e sediado no Rio de Janeiro, tem como propósito transformar o Brasil em referência de desenvolvimento humano sustentável. Nina Braga, sua diretora, acredita que compartilhar informações é o primeiro passo, por isso trabalha na pesquisa e na gestão de uma rede (de fornecedores, comunidades e materiais) que potencializem sinergias entre diferentes iniciativas e agentes da sociedade que pretendam ser menos insustentáveis.

Um projeto permanente do Instituto é o "e-fabrics", que identifica matérias-primas sustentáveis, com foco na produção têxtil e na cadeia da moda. Elas passam por análise de origem, impacto do processo produtivo, da preservação da diversidade e da relação com as comunidades produtoras. Incluem tecidos de algodão orgânico, lã e seda ecológica, lonas reutilizadas, malhas PET recicladas e alguns couros alternativos, como os de tilápia, pescada e salmão. O "traces" é um projeto que atua no rastreamento das pegadas hídricas de carbono de produtos provenientes da indústria têxtil, uma importante forma de conscientizar a apontar caminhos de compensação e revisão de processos.

Além desses, são desenvolvidos vários outros projetos que podem ser contratados por outras marcas — a Osklen utiliza bastante o instituto, mas a ideia é que não seja exclusivo dela. O prêmio-e surgiu da parceria entre o instituto, a Unesco e a Prefeitura do Rio de Janeiro, com o objetivo de reconhecer as iniciativas mais representativas para a promoção do desenvolvimento socioambiental baseadas nos princípios da Eco-92. O projeto Praia+ teve o propósito de empoderar barraqueiros das praias da zona sul do Rio de Janeiro, com aulas de inglês, educação ambiental e empreendedorismo. Outras oficinas e cursos também são oferecidos pelo instituto a diferentes públicos.

Roupa encantada

Enquanto alguns estão tentando tornar menos insustentáveis processos e marcas, há também os que estão trabalhando para criar produtos a favor da vida humana, que nos empoderam além da forma material ou estética, e outros ainda que ajudam a resolver questões críticas para o desenvolvimento sustentável — como a necessidade de energia. Os tecidos inteligentes e a tecnologia vestível (*wearable*) serão um dos principais agentes dessa revolução da nova era.

Segundo o site O Futuro das Coisas, David Rose, pesquisador e cientista do MIT, acredita que essa revolução criará algo próximo aos objetos "encantados", que criam interações com as pessoas: "Estamos entrando em um mundo do animismo, onde objetos têm real autonomia, têm uma forma de consciência e que as coisas estão quase encantadas, quase vivas".

O site conta sobre tecidos inteligentes desenvolvidos com novas tecnologias que criam diferentes funcionalidades para nossas roupas e são um passo além do "serviço" que a moda pode nos proporcionar. Eles dão origem a roupas que regulam a temperatura do corpo, monitoram batimentos cardíacos e pressão arterial, e atuam no controle muscular. São úteis para muitas pessoas, de atletas a militares. Há os que apresentam propriedades médicas e liberam drogas para o tratamento de doenças e estético. Outros liberam químicos antienvelhecimento, hidratantes e perfumes. Além das características funcionais, há os que atuam na forma de expressão individual do usuário, ao mudar de cor, estampa e se comunicar com outras peças.

Um exemplo é o MocaCare, que "mensura e relata sua taxa de batimento cardíaco e o nível de sangue no corpo, sendo todas essas informações transmitidas para seu smartphone, e ainda existe a possibilidade de compartilhar essas informações com pessoas próximas", de modo que dá para acompanhar a saúde dos outros. O sutiã Hi-Tech "coleta dados da pessoa que o está usando e antecipa as informações de um possível tumor nas mamas". A Neomitra, da Affectiva, "transmite em tempo real, por meio da mensuração da temperatura do corpo, da transpiração e da locomoção de uma pessoa, os níveis de estresse com alertas e sugestões" preventivas.

A inovação tecnológica em tecidos e materiais que apareceu na moda nos últimos anos foi capitaneada principalmente por marcas esportivas como adidas, Nike e Puma. Elas desenvolvem parte de suas pesquisas focada no aprimoramento tecnológico dos produtos e, consequentemente, do desempenho dos atletas. Muitas dessas organizações hoje se veem como marcas de tecnologia que vendem roupas (e não como marcas de roupas que vendem tecnologia, como costumamos pensar). É que elas têm seus próprios laboratórios e equipes de desenvolvimento e pesquisa gastando bastante energia nisso.

No Global Research Lab, da adidas, na Alemanha, são utilizados sensores aplicados na pele, nas roupas ou no Newton (apelido fofo dado ao manequim de testes) e a tecnologia usada para criar efeitos especiais no cinema (o *motion tracking*, que digitaliza movimentos), para entender o corpo humano durante as atividades físicas e avaliar e comparar dados (por exemplo, a diferença de desempenho entre os calçados da adidas e os de outras marcas). O Newton é usado para desenvolver materiais, como os tecidos inteligentes. Um sistema de vaporização acoplado ao manequim permite o monitoramento do suor para a criação de peças que possibilitem que ele evapore mais facilmente, por exemplo. Para Matthew Hymers, gerente de produto da adidas, a marca ainda está no meio da transição tecnológica.

Temos a tecnologia para monitorar, buscar e analisar dados, mas é a maneira como vamos utilizá-los que é o grande desafio. Correr mais rápido, criar planos de treinamento, tornar o movimento mais eficiente são algumas das opções para materializar esses dados. Em 2014, Matthew Hymers implementou o programa Micro Elite Team System, com o time do Milan. Através de sensores embutidos nas camisas dos jogadores, foi possível monitorar o desempenho durante uma partida para aperfeiçoar a tecnologia das roupas e dos calçados.

O mercado global de moda esportiva movimenta mais de 100 bilhões de dólares por ano. Isso faz com que, para se diferenciar, as marcas apostem muito em pesquisas sobre a tecnologia vestível, nas quais não só o estilo e a aparência contam, mas também o desempenho funcional, seja para atletas profissionais ou de fim de semana.

Novas marcas começam a surgir com esse propósito. É o caso da Antelope, linha de roupas esportivas criada pela *startup* alemã Wearable Life Science, que utiliza eletrodos de estimulação de músculos para aumentar a intensidade dos exercícios, além de funcionar como uma academia portátil. Com base nos dados gravados do monitoramento dos exercícios, um aplicativo conectado às peças cria um treino como se fosse um personal virtual — que ainda envia mensagens de incentivo (!). O aplicativo conecta usuários numa comunidade, na qual é possível compartilhar desafios e treinar com outros usuários.

A Venture Heat, marca de roupas para esportes de inverno, lançou em 2014 o moletom Evolve com painéis de aquecimento alimentados por bateria e um cabo USB, que fornece (muito) calor extra ao corpo, através de uma única peça (nada de look cebola). Com até doze horas de bateria, pode variar de 30 °C a 52 °C (!). Mas fique tranquil@: a peça é impermeável, sem risco de curto-circuito. Além do moletom, a marca faz luvas, meias e casacos, com funcionalidades similares e complementares a essa, também controladas por smartphone via Bluetooth.

Agora, já imaginou ter uma roupa que emagrece de verdade? Não estou falando do pretinho básico, mas da Thin Ice, a primeira linha de roupas inteligentes para perda de peso, criada por uma *startup* canadense. Ela hackeia o metabolismo para "enganar" o corpo e fazê-lo queimar até mil calorias extras por dia. Uma camiseta, uma meia e uma palmilha emitem sinais de temperatura para que o corpo ache que está num ambiente mais frio do que realmente está. Como resultado, uma cascata de reações fisiológicas acelera o metabolismo para aquecê-lo, queimando gordura — pois cerca de 50% da ingestão calórica diária é usada na manutenção da temperatura corporal.

Toda essa onda dá origem a novos acessórios, com funções que vão bem além da estética. Um exemplo é a empresa japonesa Wish Hills, que desenvolveu calçados com GPS para ajudar a localizar idosos com problema de memória, que podem se perder. Quando o idoso se afasta mais de cinquenta, cem ou quinhentos metros de casa (de acordo com a programação), uma notificação é enviada a um smartphone cadastrado, com sua posição num mapa. A "do bem máquina" é outro exemplo da nova era. Lançada no Brasil em 2014 pela do bem, empresa carioca conhecida por proporcionar saúde de maneira prática, a pulseira fitness capta informações do corpo, como tempo ativo contínuo, calorias gastas, contagem de passos e distâncias percorridas. No celular, um aplicativo gerencia detalhes coletados, produzindo relatórios sobre a saúde e a qualidade de sono do usuário.

Com o aperfeiçoamento das tecnologias e dos materiais, a tendência é que as peças reduzam de tamanho. O que muitas pulseiras faziam hoje é feito por anéis. Já existe o anel que monitora o sono, por exemplo. Já o Ring ZERO permite ao usuário ligar a TV, fazer transações financeiras, controlar o volume do som e a intensidade de luzes, jogar video game ou tirar fotos apenas movimentando o dedo no ar, graças a sensores inteligentes. O Hoope realiza testes para doenças sexualmente transmissíveis em qualquer lugar. Imagine uma agulha retrátil embutida para coleta de sangue e um aplicativo: assim é possível detectar casos de sífilis, gonorreia, clamídia e tricomoníase. No aplicativo de smartphone, no qual os resultados são automaticamente mostrados, ainda é possível encontrar o médico mais próximo para tratamento imediato.

Para fazer a festa (se todos os exames estiverem bem) em qualquer lugar, a designer Rebecca Minkoff desenvolveu a linha Audio Clutch, com quatro bolsas de mão lindas e superdesejáveis com alto-falantes no interior, que se conectam a qualquer dispositivo via Bluetooth. E, para facilitar as "brincadeiras à distância", a marca de camisinhas Durex está testando um protótipo de roupas íntimas que (re)produzem sensações de toque, o Durex Fundawear. Cada peça possui uma série de dispositivos controlados por aplicativos que, quando acionados, dão a sensação de toque e calor. A ideia é "se conectar" intimamente com @ parceri@ pela internet, cada um de um lado, bulinando @ outr@ via app. Demais né?

Com tantas possibilidades, a autoexpressão e a individuação serão levadas cada vez mais ao extremo. A moda será cada vez mais a favor da vida. Numa conversa com Tiago Mattos, ele me disse:

> Vai rolar uma simbiose muito maior entre a gente e a roupa. Quanto mais ela tiver tecnologia, mais vai fazer parte da gente. A gente vai ser a roupa. Vai externalizar mais ainda o sentimento por ela: se estou feliz, vou estar com uma cor e tal. Chego no trabalho e os outros conseguem entender pela roupa que estou. Então a moda deixa de ser apenas uma ferramenta de expressão para ser também uma de empatia. Quem sabe nossas roupas não vão poder conversar com outras roupas? Outra coisa que vai ter muita interferência na moda são esses óculos de realidade aumentada. A partir deles coloco elementos em cima da realidade. Quem sabe programar a roupa dos outros? Porque eu posso, com a minha realidade aumentada, transformar a cor da sua roupa, botar manga, te vestir de outro jeito. Se não quiser ver sua tattoo, eu a apago. Vamos viver a moda que a gente quiser. A nossa e a do outro. É um futuro que já chegou.

A CuteCircuit, marca de Londres, cria roupas ~~inteligentes~~ luminosas feitas com LEDs, que são controlados pelo smartphone, para ativar cores, luzes e mudar estampas. Suas criações são apresentadas na Semana de Moda de Nova York desde 2014 e já foram desfiladas por Lady Gaga e Katy Perry. Iniciativas como essa serão cada vez mais comuns, por conta da evolução da tecnologia LED, que está viabilizando painéis cada vez mais flexíveis e moldáveis. A inovação surgiu no Holst Centre, na Holanda, onde foi fabricado um filme fino com centenas de luzes LED para laminar tecidos.

A Rainbow Winters também faz uso dessas tecnologias com o propósito de reproduzir na moda efeitos e cores da natureza. Seu site diz:

> Ficamos hipnotizados quando vemos algo na natureza com uma infinidade de cores ou quando elas parecem mudar dependendo do nosso ponto de observação. A libélula, o besouro de lavanda, a borboleta azul, as penas de um pavão, um cardume de peixes...

Assim, criam tecidos interativos que mudam de cor em resposta à luz solar, à água e aos movimentos do corpo, alternando padrões em diferentes ângulos de visão e se transformando diante dos nossos olhos. Os vestidos Buterfly e o Rainforest são alguns dos exemplos dessas peças que se tornam únicas.

Na passarela de outono/inverno de 2014, da New York Fashion Week, modelos (homens ou mulheres, era difícil identificar) com sobrancelhas apagadas, maquiagem cor de pele e cortes masculinos desfilaram a primeira coleção “camaleônica” (com perfume “sem gênero”) de Alexander Wang. As roupas mudavam de cor enquanto giravam num carrossel (que sempre me faz lembrar dos ciclos da moda).

Já o estilista Ying Gao criou vestidos que “se movem” quando as pessoas olham para eles. As roupas têm uma tecnologia de rastreamento ocular que reage quando alguém as vê, ativando pequenos motores. Para a primavera de 2016, Zac Posen trouxe à passarela uma colaboração com a designer de tecnologia *wearable* e programadora Maddy Maxey com peças de LED que mudavam de estampa.

Em 1933, René Lacoste inventou a camisa polo. Na época, com seu corte e tecido arejado (o *petit piqué* <3), foi considerada uma verdadeira inovação técnica. Em 2012, às vésperas de comemorar os oitenta anos, a marca lançou um desafio para que as pessoas ajudassem a repensar como seria a polo do futuro. E o site lacoste-future.com traz uma homenagem ao espírito visionário de René, apresentando ideias de peças que mudam de estampa de acordo com a música (sugerido por Rodrigo Eidy, do Brasil), mudam de cor (Alice Bee, da França), “esticam” e viram vestido (Hyosook Lee, da Coreia) ou viram manga longa (Mathy Brady, dos Estados Unidos) com o tempo, tiram fotos com uma minicâmera no logo (Miwa Yamauchi, do Japão) e tuítam e postam no Facebook (Catherine Beaumier, do Canadá). Supervale ver o vídeo no site para viajar no tempo.

Roupas iluminadas

Não dá para falar de moda e tecnologia sem citar o designer cipriota Hussein Chalayan. Em 1993, na apresentação de seu trabalho de graduação no Central Saint Martins School of Arts and Design, em Londres, suas criações (experimentais e vanguardistas) já insinuavam um diálogo entre moda, arte e tecnologia. Com oferta de tecnologia bem mais primitiva que a de hoje, ele já inventava engenhocas e roupas que se transformavam. Até inovar com a assimilação de *gadgets* e *wearables* na alta costura.

Em 2000, ele apresentou uma série de vestidos arquitetônicos que se moviam por ação de controle remoto — primeiro mecanismo wireless a ser apresentado em uma roupa de moda funcional. E, em seguida, móveis e objetos que se transformavam em roupa. Na primavera/verão 2007, motores e microchips fizeram com que roupas automatizadas mudassem de forma diante dos olhos dos espectadores, com zíperes abrindo e fechando, tecidos e bainhas se transformando. Para a primavera/verão 2008, inspirado pela antiga adoração ao Sol e o status de celebridade contemporânea, criou vestidos com cristais Swarovski e duzentos lasers. No outono/inverno 2013, abordou a desincorporação e a metamorfose em ambientes terrestres — pense em vestidos "dois em um" que se transformam com um único puxão revelando uma camada de tecido que depois de aberta desce e cria um novo look instantaneamente. E, no verão 2016, colocou na passarela casacos feitos com material solúvel em água. Duas modelos paradas em pedestais na passarela vestiam uma espécie de jaleco branco e, com a ajuda de um chuveiro instalado no teto, as peças foram dissolvidas revelando vestidos feitos com cristais.

Seus desfiles são sempre mágicos e questionam a efemeridade da moda, transformando o público em voyeur atento ao que vai acontecer a seguir. Chalayan é inovador e conseguiu, com sua pesquisa, aproximar moda e tecnologia. Seu trabalho quebra um paradigma importante (que vai marcar, e muito, a moda da nova era) ao reconfigurar a ideia da moda-espetáculo, de desfiles-show baseados em quesitos estéticos para desfiles-show baseados em tecnologia.

Na temporada primavera/verão 2016, Iris van Herpen apresentou mulheres fortes, com ares e trajes de guerreira. Inspirada pelas pontes de árvores vivas na Índia e pela forma como as plantas e suas raízes crescem, ela criou uma coleção com vestidos de corte a laser, com vários tipos de rendas e cristais. No centro da passarela, uma instalação de robôs com tecnologia de impressão 3-D, criada pelo artista holandês Jolan van der Wiel, imprimia uma malha surrealista ao redor do corpo da atriz Gwendoline Christy (de *Game of Thrones* e *Star Wars 7*) como se fossem heras e raízes em torno das árvores. Há um tempo, a mesma experiência pintava vestidos com jato de tinta no desfile da Alexander McQueen.

Ao que tudo indica, depois de uma longa temporada em que marcas se conectaram com a arte para se diferenciar e criar valor, a nova onda será a da tecnologia. Agora, imagine se, além de marketing, essas associações pudessem não só servir às pessoas (como acabamos de ver), mas também ajudar o planeta. Já imaginou se sua roupa pudesse ser uma fonte geradora e retentora de energia?! Uma alternativa para usarmos cada vez menos as tomadas e a energia não renovável?

A Solar Wearable é uma marca de roupas e acessórios "solares", feitos para se tornar fonte de energia. A Solar Shirt é o mais recente projeto da estilista holandesa Pauline van Dongen. A blusa é feita de malha com pequenas células solares flexíveis, que geram energia através do sol. Ela pode ser usada para carregar celulares, GPS, iPods e outros *gadgets* — e é linda (!). Essa tecnologia, criada pela Holst Centre, é parte de um programa de investigação sobre aplicações portáteis de placas solares materiais têxteis com funcionalidades que vão desde iluminação (LED/OLED), captação de energia (PV), sensores e displays. Em um vídeo institucional, a estilista disse:

> Meu trabalho é o resultado da fusão da moda com várias outras disciplinas científicas. Adotei novas tecnologias nele para criar novos valores e significados para a moda. Não só funcionalmente, mas também nas muitas maneiras em que nos expressamos através de nossas roupas,

bem como na maneira como elas interagem com nossos corpos, nos mantendo quentes, mas também na geração de energia, mudando de forma etc. As peças de vestuário se tornam interfaces muito íntimas que nos permitem interagir com o mundo de maneira singular e, por vezes, imprevista.

Produtos como esse representam um avanço nas tecnologias vestíveis, pois são bem mais do que relógios, pulseiras ou pequenos dispositivos eletrônicos portáteis. São produtos realmente a favor da natureza e das pessoas.

Outro exemplo é a Solar Handbag, desenvolvida por Forster Rohner, pelo Alexandra Institute e pelo laboratório dinamarquês Diffus Design. Inspirada na relação entre o Sol e a Lua — enquanto fonte de luz e corpo iluminado —, sua modelagem imita um eclipse. Na superfície, há placas que captam energia solar, bordados e condutores de energia que podem carregar eletrônicos, além de iluminar o interior da bolsa.

Também é o caso da americana Silvr Lining, com suas calças e jaquetas turbinadas com placas solares. Nessa onda, a Tommy Hilfiger lançou em 2014 dois modelos de casacos que geram energia com painéis solares flexíveis embutidos na parte traseira. Por ser uma marca mais comercial, representa um indício de disseminação dessas ideias para o grande público.

Além da escassez de energia (e da necessidade de buscar fontes renováveis), a poluição ambiental é outro grande problema que a moda da nova era pode ajudar a superar. Inspirados pela ideia de melhorar a qualidade do ar, a designer Helen Storey e o químico Tony Ryan criaram o projeto Catalytic Clothing, em que conversores catalíticos aplicados sobre tecidos são capazes de destruir moléculas poluentes que "transitam" pelo ar, tornando-o mais puro. Há também o jeans ambientalmente amigável que remove as emissões nocivas no ar. Ele é revestido com partículas de dióxido de titânio, que reagem com a luz e o ar para neutralizar o óxido de azoto (poluente emitido por veículos e fábricas). Assim como os conversores catalíticos, ajudam a tornar o planeta mais limpo.

E já pensando no futuro, para prevenir que toneladas de roupas cheias de tecnologia e metais poluam aterros sanitários, existem estudos avançados sobre dispositivos eletrônicos biodegradáveis, como o chip de madeira. A ideia é de Yei Hwan Jung, da Universidade de Wisconsin-Madison, nos Estados Unidos, e mostra como tem gente já pensando lá na frente para atender às necessidades de hoje.

NOS
SONHOS NASCEM

NOVAS
POSSIBILIDADES.

18. Deus ex machina

Quando as primeiras fábricas surgiram, na Revolução Industrial, não havia a noção de que os recursos naturais e humanos eram finitos. De lá para cá, muitas fábricas foram construídas com essa mentalidade, e várias continuam funcionando assim até hoje, como se estivessem no século XIX ou XX. Mas é só olhar para fora das nossas janelas quebradas, para ver sentir que é preciso mudar e trazer para dentro boas práticas que sejam a favor da vida, e não somente do lucro. As iniciativas fabris ainda são poucas, mas as oportunidades são muitas.

A primeira — e única — fábrica americana de moda sustentável certificada pela Global Organic Textile Standard (GOTS) chama-se MetaWear e fica em Fairfax, nos Estados Unidos. Alimentada por energia solar e geotérmica, a fábrica de roupas e serigrafia é também a mais conectada com a consciência da nova era. Atua de forma ética tanto na produção têxtil, com certificado de comércio justo e algodão orgânico, quanto na fabricação personalizada de serigrafia, feita com tinta à base de algas, que não contém nenhum produto químico prejudicial (como PVC, resinas ou ligantes). Cas Shiver, um de seus fundadores, diz que seu sonho sempre foi criar uma fábrica com novos valores e a etiqueta "Made in USA", produzindo roupas que pudessem ser cortadas, costuradas, tingidas e estampadas sob o mesmo teto, como modelo de negócio focado não só no lucro, mas também nas pessoas, no planeta, na paixão e no propósito.

Por aqui ainda é raro encontrar fábricas que sejam sustentáveis. Mas o movimento vem crescendo, principalmente nas que fornecem para grandes lojas de departamento, como C&A e Renner, que têm exigido, através de auditorias, cada vez mais que seus fornecedores controlem e reinventem seus negócios para se adequar à nova era. Um dos grandes motivadores é a preocupação com o trabalho escravo e o envolvimento em escândalos relacionados à produção.

Hoje é bem crítica a falta de costureiras no Brasil. Há quem acredite que essa será uma profissão muito valorizada no futuro, mas eu particularmente acho que em pouquíssimo tempo nossas fábricas de roupas funcionarão como fábricas de automóveis, remédios e cosméticos (BMW e Bayer são exemplos), dominadas pela inteligência artificial, com linhas de produção quase inteiramente automatizadas. Veremos máquinas e robôs que cortam tecidos, modelam, costuram, separam, empilham... Isso pode representar o fim definitivo do trabalho escravo e o fechamento de fábricas de roupas na Ásia. Além disso, as novas tecnologias podem ajudar a reduzir custos de produção, consumo de energia e impactos ambientais.

Deus ex machina é uma expressão utilizada para indicar o surgimento de soluções inesperadas. Alguém ou alguma pessoa que vem do nada para resolver um problema aparentemente insolúvel. Isso é o que as máquinas e os robôs farão por nós no futuro.

Nessa onda, a Shima-seiki desenvolveu uma máquina que transforma "o fio" em produto pronto sem costura. Outra iniciativa é a da israelense Tamar Gilo, fundadora da Tamicare, que desenvolveu um sistema de impressão 3-D automatizado para fabricar o Cosyflex, tecido elástico e biodegradável. Com ele, começou a produzir a primeira calcinha descartável do mundo feita por impressão 3-D. Com nenhum corte e nenhum desperdício consegue produzir uma calcinha em menos de três segundos (o que daria aproximadamente 10 milhões de calcinhas no ano), direto da máquina. O biquíni N12, do estúdio de moda americano Continuum Fashion, é feito da mesma forma, com náilon e sem um único ponto de costura.

O trabalho humano repetitivo, que se difundiu na primeira Revolução Industrial, está ficando cada vez mais obsoleto e impraticável. A mecanização (ou robotização) das fábricas é mais sustentável, econômica e precisa do que a produção com humanos, concorda? (Pode discordar.) Pense que a crescente integração entre fábricas inteligentes e infraestruturas industriais poderá resultar em uma imensa redução do gasto energético (em todos os sentidos). Sem contar que robôs trabalham sem descanso, não tiram férias, não ficam doentes e não ganham salário (além de o investimento ser rapidamente compensado).

Mas não estamos falando só de mão de obra braçal. Desde que a Silicon Valley apresentou drones nas passarelas, comecei a pensar se em algum momento modelos não serão substituídos por figuras realistas feitas por impressoras 3-D ou até mesmo holografia ou outras tecnologias forjadas por óculos de realidade aumentada. Dizem que 75% da mão de obra de tudo o que é feito no mundo hoje já poderia ser substituída. E a previsão é de que em duas décadas 47% dos empregos já serão automatizados.

Em 2014, visitei o Googleplex, escritório central do Google, na Califórnia, como parte de uma "*journey*" de investigação tecnológica e empreendedora promovida pelo Templo Coworking do Rio. Ao chegar, pude entender um pouco desse futuro presente. Depois de passar por cancelas automatizadas, estacionei ao lado de carros feitos para andar sem motorista, que no momento estavam conectados a imensas placas solares, carregando a bateria — sem ajuda de frentista ou qualquer auxiliar, como nos postos de gasolina. Na recepção uma máquina faz o cadastro do visitante, imprime o crachá e avisa o anfitrião por torpedo de sua chegada. E por aí vai...

Na loja de produtos naturais eslovena AlpStories, um robô torna possível o sonho de os clientes criarem seus próprios cosméticos. Projetada pela empresa de design Brigada, tudo comunica a colaboração entre a natureza e a tecnologia — principal conceito da marca.

Na seção Nossa História são encontrados produtos criados pelos especialistas da AlpStories, que combinam o uso terapêutico de óleos essenciais tradicionais dos Alpes austríacos com a tecnologia de preparação moderna. Na seção Sua História, há produtos, cores, frascos e uma grande vitrine na qual um robô prepara os cosméticos que os clientes criam.

Enquanto algumas fábricas ainda não trocaram ou estão começando a trocar a mão de obra humana por máquinas, já há quem esteja pensando em como fazer com que essas máquinas se comuniquem sem interferência humana, e o controle seja cada vez mais simples, automatizado e remoto (tipo as casas inteligentes, onde é possível controlar ar-condicionado, aquecedor e luzes através de dispositivos e sensores). Por meio da inserção de sistemas ciberfísicos (CPS) em processos industriais, gestores de fábricas alemãs já controlam por aplicativo o funcionamento de tudo. Talvez no futuro uma única pessoa poderá controlar uma fábrica inteira, pela internet, sem sair de casa.

Inovações como essas deixarão milhões de trabalhadores desempregados. Mas calma: isso não é novidade. Desde a Revolução Agrícola e a primeira Revolução Industrial homens são substituídos por máquinas. E o que talvez pareça uma aparente desvalorização da mão de obra humana pode ser muito bom. No surgimento das primeiras fábricas as pessoas só participavam de determinada fase da produção. O trabalho contínuo, repetitivo e mecanizado trouxe uma visão cartesiana, segmentada e separatista para nossa vida. Muitos não sabiam nem viam o produto final que faziam, e isso limita a visão de mundo. Agora vamos precisar retornar ao sutil, ao holístico, à criação, ao sentimento e à visão e comportamento de mundo que a inteligência artificial não consegue reproduzir. Todas essas transformações ainda aumentam o poder e o valor da criatividade, do empreendedorismo e das habilidades interpessoais.

Certamente serão criados novos postos de trabalho e novas profissões — só que num nível mais elevado que o meramente operacional. Enquanto isso, precisaremos cooperar com as máquinas. Com a certeza de que as transformações que estamos tratando aqui também precisarão ser motivadas pelo propósito. Pelo significado que se pretende construir com os produtos. Isso tem a ver não só com máquinas, mas também com a arquitetura dos espaços, a seleção de profissionais e até os modelos de gestão (como vimos na história da Mormaii). E para sempre precisaremos nos lembrar do que as máquinas não conseguem reproduzir (para que nunca nos falte), por exemplo, o amor.

Em 1970, o comerciante Álvaro Fernando Varanda e a costureira Iza Fernandes fundaram a marca de jeans Feranda, com poucos recursos e muito amor. A simbiose entre o casal deu nome à marca (que carrega um coração no logo). Eles começaram com uma fábrica em Petrópolis e rapidamente se firmaram como uma das principais indústrias de jeans do país. Com o sucesso, cresceu também em Fernando a vontade de contribuir com o desenvolvimento de sua cidade natal, Bicas, em Minas Gerais. Primeiro ele pensou em construir uma escola, mas, após uma conversa com o prefeito, tomou conhecimento da falta de emprego para a população local, então teve vontade de construir lá sua segunda fábrica.

A história de amor do casal se confunde com a história da marca. Com a história de toda a família. De duas cidades. E de todos os funcionários que cresceram e se desenvolveram juntos (muitos continuam desde a fundação). Quando questionado sobre o segredo do seu sucesso, Fernando sempre afirmava com convicção que ele estava nas mãos e no amor das costureiras e na dedicação que elas têm para fazer cada detalhe de forma única.

Em 2013, Fernando e Iza faleceram, deixando um grande legado, e sua única filha mulher (de quatro filhos) ficou à frente do negócio. Alessandra Varanda brinca que tem sangue azul, de jeans. É apaixonada pelo negócio e desde pequena acompanhou de perto os esforços dos pais para fazer a marca acontecer. Ela me disse que com eles aprendeu não só a empreender, mas a empreender amor.

Já vimos aqui o quanto o jeans, no formato de produção do velho mundo, é um dos maiores poluentes e consumidores de água do meio ambiente. Conheci Alessandra num curso sobre moda com propósito que dei no Polo do Pensamento Contemporâneo, no Rio de Janeiro. Ela me contou que, quando pequena, um rio a acompanhava no percurso até a fábrica. Alessandra achava lindo que a cada dia o rio estava de uma cor. Até que um dia entendeu que aquilo não era tão legal assim. As cores eram resultado de métodos tradicionais de coloração e lavagem, que exigem corantes e químicos altamente tóxicos, de uma época que não se entendia ou não se sabia muito bem fazer diferente. Mas foi questão de tempo para que seu pai, um apaixonado pela natureza e pelas pessoas, transformasse tudo.

Grande parte do lucro da empresa foi usada para transformá-la. Hoje a Feranda conta com sua própria mina e faz tratamento e reutilização da água. É considerada a primeira do estado do Rio de Janeiro a utilizar produtos biodegradáveis, para redução de resíduos químicos perigosos. Foi uma das pioneiras também a utilizar a lavagem a seco, com ozônio, para tirar a cor do denim e estoná-lo (parte do processo no método antigo que mais consome água), empregada hoje em quase toda a produção. Suas duas fábricas caminham para ser referência em sustentabilidade no processo da produção de jeans. Alessandra me disse:

> Sabemos que ainda há muita coisa a ser feita. Até hoje nunca pensei ou usei isso como marketing. Muita gente nem sabe, pois sempre foi muito natural agir dessa forma. O amor pelo que fazemos, pelos funcionários, pelos clientes e pelos lugares em que estamos inseridos foi o que nos motivou, e assim será para sempre.

É HORA DE DESAPRENDER

E APRENDER DE NOVO.

19. Marcas de uma nova era

O consultor de liderança e gerenciamento Simon Sinek usa frequentemente o exemplo da Apple para falar de marcas inspiradoras, a partir de um propósito. A capacidade de permanecer como uma das empresas mais inovadoras do mundo, ano após ano, combinada com o fantástico poder de atrair seguidores fervorosos, vem de algo mais do que simplesmente o que é feito pela marca. E isso comprova sua tese do *golden circle*, de que as pessoas não compram o que você faz, mas por que você faz o que faz.

Não existe nenhuma diferença real entre o que a Apple e suas concorrentes fazem hoje. Todas têm acesso à mesma estrutura, à mesma tecnologia, ao mesmo dinheiro, aos mesmos talentos e ao mesmo mercado. E por que a Apple é diferente? Por que as pessoas ficam com vontade de comprar um computador, um MP3, um celular ou qualquer coisa da marca?

A explicação não é o que ela faz, mas sim por que ela faz. Em algum momento Steve Jobs compreendeu que existia para desafiar o status quo. Para fazer a diferença. Para entregar o novo às pessoas. Produtos, campanhas, projetos, lojas e até o escritório da Apple dão vida a essa causa. Provam que a marca "pensa diferente". As pessoas compram motivadas, mesmo que num nível sutil, por essa causa. Claro que seus produtos também importam (não sejamos tolos de dizer o contrário), mas eles seguem uma lógica não convencional — como tudo na marca. Nascidos de dentro para fora, são a prova do que acredita.

Isso faz da Apple não uma marca de tecnologia, mas uma marca que tem um propósito e pode fazer qualquer coisa. Inclusive moda. Poucas coisas são capazes de servir tanto aos sonhos e à identidade de uma pessoa quanto um iPhone. Um dia ele foi um celular. Hoje é moda. Depois divulgaram os óculos. E em 2015 o relógio. Esses produtos inauguraram para mim uma nova visão do que é moda. Um designer ou uma marca "de moda" que têm propósito podem fazer qualquer coisa. Carro, eletrônicos, itens de decoração, comida, ambientes, hotéis... e até mesmo roupa.

A primeira Revolução Industrial setorizou não só os meios de produção, mas também o mercado. "Moda" ganhou uma relação direta com "roupa". Mas se a marca tem propósito e estilo de vida, ela pode ir muito além disso — porque hoje nos expressamos pelo que comemos, pelo esporte que praticamos, aonde vamos, a tattoo que temos... Essa deve ser a visão das marcas de moda da nova era. O design, como ferramenta/metodologia de criação que ajuda na interação entre usuários e marcas, deve ser capaz de entender as novas possibilidades do mundo e projetar o que melhor atenda às pessoas, desde roupas e produtos diversos até serviços e novos modelos de negócio — que venham a compensar a diminuição de receita provocada pela nova relação das pessoas com o dinheiro e pela necessidade de redução do volume de consumo.

A Armani é um bom exemplo, que vai de várias marcas de roupas (Armani Exchange, Emporio Armani, Mani...) que atentem a públicos e bolsos diferentes a outros negócios, como a Armani Dolci, de café e chocolates, sua própria floricultura e o Armani Hotel. Quem também vai além das roupas tem uma floricultura é a Liberty, de Londres. E lojas com cafés compartilhados são cada vez mais comuns, como a Saturdays Surf, de Nova York, e a Cotton Project, de

São Paulo. Em meados dos anos 2000, a multimarcas Clube Chocolate tinha um excelente restaurante na Oscar Freire, em São Paulo. Oferecia de artigos para animais domésticos a frutas da estação, de flores a livros e CDs, além de um restaurante francês, uma joalheria e um sex shop só para mulheres.

A Reserva do Shopping Rio Sul segue outra onda, mais conectada com o movimento atual de personalização. Tem uma impressora de camisetas e pôsteres que são comercializados. A loja & Other Stories, da H&M, além de roupas, tem uma área grande de venda de produtos de beleza, uma extensão da linha que já nasceu com a marca. A Top Man, de Londres, tem uma barbearia e um brechó com seleção de vintages de diversas marcas. Ah, e o Marc Jacobs tem a Bookmarc, uma livraria com excelente curadoria e produtos de papelaria desenvolvidos pela marca. Esta pode ser uma hora para pensar o que você e/ou sua marca podem oferecer além de roupas para reforçar seu propósito.

As marcas citadas acima começaram no velho mundo (ou bem na transição), mas sempre tiveram uma visão à frente do seu tempo. As marcas que surgem hoje já vêm com uma nova mentalidade e se constroem dentro das possibilidades e necessidades dessa era. Elas entendem que podem estar tão presentes na nossa vida e nos representar tanto quanto a tecnologia, fazendo-nos pensar da mesma maneira que a arte contemporânea faz. É o caso da Trendt. Conheci a marca num vídeo que apareceu na minha *timeline* do Facebook. Pelos comentários, percebi que Renan Serrano era o criador. Alguns amigos em comum e dois dias depois eu estava em São Paulo conversando com ele. O estilista é uma das apostas do Brazilians To Be (BtoBe), iniciativa da Texbrasil — programa de exportação vinculado à Associação Brasileira da Indústria Têxtil e de Confecção (Abit) —, e para mim um dos maiores representantes dessa nova era. Ele me disse:

> Se você tem um business que não está mais dando dinheiro como antigamente, não ache que um dia vai voltar a ser como era, gere uma *trend* ou siga uma nova. Se você quer ter um business novo, siga uma *trend* e

saiba que ela vai acabar, esteja preparado para acumular dinheiro e se desfazer do negócio antes que a *trend* entre na curva de decadência. Se você quer ser funcionário, se transforme num business, ofereça a opção de emitir nota fiscal e ser independente. Não faça mais currículo, crie um mapa visual de todas as suas habilidades. Não procure por emprego, ofereça soluções para as empresas, identificando falhas e soluções para elas.

Renan nasceu em 1988, "dentro" da estamparia dos pais no bairro do Brás, em São Paulo. Desde cedo, aprendeu a antecipar tendências. Mas não só de peças desejos, e sim de sinais do mundo. Seu olhar para o futuro e o produto que escolheu trabalhar (a *t-shirt*) batizaram sua marca, que hoje é vendida pela internet, nas melhores multimarcas do Brasil e mundo afora — Nova York, Itália, Londres, Paris e até Japão. Através de um plano de assinaturas, o cliente recebe peças surpresa por um valor fixo. Ele também contou:

> Com treze anos falsifiquei RG e fui viver na noite de São Paulo. Isso me estimulava a querer saber como usar a moda, para não parecer um moleque. Depois a minha mãe me mostrava fotos e dizia: "Isso aqui que desfilaram é igual ao look que você usou na festa há seis meses". "Puta, é verdade." Então comecei a perceber que eu conseguia ler as pessoas e antecipar tendências. A roupa era irrelevante, o que eu digo de ler vai mais pro sentido do comportamento. A "tendência da roupa" te diz: "Faz isso e vai vender aos montes". Mas será que é certo gastar milhões de litros de água, estimular toda a indústria pra fazer uma coisa que todo mundo está fazendo e disputar por preço ou ficar competindo por falsa ilusão estética de curadoria, imagem e marketing? Acho que não, se eu usar o potencial que tenho e estimular as pessoas ao meu redor a também usar o potencial delas. Assim a gente vai criar uma geração nova, um marco novo.

Nosso encontro foi na FLAG, uma agência de (não) publicidade onde funciona seu ateliê. Sozinho, Renan cria as roupas, faz o site, responde aos clientes, escreve o conteúdo e gerencia as redes sociais da marca. Além de roupas, faz direção criativa para parceiros. Desenvolve *colabs* — para marcas como Alcaçuz e Fila —, já fez itens para decoração e até peças para a exposição Terra Comunal, da performer Marina Abramovic. Ele me disse:

> Comecei a marca assim: "O que tenho que fazer?". Tem que fazer uma coleção e vender numa loja. Então fui na Surface, bati na porta, dei um presente. "Onde é o seu showroom?", perguntaram. Eu liguei pra um amigo: "Mano, me empresta o teu apartamento aí, vamos mudar a sala". A mina subiu no prédio. "Isso é um prédio comercial? Eu não sei!". Na primeira coleção fiz seiscentas camisetas a 120 reais. Me dei mal. Na segunda coleção fiz duzentas a quatrocentos reais, faturei a mesma coisa. Entendi então que precisava fazer testes como uma *startup* mesmo e meio que hackear a moda, sabe? Meu pai faliu umas dez estamparias antes de dar certo. Quebrava, aprendia, montava outra. Chegou a faturar 4 milhões por mês livre. Mas o que você faz com tudo isso? Comecei a questionar... "Que sentido faz a vida? Ganhar dinheiro e gastar dinheiro, não tem sentido nenhum para mim."

A moda vai se ressignificar como a arte. Acabaram as tendências de arte. Depois da arte pré-histórica, egípcia, medieval, renascentista e outras escolas que representavam as "tendências", tudo virou arte contemporânea. Hoje pode tudo. Mesmo assim, a *body art* (ou arte performática) levou tempo para ser compreendida. E ainda existem pessoas que não compreendem de cara a maneira como a performance nos toca. É uma obra não contemplativa. É para criar analogias para cada movimento que o artista desenvolve. Assim como a moda deve ser. E cada um tem seu próprio tempo de compreensão. Renan conta mais:

> Um dia olhei para o lado e vi que o caminho não era esse. Eu não estava me realizando. Não estava aprendendo mais nada. Eram quinze funcionários, todo mundo operando, interessados na entrega, e não no processo. Eu cheguei para eles e falei: "O lance da Trendt é viver aprendendo. Fazer algo e curtir o processo, não é fazer a roupa para vender, entrar

> dinheiro e fazer outra roupa". Tentei convencer todo mundo, ninguém entendeu. Porque ainda tem gente que quer a sociedade, ter sua casa própria, seu carro, trabalhar para pagar as contas do mês. Mas eu estou de olho lá na frente. Pensei: "Está tudo errado, vou fechar tudo, vou dar o *step back*". Então entendi que tinha que fazer de novo. Comecei a pesquisar escritórios compartilhados, até que recebi um e-mail da Luisa [uma das sócias da FLAG] dizendo: "Renan, seu espaço já está pronto, a casa é sua, se muda aqui pra agência".

Então Renan começou a repensar tudo. Demitiu todo mundo. Percebeu que sua onda não era quantidade de produtos, mas a relevância e quantas vezes conseguia dar um upgrade no mesmo produto — tipo um iPhone. Mas diferente da obsolescência planejada. A ideia era ir melhorando, com base no feedback do cliente, na evolução das matérias-primas. Ele faz os produtos e percebe que, conforme as pessoas vão conhecendo, vai vendendo mais. Parou de vender? Ele para de produzir. Pega a sobra, vende mais barato para os amigos, dá de presente... Foca num produto que possa ser compartilhado com @ parceir@, independente do gênero. Trocar com @s amig@s, como se fosse um livro. Faz apenas cem peças por item e não define época pra ele. Entende que sua marca pode ajudar a educar o consumidor sobre esse novo momento do mundo. Entende que, diferente da sociedade de crescimento industrial (que demanda crescimento exponencial para ser viável, custe o que custar), a moda que é a favor da vida opera dentro da capacidade de carga de um sistema de suporte a ela. Para 2016, tem a meta de produzir apenas num novo item por mês. Ele diz:

> É importante entender o que está acontecendo. Largar o conforto do passado, viver o momento. Usar a tecnologia a seu favor e devolver para o consumidor. Todo mundo está faminto de inovação. O consumidor hoje pode ter uma marca, ele pode ser empresário, pode ser o que quiser. Tem acesso a todas as informações. E eu posso amanhã virar cientista. Então o que eu preciso é de oferta boa, com qualidade e diferenciação. Criar minha própria tendência. Não consigo fazer isso numa escala de

milhão a cada seis meses. Não quero explodir. Quero chegar num momento em que o negócio se torne autossustentável, o cara que consome é colaborador, cocriador da marca, dá inputs, mas não para a marca crescer para ele mesmo ficar mais satisfeito.

Na faculdade, o tema que mais chamava a atenção de Renan era a performance. "Porque você muda tudo conforme a resposta do espectador. Você está lá, o espectador mudou, você muda. E a roupa é isso", diz. Em cada obra que o performer desenvolve existe uma mensagem imbuída, e na roupa da Trendt também. A coleção com a Alcaçuz tinha peças com a tecnologia Biosoftness, uma inovação que elimina o odor do corpo quando as nanocápsulas do tecido entram em contato com o pH da pele. Mas Renan acredita que a onda não seja se transvestir de sustentável, e sim fazer. Suas peças não vêm em saco plástico. Vêm numa embalagem para guardar e lavar a peça de forma a preservá-la. A etiqueta é um origami de tecido para guardar.

Marcas como a Trendt nos mostram que acabou o tempo em que elas permaneciam atreladas ao seu *core business*. Ele consegue fazer apenas uma peça nova por mês porque tem outras fontes de renda com a marca. Acabou também o tempo da comunicação unidirecional, de discursos atrelados ao produto e consumidores passivos no processo de consumo. É hora de ampliar o escopo de ação das marcas, ressignificar estruturas e inovar. É tudo sobre ciclos. E a mudança sempre começa de dentro para fora. Renan conta:

> Larguei o carro. Percebi que não faz sentido nenhum para mim. No metrô vou com meu fone, vivendo a sociedade diariamente, vendo milhares de pessoas passando na minha frente, como elas se vestem, como se comportam com a roupa... Enquanto isso ouço um livro novo. Cancelei meu plano milionário de celular e comprei uma linha no Skype, global, de cem reais por mês. O iPhone 6 uso para internet. Eu tenho um filho. "Quanto custa a escola do Bernardo?" Ele pode estudar em casa. "Quanto custa meu aluguel?" Posso morar em qualquer lugar do mundo e continuar fazendo o que faço. Pra que vou limitar minha visão?

* * *

Criada em 2012, a Zerezes é outro bom exemplo de marca (sem limites) a favor do meio ambiente e da rede. Ela começou fazendo — à mão — óculos de madeiras nativas da mata atlântica e do cerrado. Mas calma (!), não era que eles desmatassem para sua fabricação: as madeiras eram recolhidas de caçambas de lixo e restos de obras (pense em porta, janela, piso e taco). Assim, criaram peças praticamente únicas, com um forte apelo estético, que ressignificavam o lixo.

Sem precisar gastar dinheiro com insumo e ajudando a resolver um problema de descarte, para começar investiram apenas 2 mil reais (em burocracia, abertura de empresa e tal). Não houve aporte nem em máquinas, pois a produção foi feita de forma colaborativa com parceiros. Não investiram em loja: começaram vendendo em feiras, pequenos eventos e pela internet, até chamar a atenção de marcas, como FARM e Qguai, e lojas, como a do Museu de Arte Moderna do Rio de Janeiro e do Instituto Inhotim. Dessa forma, criaram uma relação próxima entre os produtores e os clientes, e um diálogo mais direto e transparente. Em apenas dois anos chegaram a um faturamento anual de 500 mil reais (em 2014).

Para continuar a crescer, foram além da madeira. Os fundadores Hugo Galindo, Luiz Eduardo Rocha e Henrique Meyrelles entenderam que, mais do que óculos de madeira, a onda era se apropriar de materiais de baixo impacto ambiental e alto impacto sensorial para criar modelos que durassem uma vida toda (literalmente, pois eles estão dispostos a prestar todo tipo de suporte, conserto ou reparo). Redefiniram desenhos e processos para garantir o máximo de eficiência no uso de matérias-primas ricas em qualidade e história.

Então veio a linha Acetatos, a partir do garimpo de chapas e retalhos encontrados em fábricas desativadas, que também foi produzida à mão, ganhando novas vidas em padrões únicos. A série Restus surgiu da vontade de reaproveitar o próprio resíduo gerado na produção dos óculos de madeira, a serragem, que (misturada com resina de base vegetal) traz uma nova percepção de uso para o que é tido como substrato do substrato. Para viabilizar os investimentos necessários (em tecnologias produtivas, pesquisa e testes) dessa série, criaram uma ação de *crowdfunding* no Catarse.

Entre as recompensas para quem investisse no projeto estavam produtos (próprios e de parceiros), o desenvolvimento de linhas colaborativas com marcas, visitas à fabriqueta onde são produzidos os óculos, workshops e até mesmo todo o material de produção — como os moldes, arquivos de corte e outros aspectos técnicos do desenvolvimento da série. O financiamento coletivo, além de garantir os investimentos necessários, funcionou como uma espécie de verificação da demanda antes de iniciar a produção. Assim começaram a experimentar novos arranjos de negócio. O passo seguinte foi unir forças com outra marca, a de calçados Odde, para viabilizar uma loja *pop up* no Shopping Fashion Mall, no Rio de Janeiro, e uma parceria com a Insecta Shoes para viabilizar uma loja em São Paulo.

O que você sente que essas marcas têm em comum?

Marcas com propósito começam com pessoas com propósito. Elas podem fazer qualquer coisa. Bono Vox, do U2, é um grande exemplo. Com mais de 150 milhões de discos vendidos no mundo e muitos prêmios, o cantor poderia facilmente se acomodar. Mas, além (e através) da música, ele vem reafirmando seu propósito de trazer os holofotes para causas políticas e sociais no continente africano e em outros países carentes. Pelo U2, disponibilizou a música "Invisible" gratuitamente no iTunes por 24 horas, e para cada download feito o Bank of America doou um dólar ao Fundo Global de Luta contra Aids, Tuberculose e Malária.

Em parceria com o ativista Bobby Shriver, desenvolveu o selo RED, que fornece fluxo sustentável de dinheiro do setor privado para combater a disseminação do HIV, através de parcerias com marcas, desenvolvimento de produtos e coleções — como foi o caso da Converse e da Nike. Em 2002 criou a organização Debt, Aids, Trade Africa (DATA), com o propósito de pressionar as nações mais desenvolvidas a fazer sua parte na luta contra a pobreza extrema no continente. Em 2004, fundou a organização ONE, que faz campanhas e eventos para acabar com a pobreza extrema e doenças. Por essas e outras iniciativas, em 2005 foi indicado ao Prêmio Nobel da Paz.

No mesmo ano, fundou com sua esposa, Ali Hewson, a marca EDUN para através da moda promover a consciência, o comércio justo e a fabricação de vestuário na África. Em 2009, a marca foi comprada pelo grupo LVMH (das marcas Louis Vuitton, Kenzo e Givenchy). As coleções, exclusivamente femininas, incluem roupas, bolsas e joias que falam da volta do luxo básico e têm 95% da produção feita no continente. "Um compromisso simultaneamente cultural e econômico", disse Julian Labat (ex-Carven), que está à frente da direção criativa desde 2015.

O surfista Kelly Slater ganhou nove títulos mundiais ao longo da carreira e, até o momento, parece não ter vontade de descansar. Sua profissão e paixão dependem da natureza. Na verdade, dependem de sua preservação. Em 2007, ele desenvolveu a Fundação Kelly Slater com o propósito de disseminar informações e arrecadar fundos para programas sociais e ambientais que trabalhem pelo cuidado dos oceanos e pela consciência daqueles que o utilizam. Por onde passa, Slater compartilha essa visão.

Em visita à Indonésia, ele ficou impressionado com a situação de algumas praias e leiloou uma de suas pranchas autografadas no eBay para arrecadar fundos para sua preservação. Em visita ao Brasil, doou uma prancha ao projeto Brechó Social para ajudar na compra da primeira sede do Instituto Sea Shepherd Brasil (ISSB), braço do Sea Shepherd Conservation Society, maior ONG de ativismo ambiental marinho do mundo.

Para continuar sua missão, em meados de 2015, lançou a Outerknown, marca de moda esportiva sustentável, com o propósito de comprovar que a integração entre estilo, desempenho e sustentabilidade é possível. Em seu Instagram, Slater declarou:

> Acredito que nós temos uma obrigação de produzir produtos melhores e entender o impacto do que consumimos no mundo ao nosso redor. Partindo desse princípio, o foco de nossa marca é fazer um produto que tenha um efeito positivo em todos os níveis possíveis.

Vimos aqui marcas que surgiram na mentalidade da nova era. Marcas que se transformaram para se enquadrar na realidade e marcas que surgiram para ser veículo de transformação. O futuro da moda não vai acontecer só por causa das novas tecnologias ou dos tecidos inteligentes. Vai acontecer também pela conscientização de marcas e pessoas. Mas para isso é urgente se conectar com o tempo. Há quem esteja vivendo novos modelos, mas (ainda) com a mentalidade dos antigos. Isso não adianta.

Alguns artistas morreram antes de ser compreendidos. As marcas de hoje precisam ser compreendidas enquanto existem. É preciso promover a vida nas organizações. Quem não fizer isso estará fazendo um desserviço, com a moda sem propósito. Será preciso mudar por dentro. E por fora. Passar por cima de algumas opiniões — inclusive as próprias — para poder se enquadrar nessa nova realidade. O lado bom é que esta revolução não será para dominar "outro castelo". É pela vida de todos. Como disse o músico John Cage: "Eu não consigo entender por que as pessoas têm medo de ideias novas. Tenho medo é de ideia antiga". Avante!

LEVE-ME ATÉ A LUA E DEIXE-ME BRINCAR COM AS ESTRELAS.

Bart Howard, “Fly Me to the Moon”

20. Revolução industrial supernova

Estrelas nascem em uma nuvem de poeira. E quando uma delas, supergigante, chega ao fim da vida, produz-se uma grande explosão que dá origem a outros corpos celestes dispersos, chamados de supernova. É como se a morte (o fim de um ciclo) desse início a uma série de novas possibilidades. Assim será o futuro. A nova era é apenas o começo (e o fim) de uma grande transição. Um segundo futuro vem por aí.

Tiago Mattos, em seu livro *Vai lá e faz*, diz que "existem muitas formas de dividir a história da humanidade. De todas elas, gosto da que nos separa em três grandes eras. A agrícola, a industrial e a da informação/digital". Essa última tem promovido não só evoluções tecnológicas na sociedade — e a expansão da consciência — como também tem transformado a indústria, com o entrosamento dos mundos físico e digital, o surgimento de novos materiais, técnicas e processos de design e produção. Como acabamos de ver.

A máquina sempre transformou o jeito como nos vestimos. Mas agora, além dela, o pensamento digital tem transformado e impactado não só nossa vida como toda a lógica de criação/produção. Com esse espírito, surgiram a *digital couture*, os *makeshops*, *makerspaces* e espaços de *cosewing*. Em todos esses movimentos, notamos o maior legado da era da internet: o empoderamento das pessoas e da rede. A revolução industrial supernova traz o poder da criação (ou da reprodução) para a vida real, dando a chance de o consumidor ser ativo, criativo e ter voz diante das marcas, descentralizando, como poeira de estrela, a criação e a produção.

A primeira impressora 3-D, que construiu objetos camada a camada, nasceu em 1984, assim como os primeiros *millennials*. Mas foi só nos últimos anos que ela evoluiu, barateou e apareceu. E a revolução começou. Daqui para a frente seu desenvolvimento será exponencial (no que diz respeito a redução de tamanho, preço, variedade de materiais...). E bem antes do que você imagina (passaremos a ser regidos por uma nova constelação), uma impressora dessas estará na sua casa, imprimindo suas compras do mês, remédios, roupas... Ou então no seu trabalho ou no seu prédio (pense que, quando a máquina de lavar surgiu, os prédios tinham uma lavanderia com uma máquina compartilhada).

Em algumas décadas, a população vai dobrar, e estima-se que mais de 70% dela vai morar nas grandes cidades, levando a uma revolução no modo de vida urbano e no ambiente doméstico, no qual os espaços serão cada vez mais escassos e valiosos. Pensando em como otimizá-los, a Electrolux lança todo ano um concurso para repensar a maneira como vivemos e interagimos no ambiente doméstico por meio das máquinas que nos cercam.

Em 2014, o designer Kovács Apór criou uma impressora de roupas como utensílio doméstico. Mesclou o conceito de impressora 3-D e reciclagem para idealizar uma impressora de roupas com a matéria-prima da reciclagem de garrafas PET. O aparelho batizado de PETE funciona como um depósito que transforma garrafas em roupas. Outro projeto, também de 2014, de Karolin Kõrge, é o guarda-roupa Zero Waste. A ideia é que seja possível acompanhar as últimas tendências de moda sem gerar resíduo algum, com uma impressora que faz o *upcycling* das roupas que não queremos mais, transformando-as em matéria-prima para imprimir novas. Imagine não precisar comprar e acumular roupas, basta reciclar e imprimir novas. É isso.

Num projeto similar, de 2010, o designer Joshua Harris criou uma impressora que combina os conceitos de máquina de tricô, tear de tecidos e lavadora a vapor, podendo ainda ser alimentada por peças antigas — eliminando a necessidade de lavar roupas, pois elas serão reimpressas. A máquina conta também com uma interface que permite que se compre modelagens pela internet e se imprima as roupas em casa, sem precisar esperar a entrega.

Existe um grande medo e uma preocupação quanto ao que pode acontecer com as pessoas e as marcas quando as impressoras 3-D e 4-D estiverem na casa de todos (e os robôs dominarem as fábricas e as empresas). Mas vale pontuar que, assim como qualquer tecnologia, essa pode ser usada para o bem ou para o mal. No mundo já existem pessoas que a usam a favor da vida. Para agilizar, diminuir custos ou tornar mais sustentáveis processos de produção em diversos setores de indústria. Além disso, as impressoras 3-D estão sendo usadas como soluções inovadoras para países e comunidades com pouca infraestrutura.

Em Uganda, existe um orfanato que já vive com a energia colhida e armazenada pelas pedaladas bicicletas de funcionários e colaboradores, através de um dispositivo feito numa impressora 3-D — iniciativa do coletivo Designs For Hope. Lá também a Ebeling está construindo próteses para jovens que foram vítimas da guerra. No Togo, Kodjo Afate Gnikou desenvolveu um modelo de impressora 3-D feita através de *upcycling* de entulho eletrônico (como computadores, impressoras e scanners recolhidos de depósitos de lixo). A invenção lhe garantiu um prêmio de inovação dado pela Nasa. O brasileiro Marcelo Coelho e o israelense Amit Zoran criaram o projeto Cornucópia, composto de uma impressora 3-D de alimentos, um braço robótico e um mixer. A ideia é especificar as calorias a ser ingeridas para que o equipamento prepare a comida a partir de cápsulas de ingredientes.

Além de ajudar no desenvolvimento social e econômico, as impressoras vão dar nova vida à moda. A primeira grande notícia foi em

2011, quando a holandesa Iris van Herpen marcou presença entre as cinquenta melhores invenções na revista *Time*, com sua coleção criada não com rabiscos em papéis, alfinetes e tesoura, mas com computador e impressora 3-D. Foi apenas o começo. Em 2013, a moda 3-D invadiu o tapete vermelho, com Dita von Teese usando um vestido feito sob medida, criado por Francis Bitonti e Michael Schmidt (designer famoso pelas colaborações com Lady Gaga). O vestido foi concebido por Schmidt em um iPad e comunicado via Skype a Francis. No outono/inverno 2014, a Pringle of Scotland desenvolveu peças que incorporavam elementos feitos em impressoras 3-D a uma coleção comercial.

Apesar de ser uma evolução de uma impressora "normal", as tecnologias 3-D e 4-D têm características disruptivas, pois derrubam uma lógica já estabelecida no mercado. Ao que tudo indica, vamos experimentar um verdadeiro renascimento da fabricação (localizada). Vamos ter a chance de voltar ao período pré-industrial, com a produção sob demanda, sob medida e, talvez, fabricada por cada um. Muito em breve lojas virarão fábricas, espaços coletivos virarão fábricas, casas virarão fábricas — seja para comercialização, seja para produção própria. Qualquer um poderá ganhar dinheiro com elas, se tornando seu próprio patrão ou abrindo sua própria marca. Ao cortar o intermediário (a nem tão boa e velha fábrica), todos no processo se tornarão mais empoderados. Esse é um caminho sem volta que a nova era traçou. O que você gostaria de estar fazendo quando isso acontecer?

Explosão cósmica

San Francisco é um dos epicentros dessa supernova revolução. Em 2014 visitei a TechShop, um lugar para fazer os sonhos acontecerem — quem dá a dica é uma placa logo na entrada que diz "Build yours dreams here" [Construa seus sonhos aqui]. Fundada por Jim Newton e Ridge McGhee em outubro de 2006, em Menlo Park, no coração do Vale do Silício, para ser um lugar com ferramentas para trabalhar em projetos de estimação, foi ganhando outros agregados até virar um "clube" para pessoas aprenderem e fazerem. Funciona assim: você se associa (com plano anual, mensal ou diário) para ter acesso ao espaço, com ferramentas e equipamentos industriais de todos os tipos — desde impressoras 3-D, máquinas de corte a laser, soldagem e impressão de tecido — para construir seus próprios projetos, não importa se é um vestido ou um carro. Além disso, eles oferecem cursos, treinamento e acompanhamento para quem precisar.

Brit Morin era uma das frequentadoras mais assíduas da TechShop. Como muitos outros *millennials*, começou brincando de Lego e se encantou com os infinitos vídeos e blogs de "faça você mesmo". Entusiasta do movimento *maker*, decidiu transformar seu hobby em fonte de vida. Abandonou seu emprego no Google e, em 2011, fundou a Brit+Co, uma loja com espaço para cursos e eventos, onde as pessoas se encontram para aprender e fazer coisas, dessas que a gente vê no Pinterest (desde decoração de festa infantil até bijuterias), seja em impressoras 3-D, seja com recorte e colagem. Grande parte da produção é vendida lá mesmo. É também um site, com conteúdo DIY e *e-commerce*, com mais de 10 milhões de acessos por mês (!). Numa das visitas que fiz ao espaço, ela me disse que seu propósito é estimular a criatividade que existe em cada mulher, construindo assim uma comunidade criativa.

Num mundo onde podemos fazer um terrário pela manhã, um colar 3-D à tarde, pintar o pôr do sol num iPad e comer um sorvete feito em casa à noite, surge no Brasil, em Porto Alegre, o Studio Q, uma espécie de TechShop da moda. Foi lá que lancei meu primeiro livro em 2014. Lembro que, quando cheguei, logo pensei: "Uau, minha avó ia adorar este lugar, é tudo o que ela mais amava fazer". Num andar, máquinas de costura e mesas de corte. Você pode alugar uma delas para trabalhar, caso não tenha em casa. Ou pode fazer um curso de costura. Em outra sala, um curso sobre cores. No térreo, espaços para encontros e conversas. Um estúdio fotográfico. Não parece que estamos voltando no tempo? (Acho isso ótimo.) Mas com tecnologia, claro. No site está a descrição do propósito: "Proporcionar a conexão de mentes criativas em busca de inspirar e renovar ideias transformando sonhos em realidade através de um ambiente de aprendizado e disseminação de cultura criativa".

Projetos como esses ajudam não só a realizar sonhos: eles disseminaram a cultura *maker* e os *makerspaces*, lugares coletivos para "fazer". Representam uma evolução do *coworking*, com a necessidade — e a vontade — de não ser apenas um espaço para onde levar o computador e trabalhar. Representam uma vontade de fazer. Na moda, espaços como esses, para profissionais, estão sendo chamados de *cosewing* (ou cocostura, em português). O Nadewald, em Berlim, e o Teté CaféCostura, em Madri, são os melhores exemplos. No Brasil, o Lab Fashion, em São Paulo, e o Casa Base (com moda, arquitetura e design), em Curitiba, são os exemplo mais próximos. Nesses locais estão empreendedores dispostos a compartilhar toda a estrutura necessária (máquinas de costura, manequins, estúdios fotográficos), enquanto usufruem de todo o networking criativo que a comunidade proporciona.

Esses movimentos ligados ao fazer reforçam a atitude do *prosumer*, termo criado em 1980 pelo escritor Alvin Toffler, que deriva da união de duas palavras que, em um primeiro momento, são antagônicas: "produtor" e "consumidor". Ele previu que a saturação do mercado e a produção em massa passariam a satisfazer apenas a demanda de consumidores "comuns". Para continuar lucrando, o mercado começaria um processo de customização em massa dos produtos. Parece que estava certo. A internet é a mãe dos *prosumers*. Eles já estão em todo lugar. Não só criticando ou elogiando, mas também comparando preços, opinando sobre os métodos de produção, questionando sobre os valores das marcas, contando suas experiências com elas, serviços e produtos.

Desde o início deste livro estamos falando da centralidade do ser, da importância do desenvolvimento pessoal e, consequentemente, da mudança do olhar para as pessoas e para o planeta. Independente de quando os movimentos que vimos aqui vão se tornar públicos e cair na normalidade, hoje precisamos pensar que é impossível permanecer vivo, fazendo as coisas como antes. A construção das marcas do futuro será baseada no poder *com* as pessoas e o planeta.

E não mais com o poder *sobre* as pessoas e o planeta. Isso é o que essas tendências nos mostram. A marca Style Saint, de Los Angeles, já está bem ligada nisso. Ela tem o propósito de criar roupas que durem, com foco na qualidade em vez da quantidade, a partir do desejo real das pessoas, e não impondo modismos. Para isso conta com a participação de todos, seja com a criação de *moodboards* globais que são incorporados no processo de criação da marca, seja cocriando produtos.

Veremos cada vez mais crescer a participação das pessoas, não só intervindo depois de produtos prontos, mas também antes, construindo junto. Em breve tudo — de roupas sob medida a xampus e sabonetes personalizados — estará disponível para as pessoas de forma descentralizada, sem custo adicional. Produtos serão realmente personalizados e sob medida. O estúdio de moda ucraniano Ksenia Schnaider, da estilista Ksenia Marchenko e do designer gráfico Anton Schnaider, utiliza uma nova plataforma de publicação chamada Readymag, que permite aos usuários criar até 810 versões exclusivas de um vestido da marca. Basta selecionar o estilo da silhueta, comprimento, tecido, gola e manga, e escolher uma das estampas e cores disponíveis.

Sempre que comento sobre esses movimentos em sala, vejo olhos de pessoas que mal podem esperar para produzir suas próprias coisas brilharem, enquanto outras dizem preferir comprar pronto. Muitos preocupados com o tempo que leva para fazer (e a falta dele). O meio-termo — e talvez a forma de as marcas permanecerem relevantes e inseridas no mercado — é sem dúvida a customização e a personalização, que provocarão uma evolução no atual sistema de moda baseado na oferta e na procura — no qual as marcas criam as tendências, mas têm que lidar com o problema dos altos investimentos em estoques — para um modelo mais sustentável, de produção sob demanda, que economiza tempo, dinheiro e matéria-prima e é totalmente a favor da real individuação.

A produção sob demanda alinhada ao *slow-fashion* talvez seja uma das alternativas mais revolucionárias, a favor do futuro da moda e do planeta. Ela viabiliza de forma inteligente a mudança de cultura em relação a quantidade/preço/qualidade. Nessa onda está o projeto da marca Apparel Made for You (AM4U), que conta com uma revolucionária minifábrica de roupas personalizadas que imprime, costura e entrega o que você criar na sua casa. O maquinário une as tecnologias de modelagem computadorizada, processos de estamparia, como a sublimação e corte a laser, tudo em um único espaço, permitindo que roupas de um mesmo tecido sejam produzidas em poucas horas, pela própria marca. Isso significa uma mudança em toda a cadeia da moda.

A marca surgiu a partir de um *gap* da cadeia têxtil, uma conta mal formulada que gerava desperdício e perda de lucro. De um lado havia fornecedores que buscavam lucro baseado na produtividade — quanto mais peças produzidas, maior retorno financeiro. De outro estavam os compradores e varejistas que planejavam as compras de acordo com a quantidade a ser vendida — quanto menor a sobra de peças, maior o lucro. Ou seja, um lado da cadeia queria produzir mais, enquanto o outro queria comprar menos e de forma mais eficiente. Isso não fechava. Apesar de promoções, liquidações e outlets, uma grande quantidade de peças não era vendida — gerando prejuízo para a empresa (sobra de estoque) e para o planeta (com o descarte e a queima).

A AM4U repensou todo o conceito e o formato por trás da cadeia de suprimentos da moda, colocando a demanda na frente da oferta. Em vez de produzir uma quantidade de peças com base numa estimativa de vendas, passou a realizar a produção após o pedido de compra. As pessoas escolhem ou criam o modelo, e a AM4U produz (sem risco e sem estoque). Por trás desse modelo de negócios está uma fábrica autossuficiente que pode tingir, estampar, cortar e produzir uma peça em algumas horas, sem a utilização de água e químicos. Incrível, não é?

Mas ainda fica melhor: todo esse processo permite uma maior lucratividade. A estimativa é que essa tecnologia permita um aumento de 70% na margem de lucro em comparação com a cadeia de suprimentos atual. Os custos de matéria-prima e mão de obra são muito semelhantes, e a diferença vai aparecer na parte de logística, armazenamento e preço de venda. Como o produto é produzido de acordo com a demanda e enviado diretamente à loja ou ao consumidor, não é necessário um centro de armazenamento para as peças. As distâncias também são menores, pois a produção pode ser local, já que esse modelo de fábrica integrada e não poluente pode ser estabelecido em qualquer lugar. Outra vantagem é o preço final de venda. Um item vendido no varejo tem uma média de preço muito abaixo do preço de lançamento. Uma peça de valor inicial de cinquenta dólares tem um valor médio real (depois de descontos e liquidação) de 33,33 dólares. Dessa maneira, ela é comprada com antecedência e produzida de acordo com o pedido, sendo vendida sempre pelo preço cheio.

A Print All Over Me oferece on-line uma série de peças e um cardápio variado de estampas. É só escolher e eles fazem o resto. Quem quiser pode enviar sua própria estampa para fazer um produto com modelagem do site. Ou então comprar o tecido com alguma estampa do site ou usar sua própria estampa para fazer qualquer coisa. A Shoes of Prey, na Austrália, oferece serviço de customização on-line de sapatos e sandálias de salto alto a botas. São doze tipos de calçados femininos com 300 trilhões de combinações, por conta de todos os tamanhos e mais de 170 estilos disponíveis — altura do salto, tipo de matéria-prima e cor.

Esses são exemplos de como serão os *e-commerces* (que estarão cada vez mais presentes em lojas físicas) daqui para a frente: *slow-fashion* com tecnologia interativa que permite às pessoas criar produtos únicos. As vantagens são muitas e são a favor do planeta, pois esse modelo não gera sobrecarga de transporte e armazenamento, tampouco estimula o desperdício de recursos.

A The Post-Couture Collective surgiu de um coletivo holandês, na cidade de Eindhoven, e representa um novo modelo na produção e na distribuição de roupas, talvez o primeiro a realmente abraçar o movimento *maker* e contribuir para a chegada da revolução industrial supernova. A marca questiona por que as roupas são tidas como um produto descartável — um número cada vez maior de modelos oferecidos a um preço cada vez mais convidativo causa um consumo pouco consciente com impacto no futuro do planeta e na vida das pessoas que trabalham nos níveis mais elementares da indústria.

Seguindo o conceito 100% *open-source*, disponibiliza peças que possam ser reproduzidas em casa sem necessidade de costura — nem impressora 3-D. Para isso, basta comprar e fazer o download da modelagem — que custa cinco euros. Não é necessária nenhuma habilidade específica para construir as roupas; basta seguir a recomendação do uso de um tecido similar ao neoprene e o corte a laser desse tecido (feito com base no molde fornecido e que pode ser adaptado às medidas do consumidor). Depois de cortadas, as peças podem ser montadas a partir de um encaixe desenvolvido pelo grupo, que consiste em um recorte semelhante a flechas na lateral e nos pontos de encontro da peça, que podem ser arrematados em recortes no tecido.

A primeira coleção do Post-Couture consiste em seis peças desenvolvidas com a marca mphvs, sem gênero e com design minimalista, quase futurista. O Spacer Fabric, material sugerido pelo grupo que é feito da reciclagem de garrafas PET, pode ser reciclado novamente. Dá para fazer as peças comprando o molde e o tecido e pagando pelo corte a laser (mais ou menos quarenta euros de custo), ou comprá-las semiprontas pelo site (entre oitenta e 130 euros). Se preferir montar a peça, o site oferece todos os tutoriais. No vídeo institucional, a designer Leonie Tenthof van Noorden, que colabora com o coletivo, traz a seguinte visão:

> Todo mundo já está ciente de que a indústria da moda é altamente poluente e de que os preços das peças de *fast-fashion* são incrivelmente baratos. Isso precisa mudar, e muitos designers estão trabalhando para encontrar uma solução. Mas o que realmente precisa mudar é a atitude dos consumidores. Se as pessoas continuarem comprando peças de *fast-fashion*, a indústria não vai mudar. Por isso precisamos fazer *slow-fashion* e moda sustentável a preços acessíveis e atrativos para o público em geral. A tecnologia está aí para nos ajudar nisso.

Quem começa?

QUINTA PARTE

Início

VOCÊ PODE TRANSFORMAR O MUNDO.

E A MELHOR MANEIRA É

21. Seja livre (você já é)

Em *A moda imita a vida*, falei sobre a importância de olhar para fora e para dentro durante o processo de construção de uma marca. Até aqui olhamos bastante para fora, para o que está acontecendo no mundo. Agora é hora de olhar para dentro. Mas com um olhar diferente, claro. Para cocriar um novo mundo, precisaremos aceitar a liberdade. Deixar para trás tudo o que nos prende. A consciência que temos sobre nosso padrão de liberdade é o que determina tudo na vida. É o que nos empodera. É o que diferencia os profissionais, as pessoas, as marcas... O que faz com que algumas pessoas sejam líderes e inspiradoras, enquanto outras são seguidoras. É o que define continuar numa jornada de crescimento, rumo ao novo mundo, ou permanecer imutável, no caos do velho mundo.

Sinto que não é bem verdade dizer que aos dezessete, dezoito anos não temos como saber o que queremos fazer da vida. Quer dizer, podemos até não saber, mas a razão não é a "pouca" idade, como muitos pensam. Até esse ponto, já experimentamos muito mais do que imaginamos. Talvez já tenhamos passado pelas principais situações que vão determinar nosso futuro. Mas não nos damos conta disso. A questão é que até o momento pré-vestibular não fomos encorajados a tomar decisões, ser livres ou olhar para dentro.

Somos treinados a controlar a dor e o sorriso, a nos comportar. Não estamos acostumados a nos individualizar. Na escola, aprendemos receitas prontas, através da repetição, da imitação e de esquemas estereotipados. Não é à toa que, quando as pessoas e as marcas crescem, tentem tanto ser outra coisa, diferente do que verdadeiramente são. Ou que existem tantos seres humanos e marcas seguidores. Para reescrevermos o futuro, vamos precisar de liberdade.

Vivemos numa sociedade que nos impõe o tempo todo como devemos pensar, viver e ganhar dinheiro. O sistema educacional tradicional olha todos os alunos da mesma forma, padroniza e espera respostas "prontas", "certas". Ele não considera as forças e as fraquezas de cada um, não trata nossas especificidades de forma especial. Não estimula nossa criatividade. Apenas tira nossa luz. Enquadra todos numa média, independentemente das habilidades e das vontades. Uniformiza.

O guru Prem Baba diz que uma completa renovação na educação se faz necessária hoje, pois é através dela que um novo ser humano, mais consciente e responsável, surgirá. "A criança é sábia e traz com ela dons e talentos a serem compartilhados com o mundo", está escrito em seu site. É preciso criar espaços para que isso aconteça, incentivando seu empoderamento. Com uma criação baseada em valores mais humanos e fraternos. Arrisco dizer que, bem antes dos dezoito anos, já tivemos contato com o que gostaríamos de ser (ou seja, já tivemos contato com quem realmente somos) e criar, quando estávamos puros, entregues à liberdade sem fim da infância.

Em *A moda imita a vida*, vimos quanto a carreira de Oskar Metsavaht, Katia Barros e Ronaldo Fraga dava sinais quando ainda eram bem pequenos. Oskar fazia camisas de surfe com cortinas estampadas, Ronaldo desenhava e Katia treinava o olhar para tudo o que era belo e decorava. (O mesmo acontecia com você. A resposta para muitos dos questionamentos que vimos aqui e que podem lhe ajudar a descobrir seu propósito deve estar na sua infância. Nas suas brincadeiras, nos seus brinquedos favoritos, no que você era quando pequeno e talvez tenha deixado de ser.) De alguma forma eles conseguiram transpor o sistema. Não foi à toa que a Osklen, a FARM e a Ronaldo Fraga marcaram uma era. São marcas inspiradoras, guiadas por pessoas que têm bastante certeza de quem são e o que pretendem construir. Isso é perceptível em tudo o que fazem. Todos reconhecem.

Este é o momento de lembrar que todos nós nascemos livres, com poder de escolha, ideias e características próprias. Sem nenhuma informação e com tudo de novo pela frente a descobrir, originais e autênticos. Quando pequenos, nosso fazer é bem próximo do ser, pois somos movidos pelo que realmente nos deixa felizes e nos dá prazer, sem nenhum compromisso.

A passagem da criança para o adulto deve ser um processo de ganho de autonomia e responsabilidade. Mas acontece o inverso. Crescemos e ficamos mais dependentes. Enquanto continuarmos assim, não conseguiremos promover a transformação que precisa acontecer no mundo, que é semelhante ao que deve acontecer conosco. A passagem do velho para o novo mundo deve significar libertação das tutelas das instituições que inventamos, assumindo a autonomia pela nossa vida e a responsabilidade pela vida do outro.

Pais e educadores deveriam nos lembrar disso. Prem Baba diz que é deles a responsabilidade de interromper o ciclo da ignorância no planeta, interrompendo a destruição e realmente mudando o mundo. O caminho deve ser ajudar as crianças a encontrar seus dons e talentos, e se alinhar em sua verdadeira missão. Não basta largar a criança na escola; é preciso se responsabilizar e se comprometer com seu despertar. Estimulá-la a perguntar: "Como posso servir?".

Infelizmente parece que nem todos os pais têm a noção do quanto a criação determina e marca para sempre a vida de uma ~~criança~~ pessoa. O que mais vemos por aí são criações à base de ameaça, medo e repreensão, o que no longo prazo contribui para que sejamos mais inseguros e menos livres. Assim deixamos de acreditar em sonhos e fantasias, deixamos de imaginar. Aposto que, quando você era criança, tinha um sonho também, ou muitos. Reserve um tempo para se lembrar dele(s). Experimente escrever aqui.

Tive sorte de conhecer o professor Muhammad Yunus, ganhador do Prêmio Nobel da Paz, em uma de suas viagens ao Rio de Janeiro. Ele sonhou com um banco que pudesse emprestar dinheiro a pessoas muito pobres, e assim criou o Grameen Bank, em Bangladesh. Dessa maneira, ajudou a melhorar a vida de vários trabalhadores (antes escravizados) da indústria têxtil. Para sempre vou me lembrar de suas palavras:

> Se você quer alguma coisa, primeiro precisa sonhar. Sem medo. Imagine e a vida vai lhe levar lá. De alguma forma vai. Se você não imaginar, não vai acontecer. O homem sonhou em ir à Lua antes mesmo de aprender a voar. É o poder da imaginação que muda o mundo.

Mas, em vez disso, vamos aceitando o que nos é colocado como verdade. Sem imaginar, sonhar ou questionar o porquê das coisas. Acabamos perdendo o instinto investigatório (lembre-se das crianças e de seus "Por quê? Por quê? Por quê?") e nos acostumamos a olhar demais ao redor e muito pouco para dentro. Assim, ideias que poderiam fazer a diferença se perdem, pois "entendemos" que o normal é ser/fazer igual ao outro. Sem questionar.

Mas e se as pessoas não tivessem que abrir mão de seus sonhos para trabalhar e ganhar dinheiro? Se não tivéssemos que nos encaixar em padrões? E se decidirmos agora ser livres e acreditar em nossos sonhos? Em 2030, seremos 9 bilhões de pessoas únicas, realmente autênticas, com nossos talentos e dons a favor da humanidade. Assim poderemos mudar o mundo.

Erich Fromm, no livro *The Fear of Freedom*, diz que num nível psicológico mais profundo, desde que o cordão umbilical é cortado e somos lançados na (solidão de) nossa individualidade, nos colocamos em busca de segurança emocional e material. E o medo de não ter essa segurança muitas vezes é o que nos trava. Medo de não ser reconhecido, não ser aceito, não dar estar certo, medo do que o outro vai pensar... Assim ele vai nos limitando. E vamos nos padronizando. Mas lembre-se de que todo esse medo não estava em você quando era criança. Jung dizia que nascemos originais, mas morremos cópias. É só olhar e perceber.

Além da nossa família, recebemos mensagens confusas de colegas de escola, professores, governos, religiões e até mesmo da publicidade (muitas vezes na forma de programas mentais destrutivos), e assim nossa capacidade de confiar é eliminada. Perdemos nossa autoconfiança ou nos identificamos com o medo de confiar.

Confiar tem a ver com se entregar. Deixar a vida levar. Mesmo nos momentos mais difíceis. Acreditar que até mesmo as dificuldades são boas em certo ponto. São matérias que precisamos aprender antes de passar para uma próxima etapa. Temos que acreditar que há um significado oculto por trás de todos os fatos, a serviço da nossa evolução. E até mesmo agradecer pelas dificuldades. (Não é fácil fazer isso.)

Em *As sete leis espirituais do sucesso*, Deepak Chopra diz:

> Todos os problemas contêm em si as sementes da oportunidade. A consciência disso permite transformar esse momento numa situação ou numa coisa melhor. Quando você faz isso, todas as situações inoportunas conterão em si uma oportunidade para a criação de algo novo e belo.

Algumas pessoas ainda conseguem sonhar. Mas há aquelas que têm medo dos próprios sonhos. "Protect me from what I want" [Proteja-me do que eu quero] é o título de um dos principais trabalhos da artista Jenny Holzer e o nome de uma música da banda Placebo. Muito mais pessoas do que imaginamos cantam isso por aí. Freud diz que todos nós temos medo ou ficamos perturbados, em algum nível, quando nossos desejos são atendidos (por isso tem gente que bate carro novo na semana que comprou; que estraga o namoro de bobeira logo no início; que faz besteira no trabalho que sempre quis... como se acreditasse que não é digna dessa felicidade, não a merece).

Por conta disso tudo, vamos entrando numa zona de conforto, achando que estamos aqui para seguir regras e padrões. Fazer igual ao outro. Achando que é mais seguro. É muito comum isso acontecer. Você já deve ter visto a pirâmide do nível de influência das pessoas, onde lá no topo uma parcela bem estreita representa os alfas, os criadores, lançadores de tendências (pessoas e marcas). Conforme essa pirâmide vai ser abrindo, aparecem os "seguidores". Quem está no topo são os mais livres.

Os outros seguem, pois a liberdade inspira. Repare como, ao longo da sua vida, você sempre quis ir atrás daqueles que eram mais livres, que faziam mais diferente. Eles são os que alcançam mais poder. Mas por que não se inspirar em sua própria liberdade? É nela que nasce o sucesso. A mesma energia que gasta para olhar ao redor, você gasta olhando para dentro, acredite. A edição especial SPFW do caderno Ela, do jornal *O Globo*, de 18 de abril de 2015, me lembrou disso:

> Em geral as modelos caminham na passarela como cabides fantasmas. Sem expressão ou energia, elas vão pra lá e pra cá, como numa partida de pingue-pongue entediante. Mas ela, logo nos primeiros anos de sua carreira, destacou-se por andar de um jeito completamente diferente. Em cena, pisa firme, livre como um cavalo manga-larga, levanta ligeiramente os joelhos, quase cruza as passadas num andar ritmado e rápido, que faz seus cabelos movimentarem, como quem está decidida a mostrar quem manda no pedaço.

De quem você acha que o texto estava falando?

Cada ser humano é movido por alguma coisa (interna ou externa) diferente, por isso somos únicos. Não há equação mágica, técnica ou regra. Cada um deve encontrar seus "como", "o que" e "por que". Vivemos uma era bem fértil a mudanças de padrões. Vemos por todos os lados surgir "o novo preto", "a nova comida", "o novo relacionamento"... Hoje cada um pode ter a chance de inventar seu jeito de fazer. E de ser. É disso que precisamos.

Gisele Caroline Nonnenmacher Bündchen chegou ao topo do ranking das modelos e foi eleita uma das cem mulheres mais influentes do mundo pela revista *Forbes* sem se envolver em escândalos (com homens, drogas, bebidas...) ou badalar excessivamente em festas. Provocou uma quebra num mercado de modelos cheias de marra, que só saiam de casa por milhares de dólares (e os estilistas ainda assim tinham que rezar para que elas aparecessem).

Diferente do que estava estabelecido como normalidade, a modelo é craque em quesitos como disciplina, planejamento, controle de imagem e geração de valor (para ela, para os clientes e para o mundo). É apegada à família, à natureza, à espiritualidade, à espontaneidade. Desde cedo já estava conectada com valores de uma nova era.

Mesmo assim, nunca pretendeu se colocar como modelo de perfeição ou um exemplo a ser seguido. No início inclusive, faltava interesse no mercado por suas particularidades estéticas. Seu nariz era considerado um tanto crescidinho para os padrões. Mas, como ela sempre conta em entrevistas, seu pai dizia que quem tinha personalidade tinha nariz grande, então ela não precisava se preocupar. Pronto. Com esse pequeno incentivo, ela seguiu em frente.

Por isso, siga também em frente do jeito que você é. Acredite, é muito provável que você seja bem mais forte do que imagina. A maioria das coisas que lhe pertencem precisa ser buscada por você mesmo, e por mais ninguém. Só assim será possível criar um trabalho de vida que seja uma declaração de sua autenticidade. Uma marca que transmita verdade, que estimule a liberdade. Capaz de promover alguma transformação relevante e deixar um legado.

Tanta gente lutou para escapar da opressão e usufruir da liberdade, e agora que a temos muitas vezes nos sentimos atraídos a nos aprisionar em padrões e fórmulas preestabelecidos. Ou nos sentimos pressionados a agradar o outro. É preciso quebrar esse padrão. Temos nas mãos a oportunidade de modelar uma nova era para o mundo, ajustada com nossos valores e à maneira como vivemos. Seríamos loucos se perdêssemos essa chance.

Como estão seus sonhos de hoje em relação aos que você tinha quando era criança? São os mesmos? Desenhe. Escreva.

O MELHOR
DO SER HUMANO

É SER
AUTÊNTICO.

22. Diga não

Em 24 de outubro de 2015, Lady Gaga esteve no Centro Yale de Inteligência Emocional para conversar com adolescentes sobre a importância das emoções na vida escolar. A ação era mais uma iniciativa da Born This Way Foundation, que surgiu como uma das formas de materializar seu propósito. Lá, ela fez o seguinte discurso:

> Tenho um tipo de ansiedade, depressão, algo que mudou minha vida inteira. Tomo antidepressivos por isso. Já tentei parar, mas meu médico diz que não é seguro — e é verdade. Sempre que tentei, eu me senti neurótica, maníaca, doente. Então comecei a pesquisar medicina aiurvédica, atenção plena e meditação. Comecei a procurar por mantras. Hoje faço acupuntura, orações, música, poesia. E o que mais me ajudou foi ter compreendido que é parte da minha identidade dizer "não" às coisas que não quero fazer.
>
> Vocês todos estão na escola e têm vários professores e muitas pessoas ao redor dizendo o dia inteiro o que precisam fazer. Mas é direito seu escolher o que faz e o que não faz. É seu direito escolher no que

acredita e no que não acredita. É seu direito administrar sua vida e sua própria perspectiva [...].

Comecei a questionar por que era infeliz. Bem, na verdade eu não gosto de vender fragrâncias, perfumes. Não gosto de gastar meu tempo apertando mãos, sorrindo e tirando selfies. Faz minha existência parecer superficial. Tenho mais a oferecer que apenas minha imagem. Essa é a época em que vivemos. Sem perceber, estamos só comunicando mentiras. Não gosto de ser usada para enriquecer outras pessoas. É triste quando eu trabalho demais e me torno uma máquina de fazer dinheiro e minha paixão e minha criatividade ficam de lado. Isso me deixa infeliz.

Então, o que eu fiz? Comecei a dizer não. Não vou fazer isso. Não quero fazer isso. Não vou tirar essa foto. Não vou apoiar algo em que não acredito. E lentamente, mas verdadeiramente, fui lembrando quem eu sou. E quando isso acontece você vai para casa, se vê no espelho e diz pra si mesmo: “Sim! Posso ir dormir com essa pessoa toda noite, porque a conheço”.

E você, tem orgulho de quem se tornou? Você sente que precisa dizer não para o quê?

MATE

SEU EGO.

23. Mate seu ego

O livro indiano *Bhagavad Gita* diz: "É preferível cumprir-se o próprio dever, embora inferior, a imiscuir-se no dever alheio, embora superior". Nascemos para ser humanos. Não para ser perfeitos. Nascemos para ser quem somos. Para aprender. Não há necessidade de ser importante. A única necessidade é de ser real. Ser real é existencial. Ser importante é viagem do ego.

A grande virada deve acontecer primeiro dentro da gente. É preciso cuidar de nós mesmos antes de cuidar do mundo. Para promover qualquer mudança, temos que nos voltar para dentro com a mesma força que conquistamos tantas coisas lá fora. Em *As sete leis espirituais do sucesso*, Deepak Chopra diz:

> Quando você busca o poder e o controle sobre as pessoas, está desperdiçando energia. Quando busca dinheiro e poder movido pelo egoísmo, desperdiça energia [...]. Quando busca dinheiro somente para uso próprio, interrompe o fluxo de energia em direção a si mesmo e interfere na manifestação da inteligência da natureza. Quando seus atos são motivados pelo amor, não há perda de energia. Seu corpo é um mecanismo

controlador de energia. Se você sabe como gerar, armazenar e utilizar energia de maneira eficiente, pode criar riqueza em quantidade. Mas quando sua atenção se volta para o ego é ele que vai consumir a maior quantidade de energia.

Os Vedas são um conjunto de textos sagrados que constituem o fundamento da tradição religiosa e filosófica da Índia. Seus ensinamentos dizem que dentro de todos nós habitam luzes e sombras (como no mundo). Que temos conceitos limitados sobre quem somos e o que precisamos. Então, se estamos entrando na era do ser, precisamos antes de tudo pensar sobre isso. Olhar para ~~dentro~~ quem somos.

A cabala diz que somos desejo. Nosso coração bate, nosso sangue corre, nosso corpo mexe, somente por um desejo procurando ser satisfeito. Somos todos pacotes de desejo tentando nos preencher. Alguns ~~desejam~~ buscam fama ou status. Outros querem enriquecimento pessoal ou espiritual. Alguns almejam viajar e ganhar o mundo. Cuidar da natureza. Há pessoas que querem compartilhar. Outras buscam solidão. Há as que acreditam que a riqueza vai saciar todos os seus desejos. E as que querem atingir a iluminação.

Poderia ser lindão isso, desejar livre, dessa forma. Mas nem sempre é, pois nosso desejo é manipulado para alimentar nosso ego. Toda ação no mundo físico é movida por uma necessidade de preenchimento, e estamos sujeitos a tantos estímulos, que às vezes mais atrapalham que ajudam (a descobrir quem somos). Mais ou menos assim: Eu não sei quem eu sou, mas alguém diz que preciso de tal coisa. Daí eu vejo alguém que tem isso dizendo que é bacana, então vou lá e desejo também. Continuo sem saber quem sou, mas a propaganda ou a moda vem e diz que se eu tiver isso ou aquilo vou saber, e eu acredito. Assim vamos nos inflando, inflando, e um dia nos damos conta de que precisamos *ter* tudo (por favor não pense assim) para viver e para *ser* feliz. E achamos que não basta *ter*, é preciso *parecer*, ou até *parecer ter*, para ser reconhecido. Desenvolvemos um anseio por aprovação e admiração e um medo avassalador da reprovação. É que a percepção do nosso ego sobre nosso valor pessoal acaba se pautando pelo nosso valor em relação ao outro.

Há 50 mil anos, para ter comida e abrigo era preciso ser aceito por determinado grupo. Fazer parte de uma tribo era crítico para a sobrevivência, então nos acostumamos a querer nos adequar e agradar nossos "colegas" e superiores. Esse pode ter sido o início dessa loucurinha que vivemos de medo da liberdade e tanta preocupação com o que pensam sobre nós (é do homem das cavernas a culpa por você experimentar mil roupas antes de sair de casa).

Então, basta um olhar (ou não olhar) e a gente fica mais perdido ainda, em crise, tentando sustentar uma imagem de "quem somos". Numa sequência de ciclos e eras dentro da gente. Numa busca infinita por revoluções internas e coisas que tentem nos resolver (ou preencher os espaços vazios) e que transmitam a ideia de quem a gente é — em vez de buscar descobrir isso realmente. Eckhart Tolle aborda essa questão em seu último livro, *Um novo mundo: Como despertar uma nova consciência*:

> Todos os seres humanos do planeta poderiam ser facilmente atendidos em suas carências materiais em relação a alimento, água, abrigo, roupas e confortos básicos, não fosse pelo desequilíbrio de recursos criado pela necessidade insana e voraz de querer sempre mais, a ganância do ego. Isso encontra expressão coletiva nas estruturas econômicas, como as grandes corporações, que são entidades egoicas que competem entre si por mais. Seu único — e cego — objetivo é o lucro. Elas perseguem essa meta do modo mais implacável possível. A natureza, os animais, as pessoas, até mesmo os funcionários, não são mais do que algarismos no seu balanço comercial [...].

O medo da reprovação social faz com que o poder, o dinheiro, a fama, a perfeição, a luxúria e outras distorções se tornem erroneamente foco desenfreado de busca da nossa vida, funcionando como grandes distrações tóxicas para o ego. Mais ou menos assim: acreditamos que, para ter tudo, precisamos de dinheiro. Para ter dinheiro para ter tudo, "desejamos" fazer algo que dê dinheiro, e às vezes paramos em profissões, negócios ou relações que nos afastam de quem somos. Que nos afastam da nossa essência, do nosso propósito, da (nossa) natureza... Com medo de não ~~conseguir~~ ter tudo, nos aprisionamos a fórmulas e padrões. Seguimos os nossos pares. Fazemos de tudo para agradar quem está acima. Quase sempre pelo caminho (aparentemente) mais fácil e nem sempre tão honesto (com a gente mesmo, principalmente). Perdemos a capacidade de inventar, arriscar, ousar. Tudo pelo conforto social do ego.

O medo de errar, de fracassar, muitas vezes nos paralisa. Mas o erro é tão importante... ele nos mostra o caminho certo. O medo de perder o que ~~conquistamos~~ temos faz com que a gente queria cada vez mais, acumule cada vez mais (consuma, compre, produza, estoque). Assim esgotamos os recursos, enquanto desequilibramos a distribuição de tudo o que está disponível — afinal, não são todos que conseguem dinheiro, fama, poder... Ou seja, mais gente vai ficando de fora da tribo. Mais gente vem lutando para entrar nela.

Só que não estamos mais numa tribo há 50 mil anos. Alguém realmente ainda acredita que é preciso ser aceito para ter abrigo e comida? Como Marc Halévy diz, o homem talvez ainda não tenha compreendido que a vitória sobre o próprio ego é a única que vale a pena.

É hora de despertar a voz autêntica que existe dentro de nós. Longe das distrações do ego, ela sabe exatamente como somos em relação a valores como dinheiro, propósito, visão de mundo... Tentando satisfazer somente o ego (que muitas vezes é fundamentado na nossa relação com o outro), vamos perdendo contato com essa voz. Tem sempre alguma coisa externa nos atrapalhando chegar a ela.

A partir da nossa vivência, essa voz sabe exatamente quem somos. Ela tem uma forte intuição do que deve ser feito e onde devemos chegar. Do quanto realmente precisamos para viver e do que nos importa verdadeiramente. Em algum lugar dentro de você ela diz: “Eu sou você!”, com força e coragem, olhando nos olhos sem piscar. Sem fingir ser qualquer outra coisa (pessoa). Por que para ela todos somos importantes, originais e incríveis.

Essa voz é a verdadeira chave para viver plenamente.

Mas é muito comum esquecer as coisas importantes da vida, pois vivemos numa sociedade que nos distrai a todo momento. É triste como a maioria das pessoas segue sem conseguir ouvir essa voz. Desperdiça a vida simplesmente por não conseguir acessá-la. Caindo nas armadilhas do ego, que nós mesmos ajudamos a armar (através de campanhas, conteúdos, produtos... e uma série de falsos amortecedores). Basta abrir os olhos da consciência para compreender. Para muitos, parecer feliz (nas fotos, nas redes sociais, nas mesas de bar) é mais importante do que realmente ser.

O doutor em psicologia clínica e psicanalista Contardo Calligaris diz que para ele a felicidade é uma invenção mercadológica (mais uma armadilha para o ego), e que acreditamos que ser feliz é ter acesso a prazeres que não nos permitimos. Ligamos felicidade a realização de desejos — o que vai totalmente contra o funcionamento da cultura de escassez e obsolescência que pregamos (ou seja, tem tudo para dar errado).

Podemos desejar muito um homem, uma mulher, um relógio, um carro, um emprego. Quando conseguimos algo, já estamos desejando outra coisa. Esse mecanismo sustenta o sistema econômico, o capitalismo, nosso desejo e nosso ego. O próprio Calligaris diz que prefere ter uma vida interessante. Isso tem a ver com viver plenamente. Celebrar os sucessos e os fracassos. As delícias e as dores. Pois é o que nos constrói.

Ainda existe outra grande distração que o ego nos impõe. Como me disse Ricardinho, da Vandal:

> Eu recebia feedbacks surreais de clientes satisfeitos com a experiência de compra, o produto, a comunicação... A gente fazia um monte de coisas legais, mas não bombava de vender. Então cheguei a uma conclusão: eu sou um merda. Até que me dei conta de como era importante me achar um merda. E o quanto isso passou a me motivar, olhar e pensar: “Cara, todo dia eu acordo zerado, eu tenho que fazer algo incrível, eu tenho que melhorar”.

A artista performática Marina Abramovic diz que o ego pode se tornar um obstáculo ao trabalho quando acreditamos que somos bons demais, grandes demais, importantes demais. Ela acredita que, quando você começar a acreditar em sua grandeza, é a morte de criatividade. E Ricardinho complementa:

> O ego é a pior coisa que tem, porque se eu achar que já tá bom eu vou parar de criar. E quando errar eu vou desistir, em vez de crescer. A ilusão que todo mundo conta é: faz o que tu mais gostas que tu vais ser feliz e vais ser lindo. E na verdade não, na verdade tu descobres o que você mais gosta fazendo, errando. Mas essa relação ninguém valoriza. Porque o ego não aguenta. Ninguém chega e te fala: "Cara, legal esse teu projeto, mas vai dar tudo errado, valeu? Até um dia você acertar. Então não desiste. E mate seu ego".

O reconhecimento de quem realmente somos é o primeiro passo para nos livrar das armadilhas do ego. E você pode começar se observando (fazemos muito pouco isso). Tive uma experiência bastante interessante, com um exercício no espelho — não sob a luz da vaidade, em busca de perfeições e imperfeições, mas como um canal para olhar para dentro, me encarar.

Como uma meditação ou terapia (caso você sinta vontade de experimentar), foque entre as suas sobrancelhas (onde segundo os indianos está nosso terceiro olho) por um tempo e preste atenção nos seus pensamentos. Depois, olhe nos seus olhos (permita-se olhar para si mesmo). E vá cada vez mais fundo. Tenha a intenção de perceber outras dimensões da sua personalidade. Conhecer seus medos, fraquezas, fortalezas e talentos. Repita por vários dias, enquanto se sentir chamado à prática.

SEJA

LUZ.

24. Crie sua realidade

Confesso que sofri muito durante minha infância e adolescência por "ser diferente" (não me encaixar nos padrões dos meninos da turma). Por ver as coisas de um jeito diferente. Hoje compreendo e agradeço (quem diria!). Ser uma pessoa diferente fez de mim um profissional diferente, único, cheio de ativos importantes para meus clientes e empresas para as quais trabalho. Quando eu era pequeno, poucos me encorajaram a ser assim.

Antes de ser reconhecido, é preciso se reconhecer. Essa ficha me caiu lendo um artigo da Christine Porath na *Harvard Business Review*, que dizia que a competência que mais deve ser valorizada num profissional é o autoconhecimento. ~~Saber~~ Reconhecer quem somos (e quem você é de verdade) deve ser o primeiro passo para construir uma carreira, um negócio ou uma marca. Ou a realidade. Só assim você será capaz de fazer algo relevante (para você e para o mundo).

Em Piracanga, no Centro Holístico de Realização do Ser, ouvi a definição de "quem somos" que mais ressoou em mim. Amelia Clark, uma das fundadoras do lugar, me disse: "Somos diferentes pedacinhos de uma grande centelha de luz, uma grande energia, que muitos chamam de Deus, a reunião de muitos 'eus'). Isso mesmo, todos somos pedaços de Deus, manifestados na matéria".

E nós nos materializamos nesta dimensão física para experimentar ser Deus (aqui leia Deus como "a grande força criadora", independentemente de quem Ele é ou do que significa para você). Viemos para brincar de sentir, de ser feliz, de ter a experiência de criar e materializar, de manifestar a existência e o ato criativo do ser. Viemos para esta vida para realizar o Ser Criador que existe em nós e cocriar o mundo e nossa realidade. Isso mesmo, a cada minuto criamos nosso caminho (seja ele fácil ou difícil). O caminho de cada um é o que faz o mundo girar.

Somos cocriadores dotados de livre-arbítrio e nos tornamos fonte de tudo o que decidimos experimentar na vida. Somos responsáveis por nossas alegrias e tristezas e pelo mundo em que vivemos. Em nossa essência mora a possibilidade da escolha. Nós criamos nossa realidade. Tudo o que vai volta, isso já está comprovado (se você não gosta do que está vindo, experimente mudar o que está dando). Nosso estilo de vida determina a vida das gerações futuras. Diz o escritor uruguaio Eduardo Galeano em *O livro dos abraços*:

> Cada pessoa brilha com luz própria entre todas as outras. Não existem duas fogueiras iguais. Existem fogueiras grandes e fogueiras pequenas e fogueiras de todas as cores. Existe gente de fogo sereno, que nem percebe o vento, e gente de fogo louco, que enche o ar de chispas. Alguns fogos, fogos bobos, não alumiam nem queimam; mas outros incendeiam a vida com tamanha vontade que é impossível não olhar para eles sem pestanejar, e quem chegar perto pega fogo.

Isso conversa diretamente com o seguinte post de Prem Baba no Facebook:

> Nossos dons e talentos são manifestações do nosso propósito na Terra. [...] Mas é lamentável que alguns tenham esquecido seu próprio tesouro. O ser humano foi tão severamente reprimido que deixou de expressar seus dons naturais. Ele deixou de ser natural e passou a ser aquilo que

agrada à família e à sociedade. E assim ele passa a vida buscando remédios para curar os sintomas causados pelo esquecimento de si mesmo.

Alguns acreditam que a capacidade de criar é um dom. Talvez essa crença tenha começado na Grécia antiga, quando as pessoas não acreditavam que a criatividade viesse dos seres humanos. Elas achavam que a criatividade era um espírito de plantão que vinha nos encontrar para fazer coisas incríveis, por razões estranhas e desconhecidas.

Até que no Renascimento tudo mudou. As pessoas foram colocadas no centro de tudo e não sobrou espaço para forças divinas e gênios criativos. O racionalismo humanista foi privilegiado. As pessoas passaram a acreditar que a criatividade vinha de cada um. E então começamos a nos referir a um ou outro indivíduo como alguém que é um gênio (e não que tem um gênio), como disse Elizabeth Gilbert, autora de *Comer, rezar, amar*, em sua primeira apresentação no TED.

A autora acredita que essa mudança de perspectiva foi um grande erro. Ainda no TED, ela diz: "Acreditar que alguém possa substituir a força de uma entidade divina é demais para a cabeça de qualquer um. É como pedir para alguém que engula o Sol. Isso só distorce e deforma os egos e cria expectativas descontroladas sobre nossa atuação".

Talvez isso tenha gerado o programa mental "eu não sou criativo", que foi perpetuado por gerações e gerações. Mas a verdade é que, como canta Bebel Gilberto, "de onde vem ninguém sabe, a luz da criação. A quem pertencem, a quem cabem, as ideias". O que você acha? Eu sinceramente acredito que a capacidade criativa vive dentro de todos nós (em alguns mais apagada e em outros mais acesa). E repito: a diferença está no quanto permitimos essa manifestação, no quanto nos sentimos livres.

Há séculos as pessoas se reuniam em torno da fogueira para compartilhar, tecer, celebrar, integrar... Ali elas eram magníficas. Mas, mesmo assim, um ou outro conseguia ser mais brilhante, na música, na dança ou na palavra. Como se o ser se iluminasse por dentro e manifestasse o divino, chamando toda a atenção da roda. Até que no dia seguinte essa pessoa acordava e seguia sua vida normal, com nada de divino ou extraordinário a acompanhar. Mas aquela força continuava dentro dela. O mesmo continuou acontecendo com a humanidade, no colégio, entre os familiares, dentro das organizações, no mercado. Como pode?

Nossa natureza é criativa. É de realização. E este é o momento mais importante para retomarmos essa consciência. De ser luz. Ser criativo, fluido, flexível. Livre. De abrir mão de nossos medos, dos padrões, das formas de bolo. Esse é o momento de retomarmos a consciência de que somos capazes e responsáveis por criar nossa realidade, cocriar — e salvar — o mundo à nossa volta.

A edição comemorativa de quarenta anos da *Vogue Brasil*, de maio de 2015, me presenteou (te agradeço sempre Evelin por me recomendar essa leitura) com a linda matéria "Um novo norte", sobre Thiago Cavalli, que comprou uma casa abandonada na beira do remoto rio Tupana, no Amazonas, e inventou uma nova vida — para si próprio e para a comunidade das margens.

> Às vezes a gente não se encaixa nas caixas que o mundo nos dá. [...] Tentava me moldar a uma forma de viver que te dá a bula do que está na onda em determinado grupo social, e isso estava me custando 20 mg diários de Citalopram, 10 mg de Melatonina, alguns litros de vinho e tantas outras coisas mais para que o corpo não se dilacerasse — ou se esborrachasse da janela do nono andar.

Thiago cursou comunicação e artes do corpo na PUC-SP, foi performer e ator, entre outras coisas, mas sentia que havia algo que faltava. Uma noite, teve um insight numa festa: "Decidi que não iria morrer". Então juntou suas milhas e seus sonhos e foi parar em Manaus.

> Por uma semana inventei meu nome, minha profissão e o que queria quando me perguntassem. Meu corpo experimentava tudo em excesso: o sol escaldante, a água quente, a beleza da Amazônia. Ali tudo era vida. Não tive dúvidas, às margens do rio construiria minha caixinha, onde finalmente seria capaz de exercer minhas potencialidades.

Algum tempo, muita luta e uns amigos depois, a varanda da "Casa do Rio" (que construiu) tornou-se sala de aula, ponto de encontro e um lugar para inventar o futuro. "Eram 25 crianças e nosso objetivo era prepará-las para que pudessem fazer escolhas", diz na matéria. Viver livre. Hoje com apoio da BrazilFoundation, além da escola, a casa conta com uma cooperativa de mulheres artesãs e muitos planos para o futuro. "Quando escolhi viver, aprendi que era possível construir uma caixinha e mudar o mundo — mesmo que só um pedacinho dele", disse à revista.

Da mesma maneira você pode criar sua realidade. Ser quem você é. Todos os dias, de todas as formas. Com todas as suas qualidades e defeitos. Sem olhar tanto ao redor. E você nem precisa ir muito longe para isso (como o Sol ou a Amazônia). A viagem é para dentro de você. "O maior privilégio da vida é ser quem você é", disse Joseph Campbell em *A Joseph Campbell Companion*. Aceite o poder da criação.

Essa crença (consciência) traz um senso de responsabilidade muito grande sobre nosso papel na vida, é verdade. Mas também pode trazer calma, pois desperta a noção de que só depende da gente. Então de fato é possível ser a mudança que queremos ver no mundo. Uns acreditam que viemos aqui para aprender ou para pagar pecados. Decidi acreditar que estamos aqui para ser livres e felizes (não fui eu que escolhi comer a tal maçã errada, porque então tenho que sofrer?). E é com leveza e felicidade que criaremos esta nova era.

Outro exercício bem interessante, que nos estimula a olhar para nós, é o desenho do autorretrato. Grandes nomes da arte faziam isso no passado. Mas, entre tantas coisas que perdemos, deixamos de fazer isso também. Até que uma vez me foi proposto como meio terapêutico. Além de um auto-olhar, o exercício estimula o lado direito do cérebro (que em muitos se atrofiou), responsável por criatividade, fantasia, curiosidade, intuições e tantos outros valores do feminino sagrado, necessários para a grande virada. Experimente. Pratique.

O QUE A HUMANIDADE PERDERIA SE VOCÊ MORRESSE HOJE?

25. Faça o que nunca foi feito

Como você se sente sabendo que é tão poderos@?

( ) Estranh@ ( ) Confus@ ( ) Motivad@ ( ) Confiante
( ) ______________________________

Olha eu já querendo te dar múltiplas escolhas. Pode marcar quantas quiser, tá? E escrever sua resposta também ☺.

Confesso que me faz um bem danado ler e escrever todas estas páginas. Tudo isso que estou escrevendo não é só para você, mas para mim também. Confio. Me motivo. Me sinto como uma criança. Redescobrindo a vida, a liberdade. Como se tivesse uma folha em branco. E o que mais desejo é que você descubra sua folha em branco também. Que escolha suas próprias cores e materiais para pintá-la.

Para trabalhar com moda é preciso ter prazer pelo desconhecido. Apaixonar-se pelo que é puro, não existe, não foi feito. Experimentar. Errar feio. Fazer, refazer. Desaprender e aprender de novo. Se você decidiu fazer isso da sua vida, precisa estar na frente. Inventar hoje a loucura que será a normalidade de amanhã. E quando digo isso não estou me referindo apenas a produtos, mas também a marcas, modelos de negócio, comunicação, produção...

Tudo o que precisa ser criado já está disponível. Mas talvez estejamos buscando no lugar errado. Isso porque "estar disponível" não é o mesmo que "estar pronto". Muita gente busca o "caminho mais fácil" e vai atrás do que já foi criado, entendendo o processo criativo como um processo de edição, um *mashup* do que já ~~foi feito~~ está pronto. As pessoas acreditam nisso, como Austin Kleon, autor de *Roube como um artista*. Ouso discordar, valendo-me de uma passagem da Bíblia (Eclesiastes 1,9): "Não há nada de novo debaixo do Sol". Em seu livro, no qual dá dez dicas sobre criatividade (ou não), Kleon diz que nada é original e que todo artista rouba "suas" ideias de algum lugar (tendo ou não coragem de reconhecer isso). Todo trabalho criativo é construído sobre algo que veio antes.

Na moda, de fato, vemos muito disso. Vamos pensar na criação de uma coleção. Muita gente acredita que envolve assistir a um monte de desfiles, comprar revistas, viajar e ficar sentado na rua esperando gente passar para fotografar ou entrar em várias lojas para "ver" roupa — isso desde quando não havia nem máquina digital, o filme era caríssimo e as estilistas vestiam as roupas na cabine e desenhavam o que viam refletido no espelho.

Juntando uma manga vista numa revista com a gola da blusa de uma pessoa que passou, a estampa de outra roupa que estava no brechó e o tecido que bombou no desfile tal, pá!, nasce uma blusa. Agora imagine (o esforço e energia) fazer isso multiplicado por setecentos, novecentos, que costuma ser a média de peças numa coleção (fora os produtos reprovados) de uma marca grande. O mesmo acontece com a arquitetura dos pontos de venda, com os posts das redes sociais... *Mashup*! (Para dar um nome "cool" ao processo.)

Não é à toa que os profissionais estejam exaustos. Não é à toa que a moda não pare de revisitar o passado. Não é à toa que a gente ande por lojas e lojas e não veja nenhuma novidade. Não é à toa que a moda esteja morrendo. Por que as pessoas ainda fazem isso?

Você pode ~~me dizer~~ pensar que é por causa da importância de seguir a tendência ou a vontade das pessoas. Eu digo que não. Já está mais que provado que a lógica das tendências hoje é outra. Existe de tudo em todos os lugares (abra qualquer revista, site de moda ou a janela para perceber). Cada vez mais o que vemos (e veremos) são AS MARCAS, AS PESSOAS e OS PRODUTOS que se combinam. É preciso se abrir para isso.

Então a forma de criar precisa urgentemente ser outra. Como Einstein disse, é impossível resolver os problemas com a mesma cabeça com que os criamos. Precisamos achar uma nova lógica (que talvez nem seja tão lógica).

Quando digo que não podemos continuar desta forma, não estou falando (somente) porque agora qualquer pessoa de qualquer lugar no mundo pode saber o que qualquer marca está fazendo pela internet, sem precisar se levantar. Mas porque é preciso realmente reinventar. A não ser que você queira ser uma marca "eu também", daquelas que ficam esperando ver o que as outras fazem para seguir. Quero falar com marcas e pessoas que querem ser agentes da nova era.

Existe um monte de coisa nova por aí esperando (você) para ser criada. Você pode fazê-las amanhã ou depois. Ou pode largar este livro e começar agora. Mas antes precisa mudar o foco. Estamos cegos. Olhamos para o lugar errado. Estamos atolados de imagens, produtos, desfiles, coleções, minicoleções, mini-minicoleções... E nos perdemos no meio disso tudo (entre as mesmas referências).

As ideias que estão esperando para ser descobertas estão em dois lugares:

1 dentro de você (na sua vida);
2 em todos os lugares fora da moda.

Vou explicar. Em 2015, facilitei um curso de *coolhunting* para um grupo de 22 empresários e criativos da moda de Santa Catarina, oferecido pelo Sebrae, na Califórnia. Como em qualquer viagem de pesquisa, o primeiro instinto era entrar no maior número de lojas e tirar o maior número de fotos. Mas nessa viagem não seria assim.

Meu desafio e o da equipe eram imensos, pois tínhamos profissionais de várias áreas, com expectativas e perfis de negócio e de vida totalmente distintos. Tínhamos apenas dez dias para que entendessem como transformar comportamento em moda. Eu não sabia muito bem o que ia fazer e me coloquei a serviço e disposição de uma força maior que pudesse iluminar aqueles dias. Mas de uma coisa eu tinha certeza: jamais conseguiria "ensinar" o que estou falando aqui e quebrar vícios de uma vida inteira. Eu precisava fazê-los compreender (o que vai além do "entender") o que estou falando aqui.

Em anos de sala de aula, compreendi que o papel do ~~professor~~ facilitador é criar um ambiente em que as pessoas possam estar livres, seguras e confortáveis para *sentir* o que precisa ser transformado ou aprendido. Então a viagem foi programada com um roteiro de vivências que tangibilizassem a transição de que estamos falando. Que ajudasse os participantes a ~~libertar~~ entrar em contato com a criança de cada um, estimulando assim a criação sem "certo" ou "errado", que celebra as diferenças e faz do mundo um lugar mais espontâneo, autêntico e feliz.

Na prática, começamos visitando as grandes lojas de departamento — que pasteurizaram produtos iguais e causaram enjoo e uma sensação de fartura e indigestão em todos nós. Passamos depois pelas grandes marcas, onde foi impossível identificar produtos hits ou tendências. Até chegar nas pequenas lojas de bairro, mais autorais, em espaços coletivos de criação e colaboração, e, por fim, em espaços onde brilhavam a arte, as pessoas e a natureza.

Durante esses dias o grupo deveria fotografar e postar no WhatsApp o que mais se repetia (#tendências), o que mais emocionava ou o que era mais diferente (#inspiração). O que mais se repetia era TUDO. E diferente de um tempo atrás, quando isso virava tendência e era o que mais dava vontade de comprar, ninguém queria comprar nada. O que mais emocionou foram lojas de produtos artesanais e orgânicos, espaço de colaboração, espaços multiuso com livros, roupas, comida e impressoras 3-D, ruas tingidas de arte do asfalto às empenas dos prédios, parques, praias e espaços públicos e brechós (para alguns).

O que mais emocionou foram as coisas mais verdadeiras, as mais autênticas e as mais distantes do que costumamos ver e fazer.

A história de vida e de marca de cada um deles também foi o que mais emocionou. A da Ivete, que começou seu negócio com o marido, usando o dinheiro da comida para comprar matéria-prima e trocando a mesa de jantar por uma mesa de corte. Eles fizeram pijamas para vender e, depois, criaram uma das primeiras marcas *plus size* do Brasil, pois viveram o drama de uma filha adolescente obesa. A da família Rossi, cuja marca se confunde com a história do Brasil, atravessando suas crises e mudanças de governos (mais que de tendências). A da Aline e do Leo, que tinham lojas concorrentes e competiam porta a porta pelo preço mais baixo de *t-shirt* até se apaixonar, desistir de concorrer e juntar as marcas (assim mesmo, tipo novela).

Estimulei que todos *reconhecessem* e contassem suas próprias histórias, que eram lindas e naturalmente inspiradoras e verdadeiras. Essa riqueza de informação poderia dar origem aos conceitos das marcas, lojas, coleções, produtos... Por que buscar isso fora? O processo criativo acontece para atender um chamado, que pode ser interior ou exterior. Nenhuma criação é em vão. Ela acontece em resposta a algo que nos colocamos à disposição de buscar. Se nos acostumarmos a ~~buscar~~ olhar para dentro, criaremos dessa forma. Seremos cada vez melhores nisso.

A mais carismática, Claudete, não concluiu os estudos, não fez faculdade e mesmo assim construiu um grande império de lojas de atacado e varejo (e uma família linda que participa totalmente do negócio). Veio dela a confirmação de que o propósito da viagem tinha se cumprido. No início Claudete estava ansiosa, buscando um lustre para sua loja — fotografou aproximadamente uns cinquenta, para misturar e reproduzir. Até que Leo — que também me emocionou profundamente ao deixar de fotografar silks de blusas prontas para privilegiar adesivos, lambe-lambes e placas nas ruas que pudessem inspirar novas artes — contou de um lustre que viu, feito de compotas de vidro. Jamais vou me esquecer do ~~estalo~~ brilho nos olhos da Claudete que denunciavam a grande descoberta de uma criança: um lustre não precisa nascer de um lustre.

Isso é o que mais tenho presenciado. Os insights mais transformadores são os mais simples. São como redescobertas, e não grandes descobertas. Vêm de dentro, já existiam... Por isso se tornam óbvias (quase bobas) depois de reveladas. Mas têm grande valor. Quando nos tocam de verdade fazem toda a diferença. É no encontro da pureza e simplicidade da nossa criança e do nosso poder de criação que nascem as melhores ideias.

A consciência, a liberdade e a capacidade de criar e materializar é o que divide as pessoas. Até hoje é isso que tem feito a seleção natural da nossa espécie. Pois bem, sua consciência está sendo trabalhada neste momento. Você nasceu livre. Agora precisa acreditar que pode criar e realizar. Para alguns, talvez seja realmente mais fácil acreditar que seus dons criativos são "emprestados", para que possam aceitá-los. Não importa como, mas não negar que eles existem é o primeiro passo para libertá-los.

Experimentar é o segundo. Mas a gente teima em achar que ~~copiar~~ o caminho mais rápido é o mais simples, quando na verdade é o pior caminho, pois nos afasta cada vez mais da nossa luz criativa. Vamos ficando cada vez "melhores" em copiar, quando deveríamos estar treinando como criar (olhando para dentro). Pense nisso.

Voltando dessa viagem, num jantar com o amado casal Rodrigo Ribeiro e Marcella Mendes, fundadores da Foxton, e o *stylist* Felipe Veloso, tive outra confirmação. Estávamos falando sobre ~~a vida~~ desenvolvimento de coleções, o desgaste dos profissionais de criação e das marcas, comida orgânica, o mar e desejos de viagens quando Felipe começou a contar sua experiência de criação com a estilista Patricia Vieira, com quem trabalha há muitos anos:

> Um dia decidimos que não íamos para Londres, Paris ou Nova York pesquisar. Íamos para Fez, no Marrocos. Estávamos exaustos, cansados de tanta informação, tendências, produtos... Decidimos mudar o foco. E aproveitar para arejar a cabeça.

Fez, que já foi capital de Marrocos, é uma grande surpresa. Cheia de tradições e lugares incríveis (algumas verdadeiras joias escondidas na cidade), possui uma arquitetura rica em detalhes talhados em madeira, pedrarias, azulejos e uma cartela de cores supercaracterística que combina com tudo o que é produzido lá.

> Após uma longuíssima viagem, sentamos para o café da manhã num ambiente incrível, rodeados por objetos, arquitetura e natureza que jamais tínhamos visto, e antes que o café tivesse terminado, ali tivemos ideia de oito técnicas de beneficiamento de produto, inspiradas por tudo o que estava à nossa volta. Tudo menos roupa.

Depois dessa viagem, eles não pararam mais. Foram para Havaí, Costa Rica, Jamaica, Atacama, Punta... Com outro foco, outro olhar, e assim perceberam que rendiam muito mais, com mais profundidade e criatividade. Como me disse Felipe: "Nestes lugares você está concentrado na sua inteligência". "De alma aberta", complementou Rodrigo. Felipe adicionou:

> E o foco está na criação, na observação plena, na intuição, em você e na marca. Ali você só pensa no que aquele lugar pode te inspirar. Por saber que nada vai estar pronto, você precisa realmente se abrir à criação. Quando tira da sua frente o periférico (lojas, roupas, marcas e Google Image), a cabeça entra num processo criativo tão mais intenso e profundo, diferente do que acontece em outros lugares onde a moda está muito presente.

Além disso, Felipe falou do quanto a natureza pode ser uma grande fonte inspiradora para tudo (o que faz muito sentido para mim), com suas mil formas e composições — o que faz da mãe terra uma grande coordenadora de estilo. Ela já nasceu criativa, livre, moderna. Com mistura de cores, padronagens e texturas (roxo com amarelo, craquelado com poá, zigue-zague e mosaicos em curvas orgânicas). Onde padrões (de pele) de bichos viram cores e tudo traz uma forma que se encaixa e harmoniza. Se você sente isso, compreende que preservar a natureza é preservar nossa fonte de criação.

Para Felipe e Patricia, as cores dos lugares visitados inspiraram cartelas de cores. A corrosão das lavas dos vulcões do Atacama levou a beneficiamentos do couro. A vegetação motivou uma jaqueta com miniagulhas de plástico fazendo as vezes de cacto. O movimento das águas da Costa Rica inspirou franjas. E as cascas das árvores das florestas da Jamaica (que mais parecem cenários de filme) inspiraram degradês e patchworks. Felipe contou ainda que:

> Isso é o que eu tenho sentido hoje. Imagine o que é chegar num lugar e ver seis arco-íris em meia hora [no Havaí]! Ou estar num lugar que tem o ar mais puro do mundo [Atacama]. As ondas que tenho nesses lugares... No Atacama visitei um salar que é o lugar mais alto que você pode ir de carro, são uns 4800 metros de altura [uma ponte aérea chega em torno de 3500]. Lá os vulcões explodiram formando planícies, com acúmulos de água, como se fosse o centro da Terra. Tudo é diferente: a vegetação, o clima, as cores... parece que você está na Lua.

Essas viagens, que nos levam muitas vezes para longe, para ver o mundo lá fora, na verdade nos trazem para dentro. Lugares de contemplação da natureza, de plantio, de lazer — onde apesar da natureza exuberante não há vaidade — nos conectam com nossa essência, de onde vem nossa luz criativa. Com o tempo vamos entendendo que cuidar da natureza é cuidar de nossa fonte de criação. Felipe conclui:

> Chegando no alto eu me deitei e olhei para o céu. Olhei para constelações de estrelas que não existem mais, pois a luz já passou e elas se apagaram. Me dei conta que estava mais alto que um avião que passa na praia onde eu moro. Senti uma conexão tão forte, me senti tão parte daquilo, mesmo sem nunca ter estado lá. Tive uma crise de choro. Uma consciência tão grande de existência. Das coisas de que preciso me desapegar para me concentrar em mim, para ser mais livre. Juro, eu voltei no carro chorando.

Na hora conectei as histórias que Felipe contou ao livro do filósofo Henry Thoreau, *Walden*. Em 1845, desgostoso com o comercialismo e o industrialismo da sociedade americana, Thoreau pressentiu que a mídia, as marcas e o mundo todo iam nos colocar numa era de excesso de estímulos, na qual o entendimento e o reconhecimento sobre as coisas importantes da vida, sobre a apreciação do momento presente e até mesmo a felicidade seria impossível. Ficaríamos tão contaminados por essa poluição que nos tornaríamos cegos e surdos ao essencial. Então ele decidiu escapar da cidade e dos estímulos da vida moderna, e viver um tempo em meio à natureza, às margens do lago Walden. Lá ele ficou por dois anos, dois meses e dois dias, apartado da sociedade, suprindo as próprias necessidades, estudando (escrevendo), contemplando a natureza e conhecendo a si mesmo.

Sei que nem todos têm a chance de ir a Fez, ao Havaí ou se isolar do mundo. Na real, não acho que seja preciso. Mas é sempre bom mudar o caminho. No meu curso na Califórnia, morremos de rir com a Ivete, que contou que foi ao cemitério fazer pesquisa de nomes para sua marca *plus size*, que virou Carol Costa (achei genial!). Da mesma forma, uma volta na praia, no parque ou na praça pode ser renovadora. O importante é o ambiente que criamos, em que pesquisamos, "nos inspiramos", e ser a favor da criação livre. Ser essencial. Se ele é poluído ou confuso, não é a favor da criação essencial.

Ah, antes que eu esqueça, roupas também podem fazer parte do processo criativo. A intenção aqui não é negar isso. Uma saia pode virar um vestido. Uma calça pode virar a casaca. Um tomara que caia pode cair e virar uma saia linda. Uma blusa de manga comprida pode se transformar, como uma borboleta, num lindo macacão. Tudo pode ser misturado ou combinado com informação de moda e até tendências. Mas é preciso cuidar para a moda não tolher nossa criatividade. Não deixar que as tendências e o olhar para as "coisas" nos ceguem. Temos visto muitas coisas, mas deixado de olhar... Para onde você tem olhado?

Oskar Metsavaht foi para Inhotim desenvolver o projeto Interfaces. Ele, que foi fisgado pela moda como canal de expressão, diz que sempre teve uma necessidade de liberdade criativa maior do que ela pôde lhe dar. Por isso seu trabalho como estilista é acompanhado por iniciativas relacionadas a uma grande pesquisa visual (mania desenvolvida desde pequeno, quando ajudava a mãe, professora de artes, a preparar slides para a aula) nas artes em geral. Ele disse numa palestra para uma de minhas turmas de moda no IED-RJ.

> A moda para mim parte de pressupostos bastante complexos. Do ponto de vista conceitual, material, sensorial e emocional. Por isso sempre busquei fazer dela uma expressão criativa, como um processo artístico genuíno.

Oskar fez isso muitas vezes inspirando e respirando a natureza, através de um olhar que combina sua trajetória pessoal e criativa, baseada na expertise adquirida durante seu próprio processo de transformação — de médico a designer, e agora artista — ao passear por ciência, anatomia, biofísica, biomecânica, filosofia, fotografia, design, edição...

A relação entre o "eu", a natureza e os trabalhos artísticos expostos foi o que o interessou em Inhotim. Lugar responsável por harmonizar obras de arte contemporânea de grandes artistas com uma natureza exuberante (tão incrível quanto as obras) e quem se coloca em meio a tudo isso. Assim ele revelou seis conceitos de trabalho: caminho (pois lá você está sempre em movimento, de uma obra a outra), transparência (por as obras estarem em um local aberto, convidativo a múltiplas visões), arquétipo (da sobreposição de arquitetura, arte e natureza), reflexos (do espelho d'água, das folhagens e dos vidros e espelhos das obras), emoção (da liberdade de expressão ali presente) e interface (onde tudo isso se encontra).

Com uma equipe (rede) de 27 pessoas — entre designers, fotógrafos, costureiras e produtores musicais —, transformou esses conceitos em roupa (uma coleção inteira!), filme e diversos ensaios fotográficos. No filme *Interfaces*, exibido numa ocupação do Hospital Matarazzo, em São Paulo, Oskar quis falar de um corpo que fosse tocado pela arte da natureza. Numa relação dramática, emocional, de introspecção e extroversão, abertura e recolhimento, êxtase e serenidade (como sempre, buscando um ponto de equilíbrio entre forças que se opõem e se complementam).

Torço para que você não tenha visto a obra de Oskar, para que possa ler sem referências a carta de apresentação do filme, escrita pelo jornalista Alcino Leite Neto. Tome esse momento como um convite para imaginar o que foi apresentado. Respire fundo, leia com atenção (e intenção) e se permita sentir (desenhar) e sonhar com todas as imagens:

> O filme-performance-instalação resultou num poema visual de intenso lirismo, em que as imagens em pulsação contínua produzem um caleidoscópio de formas, luzes e cores, uma camada imaginária, como ele diz, que desafia os limites entre o corpo humano e a natureza.
>
> De início, reinam os múltiplos matizes entre o branco e o preto, como radiografias de folhagens. O ondular dos tons neutros, a suave disputa entre a luz e a obscuridade, o opaco e o transparente, predominam. Pouco a pouco, outras cores se revelam e descobrimos um corpo humano e sua veste, sobre os quais a natureza se projeta, num enlace visual que gera uma nova pele — "a terceira" —, uma pele-poesia, que se sobrepõe e combina com a pele biológica e a "segunda pele", como é chamada a roupa; no filme um mero tecido flutuante.
>
> Os tons expressionistas são lentamente perpassados por folhagens e flores de coloração exuberante, entre o vinho e o verde, o branco e o prata. As formas brotam no espaço, espalhando-se no tecido como pinceladas numa tela "viva", em constante processo de composição e retoque.
>
> Ondas de luzes e cores revelam e ocultam formas da natureza e do corpo, confundindo-os, misturando-os. A natureza adquire as formas do corpo e vice-versa. Entre um e outro já não há fronteiras, ambos envolvidos na invenção lírica e estática de uma nova interface, de um novo mundo.

Imaginou? (O que você pensou é único, só você viu.) Então, esse é o primeiro passo para se libertar.

Você também é livre para criar o ~~futuro~~ seu novo mundo. Para isso, crie como quem sente. Sinta a força da sua luz. Da sua vocação.

Do seu propósito. Com menos raciocínio e mais intuição e liberdade. Como se fosse sempre a primeira vez. Permita-se novas possibilidades. A vida já é tão cheia de regras. Vamos deixar a moda fora disso, por amor.

Até a próxima viagem.

Pergunte sempre

Depois de 408 páginas, tenho certeza de que você adquiriu uma nova consciência sobre o que tem feito e sobre o mundo à sua volta. Agora que investigou tantos temas dentro e fora de você, convido a (re) pensar sua jornada e montar seu *golden circle* (e/ou sua organização).

Por quê?

Esse deve ser seu propósito, onde seus talentos e vocações se encontram para servir à cocriação do mundo. Aquilo que você faria sem pensar em dinheiro. O motivo pelo qual acorda todos os dias para realizar.

> Qual é minha maior motivação?
> O que mais me realiza?
> Onde encontro a felicidade?
> Que contribuição posso dar à comunidade e ao mundo?

Como?

Tem a ver com seus valores. O que mais te sensibiliza no mundo e direciona a forma como vai cumprir seu propósito.

No que eu acredito verdadeiramente?
Quais são meus maiores valores?
Quais causas eu serviria?

O quê?

Este é seu legado. Sua contribuição para deixar o mundo melhor do que estava quando chegou.

O que você vai fazer para materializar seu propósito?
Como vai mostrar ao mundo aquilo em que acredita?
O que te chama para a ação?
Qual tipo de trabalho te deixa energizado?
Qual tipo de trabalho fará o melhor uso do seu tempo na terra?
Como seus dons e talentos se materializam?

Tenha calma se todas as respostas não aparecerem de uma vez. Volte e pergunte sempre. O mais importante é estar presente, com escuta ativa, para ouvir o que está dentro de você. Seja bem-vind@ a você.

Gratidão

Gratidão é reconhecer um favor, um benefício ou um auxílio que lhe foi prestado. Mas é também uma emoção.

Diversos estudos e pesquisas já comprovaram cientificamente que ser grat@ causa mudanças no nosso estado físico e mental. É uma poderosa ferramenta para mudar a maneira como percebemos o mundo. Pode melhorar a autoestima, a qualidade do sono e até mesmo as relações. Há quem seja grat@ pelas risadas, pela saúde, pelas companhias ou pelo canto dos pássaros e o pôr do sol. Por ter uma roupa para vestir, um trabalho ou uma casa própria. Há quem faça da gratidão um estado de espírito, uma forma de levar a vida. Uma decisão simples (porém não tão fácil) que faz toda diferença.

Lembrar-se diariamente de três coisas pelas quais você é grato deixa o cérebro feliz, sabia? Hoje eu agradeço pela minha vida, por estar aqui e por poder fazer todos os dias tudo o que faço. Agradeço por minha família, equipe, amig@s, namorad@s e todas as pessoas que cruzaram meu caminho. Hoje eu as percebo como mentor@s, com quem aprendo em cada troca (mesmo as mais difíceis). Por fim, agradeço por aceitar a mudança. Por ter ido atrás de uma vida com mais significado, propósito e por tudo o que veio quando tomei essa decisão. E você, pelo que se sente grat@?

TIPOGRAFIA Arnhem Blond
DIAGRAMAÇÃO acomte
PAPEL Pólen Soft, Suzano Papel e Celulose
IMPRESSÃO Prol Editora Gráfica, outubro de 2016

FSC
www.fsc.org
MISTO
Papel produzido a partir de fontes responsáveis
FSC® C012418

A marca FSC® é a garantia de que a madeira utilizada na fabricação do papel deste livro provém de florestas que foram gerenciadas de maneira ambientalmente correta, socialmente justa e economicamente viável, além de outras fontes de origem controlada.